3

Clara et Lionel

Déjà paru dans
la même collection:

La malédiction des Dragensblöt, tome 1 - *Le château*
La malédiction des Dragensblöt, tome 2 - *Thorfrid et Brynjulf*

À paraître dans
la même collection:

La malédiction des Dragensblöt, tome 4
Esther et Isabel

À ce jour, Anne Robillard a publié près
de soixante-quinze romans.
Parmi eux, les séries cultes *Les Chevaliers d'Émeraude*,
Les héritiers d'Enkidiev et *Les Chevaliers d'Antarès*,
la mystérieuse série à succès *A.N.G.E.*,
les livres fantastiques *Les Chevaliers d'Épées*,
Qui est Terra Wilder? et *Capitaine Wilder*,
la série surnaturelle *Les ailes d'Alexanne*,
la trilogie ésotérique *Le retour de l'oiseau-tonnerre*,
la série rock'n roll *Les cordes de cristal*
ainsi que plusieurs livres compagnons et BD.

Ses œuvres ont franchi les frontières du Québec
et font la joie de lecteurs partout dans le monde.

Pour obtenir plus de détails sur ces autres
parutions, n'hésitez pas à consulter
son site officiel et sa boutique en ligne:

www.anne-robillard.com / www.parandar.com

ANNE ROBILLARD

Tome 3
Clara et Lionel

Catalogage avant publication de Bibliothèque et Archives
nationales du Québec et Bibliothèque et Archives Canada

Titre: La malédiction des Dragensblöt / Anne Robillard.
Noms: Robillard, Anne, auteur. | Robillard, Anne. Clara et Lionel.
Description: Sommaire incomplet: tome 3. Clara et Lionel.
Identifiants: Canadiana 20190017228 | ISBN 9782924442 708 (vol. 3)
Classification: LCC PS8585.O3257 M35 2019 | CDD C843/.6—dc23

Wellan Inc.
C.P. 85059 – IGA
Mont-Saint-Hilaire, QC   J3H 5W1
Courriel: info@anne-robillard.com

Illustration de la couverture: Aurélie Laget
Mise en pages et typographie: Claudia Robillard
Révision et correction d'épreuves: Annie Pronovost

Distribution: Prologue
1650, boul. Lionel-Bertrand
Boisbriand, QC   J7H 1N7
Téléphone: 450 434-0306 / 1 800 363-2864
Télécopieur: 450 434-2627 / 1 800 361-8088

Dépôt légal – Bibliothèque et Archives nationales du Québec, 2019
Dépôt légal – Bibliothèque et Archives Canada, 2019

«Là où se trouve une volonté, il existe un chemin.»

— Winston Churchill

CHAPITRE 1

La Grande-Bretagne n'était pas la seule nation à être tombée sous le charme du premier tome des aventures de Samuel Andersen. Tous les pays desservis par le distributeur de Jarsdel & Raynott l'avaient accueilli avec beaucoup d'enthousiasme.

Cette frénésie découlait, d'une part, de l'excellente plume d'Esther Thompson, qui utilisait un charmant style vieillot, et, d'autre part, de sa magie. Elle avait enchanté les romans de son descendant pour s'assurer qu'ils plairaient à tout le monde. Ainsi, Samuel jouirait d'un important coussin financier lorsqu'il reprendrait son ancienne vie. Si Esther écrivait en son nom, c'était non seulement pour le remercier des efforts qu'il déployait pour libérer les fantômes du château, mais aussi pour se faire plaisir. En raison de la malédiction, elle avait dû autrefois renoncer à tous ses rêves afin de prendre soin de sa mère malade et gagner sa vie comme bonne. Grâce à Samuel, elle pouvait maintenant réaliser le plus important d'entre eux avant de monter au ciel.

Partout, les exemplaires d'*Anwen, la délaissée*, s'étaient vendus comme des petits pains chauds. Oliver Jarsdel avait dû demander à Adley Carlisle, de Carlisle Printers & Sons, d'imprimer des milliers d'exemplaires supplémentaires. Il devinait déjà que la sortie du deuxième tome susciterait la curiosité de nouveaux lecteurs. Pour un homme qui venait tout juste d'entamer sa carrière d'écrivain, Samuel impressionnait même les critiques. Jarsdel n'arrêtait pas de recevoir des demandes de traduction de l'œuvre dans toutes les langues. Il les transmettait au fur et à mesure à son avocat pour qu'il rédige les contrats requis.

Harold Southey, qui avait organisé un lancement monstre pour le premier ouvrage du musicien, aurait dû être fou de joie devant ce succès phénoménal, mais il continuait d'être obsédé par les étranges événements qui s'étaient produits dans sa librairie, ce jour-là. Alors, dès le lendemain, il avait contacté des spécialistes en effets spéciaux. Il voulait qu'on lui explique d'où provenaient les flammes qui étaient sorties des torches du décor du château érigé au milieu de la librairie ainsi que les ombres chinoises qui étaient apparues dans ses fenêtres pourtant opaques.

L'équipe de Finley Denholm s'était donc présentée après la fermeture le surlendemain afin de pouvoir travailler sans incommoder les clients. Le gérant les fit entrer par la porte arrière de l'immeuble.

— Merci d'avoir répondu aussi rapidement à mon appel, monsieur Denholm, le salua Southey en lui serrant la main.

— Vous avez eu beaucoup de chance, car nous sommes entre deux gros projets.

— Dans ce cas, doublement merci.

— Avez-vous des images de ce dont vous m'avez parlé au téléphone?

— Suivez-moi, je vous prie.

Les trois hommes et les deux femmes furent installés dans la salle des employés, où se trouvait un écran géant. Southey fit immédiatement jouer les petites vidéos tournées par ses employés le jour du lancement.

— Et vous dites que personne n'a installé de projecteurs ou de becs de gaz sur ce décor? demanda Denholm.

— Absolument personne. D'ailleurs, je ne l'aurais jamais permis, puisqu'il est en carton.

— Pourrais-je le voir?

– Certainement. Il est resté devant la table où nous avions empilé les romans de monsieur Andersen. Elle est vide en ce moment, car le livre est déjà en réimpression. Vous pourrez y déposer votre équipement.

L'équipe se mit tout de suite au travail. Les techniciens commencèrent par examiner minutieusement le château lui-même. Si des sorties de gaz ou toute autre tuyauterie y avaient été accrochées, ils en auraient trouvé des traces dans le carton. Or ils n'y virent rien de tel. Ils passèrent ensuite toute la librairie au peigne fin avec des appareils dignes d'un film de science-fiction. Southey les observait en silence, les doigts croisés dans le dos. Au bout de deux heures, Denholm revint finalement vers le gérant.

– Malheureusement, il n'y a aucun indice dans votre commerce de quoi que ce soit qui aurait pu créer ces flammes et ces ombres chinoises ni rien qui pourrait laisser croire que des dispositifs holographiques ont été dissimulés quelque part.

– Vous avez pourtant vu ce qui s'est passé sur les vidéos, protesta Southey.

– Je ne sais pas comment l'expliquer, monsieur, sauf que c'était peut-être une manifestation surnaturelle. Ne m'avez-vous pas dit, au téléphone, que ce roman traitait de fantômes?

– Ne me dites pas que vous croyez à ces histoires!

– Il m'est arrivé de voir des phénomènes beaucoup plus incroyables durant ma carrière.

– Merci de vous être déplacé, monsieur Denholm, même si vous n'avez rien trouvé.

Southey était tellement bouleversé par cet échec que le lendemain, il resta assis derrière son bureau toute la journée, incapable de travailler. Il en vint finalement à la conclusion que la seule personne qui pouvait l'éclairer, c'était l'éditeur de Samuel Andersen. Alors, le surlendemain de la visite des experts, il confia la librairie à son assistante-gérante et sauta dans un taxi pour aller rendre visite à Oliver Jarsdel.

Il sonna à la porte peinte en noire et offrit son plus beau sourire à la caméra de surveillance. Abigail s'empressa d'aller lui ouvrir.

– Doux Jésus, vous êtes tout rouge, s'étonna-t-elle. Avez-vous couru jusqu'ici?

– Non, non. Je suis seulement très contrarié.

– Je vous en prie, venez vous asseoir. Je vais vous préparer du thé.

– Il est important que je parle à Oliver sur-le-champ.

– D'accord, mais je vous apporterai quand même à boire.

Elle conduisit le libraire au bureau de son patron.

– Harold! s'exclama joyeusement Jarsdel.

Il se leva et alla lui serrer la main.

– Êtes-vous venu me supplier d'accélérer la réimpression du tome un?

– Est-ce possible?

– Carlisle ne peut pas faire tourner ses presses plus vite, je le crains. Je vous en prie, assoyez-vous.

Il prit place devant le bureau et Abigail déposa une tasse de thé devant lui. Elle resta postée près de la porte, car vu son état, elle craignait qu'il soit foudroyé par un infarctus pendant son entretien avec son patron.

– J'espère que vous n'êtes pas venu jusqu'ici pour m'informer d'un problème, s'inquiéta alors Jarsdel.

– En fait, je veux vous demander encore une fois ce qui s'est passé lors du lancement, Oliver. Vous m'avez dit que vous n'étiez pas responsable des flammes et des fantômes dans les fenêtres du décor, mais je ne vous crois pas et mon âme ne sera pas en paix avant que vous m'ayez dit la vérité.

Jarsdel et son adjointe échangèrent un regard hésitant.

– J'avais donc raison! Vous savez quelque chose que j'ignore!

– C'est exact, mais cela ne veut pas dire que vous nous croirez. Et si nous n'en avons pas parlé lors du lancement, c'est que tout le monde nous aurait pris pour des fous, Abigail et moi.

– Vous connaissez l'auteur de ce tour de mauvais goût?

– Si c'était aussi simple que cela, soupira l'éditeur. Abigail, j'ai besoin de vos talents d'informaticienne.

– Avec plaisir, monsieur.

Elle fit le tour du bureau, pianota sur le clavier de son ordinateur, puis retourna l'écran vers le libraire pour lui montrer l'enregistrement du phénomène de hantise de leur boîte aux lettres.

– S'agit-il d'un autre trucage? balbutia Southey.

– J'aimerais bien vous rassurer et vous dire que oui, mais ce n'en est pas un.

Le visage du pauvre homme passa du rouge au blanc.

– Faites rejouer cette vidéo, exigea-t-il.

– En êtes-vous bien certain, Harold? s'alarma Jarsdel. Notre but n'est pas de vous terroriser, mais de vous faire comprendre qu'une force inconnue nous joue des tours depuis que nous avons commencé à recevoir les manuscrits de monsieur Andersen.

– Oui, j'y tiens.

Abigail fit ce qu'il demandait. Southey étudia les images sans les comprendre davantage.

– Comment expliquez-vous ce phénomène? demanda-t-il finalement.

– Pour l'instant, notre seule théorie, c'est que monsieur Andersen est un fantôme lui-même, laissa tomber l'adjointe.

Le libraire commença par la fixer avec stupéfaction, puis éclata de rire, mais Jarsdel et Abigail ne participèrent pas à son hilarité.

– Vous êtes sérieux, tous les deux?

– Nous avons d'abord pensé qu'un habile prestidigitateur s'amusait à nos dépens, répliqua l'éditeur, mais des experts nous ont confirmé que personne n'avait trafiqué notre boîte aux lettres. Et cette manifestation insolite ne s'est pas produite qu'une fois.

– Monsieur Andersen cherchait sans doute une façon d'attirer notre attention pour que son manuscrit ne se retrouve pas parmi les centaines d'autres que nous recevons, ajouta Abigail.

Cette révélation sembla apaiser Southey.

– Faites comme nous, Harold, et n'essayez pas de comprendre comment il réussit ces tours de force, suggéra Jarsdel.

– Oui, je pense que cela vaudrait mieux pour ma santé mentale.

Abigail décida de lui changer les idées:

– La réviseure nous rendra bientôt le tome deux et je pourrai le confier incessamment à l'infographe.

– Il est déjà écrit?

– Oui, mon cher, et il est excellent, s'enthousiasma Oliver Jarsdel. Cette fois, monsieur Andersen nous transporte dans les Caraïbes, à l'époque des flibustiers.

– J'ai toujours aimé les récits de pirates... Quand prévoyez-vous sa sortie?

– Théoriquement, nous pourrions l'offrir dans un mois, mais sera-t-il trop tôt pour le publier?

– C'est du jamais vu, mais on me le réclame déjà à la librairie, affirma Southey.

– Et puis, ce n'est pas parce que quelque chose ne s'est jamais fait que nous devons nous empêcher de le faire, ajouta Abigail. Surfons sur la vague.

Le libraire garda le silence pendant un moment. Les deux autres pouvaient presque voir tourner les rouages dans son cerveau.

– Vous avez raison, laissa-t-il finalement tomber. Je ne sais pas ce qu'en penseront les autres libraires, mais moi, je suis prêt à accueillir ce deuxième ouvrage chez moi dès qu'il sera prêt. Et ce serait fantastique que ce soit en même temps que la réimpression du premier tome.

– Je crois bien que ce sera possible, affirma Jarsdel avec un large sourire.

– Et le tome trois? s'informa Southey.

– Monsieur Andersen écrit à une vitesse vertigineuse, mais nous ne l'avons pas encore reçu.

– Puis-je au moins vous demander le titre du deuxième?

– *Jacob, le pirate.*

Abigail pianota encore une fois sur le clavier et en fit apparaître la couverture à l'écran. Les yeux du libraire s'illuminèrent comme ceux d'un enfant à qui on vient d'offrir une glace.

– Elle est magnifique!

– Il s'agit d'un des ancêtres de monsieur Andersen, qui a quitté l'Angleterre pour aller mener une vie de débauche et de pillage dans les mers du Sud, expliqua-t-elle.

– C'était mon rêve le plus cher, quand j'étais jeune. J'ai vraiment hâte de le lire.

– Nous en recevons toujours une certaine quantité à l'avance. Alors, je vous promets d'aller vous en porter un exemplaire dès que nous l'aurons.

– Vous êtes vraiment gentille, Abigail. Surtout que le distributeur ne déposera les boîtes chez moi qu'une semaine ou deux plus tard. Je veux le lire avant tout le monde.

Il avala le reste du thé d'un seul trait.

– Aurez-vous d'autres nouveautés à nous offrir, cette année? voulut-il savoir.

– Les manuscrits que nous avons reçus sont encore à l'étude, parce que monsieur Andersen nous a plutôt accaparés récemment.

– Je comprends.

– Mais nous nous en occupons, assura Abigail.

– Je ne prendrai pas plus de votre temps, déclara Southey en se levant. Merci de m'avoir montré ces images, même si mon cerveau est incapable de les assimiler.

– Si jamais nous en captons d'autres, nous organiserons une petite soirée de cinéma, plaisanta Abigail. Je fournirai même le popcorn.

Elle le reconduisit à la porte et retourna à son bureau. Pour voir comment il réagirait à sa sortie de l'immeuble, elle accéda à la captation en direct de la caméra de surveillance. Un large sourire s'étira sur son visage lorsqu'elle vit Southey ouvrir la boîte aux lettres pour l'examiner. Il passa la main à l'intérieur pour vérifier s'il y avait des fils ou tout autre type de mécanisme de prestidigitation. Il recula de quelques pas en se disant qu'avec tous les logiciels de montage que pouvait se procurer le commun des mortels de nos jours, il était sans doute facile pour un habile informaticien de créer de pareilles illusions visuelles.

Cette histoire n'était pas encore classée dans sa tête, mais il avait fort à faire à la librairie. Alors, il marcha jusqu'au boulevard, où il lui fut facile de trouver un taxi.

Le vol de l'enveloppe autour de la boîte en métal continua de rejouer dans son esprit jusqu'à ce que la voiture s'arrête devant la librairie. Il régla la course et descendit sur le trottoir. C'est là qu'il aperçut un homme debout devant la vitrine, où le tome un de Samuel Andersen était exposé sur un écran devant une photo géante de l'auteur. Intrigué, Southey s'approcha de lui.

– Ne vous ai-je pas vu au lancement? demanda-t-il.

L'homme se tourna vers lui.

– Oui, oui, je vous reconnais. Êtes-vous revenu parce que vous n'avez pas réussi à vous procurer votre exemplaire?

– Je l'ai acheté juste avant qu'il n'en reste plus, monsieur Southey. Je n'ai pas eu le temps de me présenter ce jour-là, en raison du nombre incroyable de clients qui avaient envahi votre librairie. Je m'appelle Maynard Bennett. Je suis détective privé. La famille de monsieur Andersen m'a demandé de le retrouver.

– Et vous avez cru qu'il serait là le jour où son roman serait mis en vente.

– C'est exact. Je croyais même qu'il essaierait de passer incognito.

– Pourquoi joue-t-il à tous ces jeux ridicules?

– Je me le demande sans cesse depuis que j'ai accepté cette affaire. La seule réponse qui me vient à l'esprit, c'est qu'il craint quelqu'un ou quelque chose.

– Ou qu'il n'aime pas être le centre de l'attention?

– Vous oubliez qu'il est également musicien et qu'il s'est produit plusieurs fois en concert. Je ne pense pas que la foule l'intimide.

– Vous dites vrai, monsieur Bennett. Il doit y avoir une autre raison. Votre enquête progresse-t-elle?

– Lentement, mais sûrement. Les morceaux du casse-tête ne m'arrivent pas nécessairement dans l'ordre, alors c'est assez difficile d'en avoir une vue d'ensemble, en ce moment.

– Monsieur Andersen pourrait-il avoir été enlevé et forcé d'écrire par un groupe terroriste?

– Sur des fantômes? rétorqua le détective avec un sourire amusé.

– Je n'ai pas réfléchi avant de vous poser cette question, pardonnez-moi.

– En réalité, à ce stade-ci, toutes les pistes sont bonnes, monsieur Southey.

– Serez-vous en mesure de le localiser bientôt?

– Je ne peux pas estimer le temps que cela prendra, mais oui, je suis persuadé que je finirai par découvrir où il se cache.

– Je n'ai jamais eu le bonheur de rencontrer cet auteur, monsieur Bennett, alors lorsque vous tomberez enfin sur lui, pourriez-vous lui dire que je meurs d'envie de faire sa connaissance et d'échanger avec lui... comme tout le reste du pays, d'ailleurs.

– Je n'y manquerai pas. Et de votre côté, si monsieur Andersen se présente chez vous, promettez-moi de me donner un coup de fil sur-le-champ, car j'ai aussi beaucoup de questions à lui soumettre de la part de sa famille.

Le détective sortit une carte de visite de sa veste et la tendit au libraire, qui y jeta un rapide coup d'œil.

– Sans faute.

Les deux hommes se serrèrent la main. Ravi de savoir que quelqu'un était sur la trace de l'auteur, Southey entra dans sa librairie. Bennett resta encore un moment devant la vitrine. Les yeux bleus de Samuel sur l'affiche géante semblaient vouloir lui dire quelque chose, mais il n'arrivait pas encore à comprendre ce que c'était...

CHAPITRE 2

La nuit allait bientôt tomber sur le domaine de la sorcière. Samuel était assis sur la terrasse et contemplait le coucher de soleil, qui avait le don de calmer son âme. Il restait encore quelques jours avant l'ouverture d'une nouvelle porte. À raison d'une seule par semaine, c'était une entreprise de plus en plus désespérante, même s'il apprenait à connaître intimement plusieurs de ses ancêtres. «Je ne peux pas les laisser tomber», se dit-il en se levant de sa chaise. Il s'approcha de la balustrade et aperçut alors le féerique spectacle lumineux de centaines de lucioles qui folâtraient dans les buissons. Cela lui rappela le clignotement des étoiles par les soirs très froids. Samuel les observa pendant plusieurs minutes avant de se décider à rentrer. Une bienfaisante chaleur l'accueillit à l'intérieur. En traversant le salon, il entendit le bourdonnement de plusieurs voix dans la salle de jeux. C'était la première fois, depuis son arrivée, que les fantômes s'y trouvaient. «À moins qu'ils fréquentent habituellement cette pièce quand je dors...» songea-t-il.

Samuel mit le nez dans la porte et promena son regard sur l'assemblée. Certains de ses ancêtres lui étaient encore inconnus, mais il jugea que ce n'était pas le moment d'aller se présenter. Au lieu de les déconcentrer, il marcha entre les tables en observant leurs activités en silence. La plupart des spectres jouaient aux cartes, mais le musicien ne reconnaissait aucun de ces jeux. Il aperçut plus loin un très vieux Monopoly, ainsi que plusieurs plateaux sur lesquels reposaient des billes, des jetons ou des figurines étranges, sans doute des versions anciennes des dames et des échecs. Il s'arrêta finalement à côté d'Ulrik, qui disputait une partie contre son petit-fils Gulbran en déplaçant des pastilles en bois sur le plateau grâce à son esprit.

– Connais-tu le Hnefatafl, Samuel?

– Le quoi? s'étonna le jeune homme.

– Ceci, précisa Ulrik en lui montrant le jeu qui reposait entre lui et le fils de Thorfrid.

– C'est la première fois que j'en entends parler.

– Le Hnefatafl est pourtant aussi vieux que moi.

– Alors, c'est sans doute pour cette raison que ça ne me dit rien. Mais ça ressemble aux dames, à première vue.

– Mais pas du tout, mon cher Samuel. Et je peux te l'affirmer, parce que j'ai déjà joué aux dames contre Stuart.

Samuel eut de la difficulté à imaginer Ulrik en train d'affronter son père à ce jeu où il excellait.

– Le Hnefatafl est fort simple, continua Ulrik, présumant que le descendant numéro quarante-six s'y intéressait. Chaque joueur peut déplacer un pion à la fois dans n'importe quelle direction, sauf en diagonale. Il ne peut jamais sauter par-dessus d'autres pièces.

– Jusque-là, je saisis.

– Le but, c'est d'éliminer autant de pions adverses que possible et de capturer le roi. Pour éliminer une pièce, il faut la coincer entre deux des nôtres. Le roi, lui, doit être emprisonné entre quatre de nos pions. Nul besoin de te dire que c'est pratiquement impossible.

– J'imagine.

– Autrefois, le vrai plaisir de ce jeu, c'était d'y jouer en buvant autant de bière qu'on le pouvait.

– Ce que vous ne pouvez évidemment plus faire sous votre forme actuelle.

– Eh non. Mais ça permet quand même de passer le temps. Tu veux essayer?

– C'est aimable de me le proposer, mais mon repas m'attend. Une autre fois, peut-être?

– Avoue donc que tu as peur de perdre contre moi.

Amusé, Samuel retourna vers la sortie et échangea un salut de la tête avec Clara, qui déambulait entre les tables dans sa belle robe rouge, sans jamais s'arrêter nulle part. Il entra dans la salle à manger et y trouva Esther.

– Pourquoi n'êtes-vous pas en train de vous amuser avec les autres? demanda-t-il en s'assoyant à sa place.

– Je n'aime pas jouer. C'est une pure perte de temps.

– Même quand on est enfermé sur un immense domaine pendant des centaines d'années?

Une assiette de spaghettis au vin rouge, du pain chaud, un morceau de fromage et un petit pot de beurre apparurent en même temps que les couverts.

– Il n'y a pas que cela à faire, par ici.

Elle ne pouvait pas lui avouer tout de suite qu'elle était en train d'écrire une série de romans à succès pour lui.

– Ne me dites pas que vous faites le ménage, la taquina Samuel.

– La poussière s'accumule même dans un château hanté, Samuel.

Esther l'en débarrassait magiquement en une seule opération qui ne durait que quelques minutes, mais il n'avait pas besoin de tout savoir.

– Sans doute.

– Prenez votre temps et dégustez votre repas. Je vous reverrai demain matin.

– Bonne nuit, Esther.

Elle se courba légèrement, une manie de son ancienne vie qu'elle n'avait jamais réussi à perdre, puis disparut. De toute façon, Samuel n'était pas pressé. Il enroula une bouchée de pâtes autour de sa fourchette et en apprécia le goût prononcé. Même s'il prit tout son temps pour manger, jamais sa nourriture ne se refroidit. «Il y a des restaurants qui paieraient cher

21

pour une telle magie», se dit-il. Lorsqu'il eut tout avalé, il se dirigea vers sa chambre et s'assit sur son lit avec le livre d'Edgar Cayce. Ses «lectures» ne le concernaient pas personnellement, mais elles étaient fascinantes. Samuel ne comprenait toujours pas comment cet homme avait fait pour se brancher aux vies antérieures de ses patients avec autant de facilité, même à distance. Quand ses paupières devinrent trop lourdes, il déposa l'ouvrage et ferma les yeux.

«Une autre nuit sans rêves...» déplora-t-il, au matin. Il se lava, s'habilla et alla déjeuner. Esther lui avait suggéré d'autres menus pour lui faire goûter des choses différentes, mais Samuel s'entêtait à manger ses bagels au fromage à la crème et à boire son café tous les matins. Se sentant d'attaque, il fit un peu de jardinage avec Ambrose et, fasciné, l'écouta parler de son époque. Puis, après le repas du midi, composé de pointes de pizza à la crème de parmesan et aux saucisses grillées, Samuel poursuivit son travail de sculpture sur sa petite souris en pierre avec Simon.

– C'est beaucoup plus difficile de fabriquer une pièce de cette taille qu'une plus grosse, laissa-t-il tomber au bout d'un moment.

– Ne vous l'avais-je pas dit?

– À quoi devrai-je m'attaquer quand je l'aurai terminée?

– Vous serez prêt pour un buste.

– Celui d'un personnage célèbre? D'un de mes ancêtres?

– Ce sera votre choix.

– Mais je n'ai aucun talent, Simon. Et je ne connais pas encore tous les fantômes du château. Comment pourrais-je exprimer une préférence?

– Pourquoi ne pas sculpter le vôtre, dans ce cas?

– Est-ce que ce ne serait pas un peu prétentieux?

– Quel meilleur cadeau pourriez-vous offrir à votre descendance?

– Mais je n'ai façonné qu'un écureuil et une souris. On est loin d'un visage humain, ici, et encore plus du mien.

«Je devrais faire la statue d'Arvid, le mannequin en bois qui voulait me tuer...» s'amusa intérieurement Samuel. «Je n'aurais qu'à sculpter une tête en forme de melon d'eau et à lui imprimer un sourire sadique.»

– Rien n'est impossible à celui qui accepte de faire des efforts, lui rappela Simon.

Samuel ne put s'empêcher de penser que pour Thorfrid, cette entreprise ne prendrait que trois secondes et que le résultat serait probablement très ressemblant.

– Surtout ne paniquez pas. C'est beaucoup plus simple que vous le pensez et je vous guiderai pas à pas. Vous êtes sous mon aile pour apprendre, pas pour exceller du premier coup.

– Je vais d'abord terminer ma souris, si vous le voulez bien.

Il continua de façonner la petite bête dans la pierre tout l'après-midi et finit par s'avouer satisfait de l'aspect de son museau. «Pour les moustaches, tant pis», décida-t-il. Il rentra au château pour le repas du soir. Décidément, Esther avait réussi à le régler comme une horloge, ce à quoi ses parents et sa femme n'étaient jamais arrivés. Il dégusta les escalopes de poulet, les haricots verts et les tranches de tomates rouges avec beaucoup d'appétit, puis se rendit au bord de l'étang pour ne pas manquer le coucher de soleil. C'était le moment de la journée qu'il aimait le plus. La chaleur qui cédait la place à une bienfaisante fraîcheur sous un éclairage orangé l'apaisait profondément. Les nuages n'étant jamais les mêmes, il assistait tous les soirs à un tableau différent.

Il prit place sur un banc de parc. Au loin, il pouvait voir les deux pêcheurs, assis dans leur chaloupe. Arrivaient-ils vraiment à prendre quelque chose? Isabel se matérialisa alors près de Samuel.

– Tout va bien?

– Oui, madame. J'adore cet endroit et votre compagnie, aussi. Mais il me tarde de retourner dans mon propre monde, même si je sais que j'y vivrai dans la misère. J'aurai au moins la satisfaction d'avoir permis à quarante-cinq âmes de poursuivre enfin leur évolution. Évidemment, je ne pourrai en parler à personne sans risquer de me faire enfermer dans un hôpital psychiatrique. Là, ce serait moins agréable.

– C'est une très noble entreprise de votre part, Samuel.

– Dites-moi, qui sont ces deux hommes que je vois régulièrement sur l'étang?

– Ce sont Halvor, le descendant numéro quatre, et Svend, le descendant numéro sept.

– Moi aussi, j'ai Svend dans mon nom...

– Le premier est le petit-fils de Thorfrid. Tout comme elle, ces deux Vikings ont vécu sur une île de Scandinavie.

– Croyez-vous qu'ils accepteraient de me parler?

– Il n'y a qu'une façon de le savoir, n'est-ce pas?

En les voyant ramer en direction de la berge, Samuel bondit sur le sentier qui faisait le tour de l'étang. Ils venaient de descendre de l'embarcation et parurent étonnés de voir arriver le descendant vivant à leur rencontre. Les deux hommes étaient beaucoup plus imposants de stature que leurs ancêtres Ulrik et Gulbran. «Il a dû se rajouter du sang vraiment différent dans la lignée en cours de route», songea Samuel. Ils avaient toutefois de longs cheveux pâles et des yeux bleus perçants comme Ulrik.

– Je vous en prie, ne partez pas, les supplia le musicien. J'aimerais vous parler.

– Si c'est pour nous demander d'aller pêcher avec nous, ne perds pas ton temps, répliqua Halvor. Puisque tu es vivant, tu passerais au travers de notre embarcation.

– Non, non. Je veux juste apprendre à vous connaître, car vous faites partie de mes ancêtres. M'accorderiez-vous quelques minutes?

– Qu'est-ce que tu veux savoir? demanda le géant blond en haussant les épaules.

– Parlez-moi de vous et dites-moi comment vous vous êtes retrouvés ici.

– Toi le premier, indiqua Svend à son arrière-grand-père.

– Eh bien moi, je m'appelle Halvor. Je suis le fils de Gulbran Bjarnesen et d'Astrid Bager.

«Elle devait être bien bâtie», ne put s'empêcher de penser Samuel.

– Je n'ai jamais quitté le village de mon père, car il n'y avait plus de raids à mon époque. Alors, j'ai gagné ma vie comme pêcheur, parce que j'aimais être sur la mer. Comme ma grand-mère Thorfrid, je n'ai jamais été capable de taire mes opinions, surtout celles qui concernaient la politique de notre peuple. C'est ça qui m'a coûté la vie. Quand le Roi Olaf nous a imposé le christianisme, je l'ai critiqué ouvertement, parce que je ne voulais pas laisser tomber mes dieux ancestraux. Il m'a fait arrêter et décapiter.

Samuel fit la grimace.

– Vous le dites comme s'il s'agissait de quelque chose d'anodin, remarqua-t-il.

– C'est arrivé il y a si longtemps. Je n'y pense même plus.

– Avez-vous plusieurs enfants?

– Un seul fils, Kjald. Il n'avait que cinq ans, à cette époque.

– Le roi a-t-il décidé de punir toute votre famille?

– Il aurait pu, mais ma femme s'est convertie pour sauver notre enfant. Moi, il n'en était pas question.

«Il était donc aussi têtu que Thorfrid», constata Samuel.

– Comment la sorcière a-t-elle été mêlée à votre perte?

– Maintenant que j'y pense, c'était sans doute la vieille femme qui accompagnait le roi et qui m'a pointé du doigt, se rappela Halvor. Elle était là aussi le jour de mon exécution et elle souriait avec beaucoup de satisfaction. Et pourtant, je ne lui avais jamais rien fait. Ulrik a essayé de m'expliquer pourquoi elle a agi ainsi, mais je n'aime pas lui parler. Tout ce qui nous est arrivé, c'est de sa faute. Il m'a privé de ma place auprès des dieux dans le Walhalla.

– Mais toi, tu es ici pour corriger sa faute, n'est-ce pas? demanda Svend.

– Je ferai tout ce que je peux pour vous sortir d'ici, assura Samuel.

– Moi, je suis le fils de Steen Kjaldsen et de Freja Firsker. Je n'avais que quinze ans quand mon père est mort, tué à coups de couteau par un voleur dans notre boulangerie. Ma mère l'a suivi dans la tombe peu de temps après. Alors, j'ai vendu notre commerce pour m'acheter un solide bateau et vivre de la pêche comme Halvor, dont on m'avait constamment vanté les pêches miraculeuses quand j'étais enfant. Un vieux marin m'a enseigné mon nouveau métier et j'ai même épousé sa petite-fille, Gunhild, qui savait comment fabriquer des nacelles et des filets. Nous avons eu un seul fils, Winter.

– Comment êtes-vous mort?

– Je me suis noyé lors d'une tempête soudaine sur la mer. Mon embarcation a chaviré et je ne savais pas nager. J'ai essayé de m'y accrocher, mais je n'y suis pas arrivé. Alors, j'ai coulé comme une pierre. Moi aussi, j'ai vu la sorcière avant de mourir. Elle marchait sur l'eau!

– Sur l'eau?

– C'est pour ça que je suis sûr que c'était elle. Et tout comme Halvor, j'en veux à Ulrik de m'avoir privé de ma vie, qui était douce et paisible. J'espère qu'il finira par payer pour tout le mal qu'il nous a fait.

Samuel jugea préférable de ne pas leur rappeler qu'il était là pour les sauver en abolissant la malédiction et non pas pour châtier leur ancêtre.

– Merci de m'avoir raconté votre vie, mais dites-moi, pourquoi le drakkar d'Ulrik est-il solide et pas votre chaloupe?

– Aucune idée, grommela Halvor, et je ne veux pas le savoir.

– Il se fait tard, leur fit remarquer Svend.

Sans plus de façon, les deux hommes disparurent.

Samuel resta planté sur le sentier à réfléchir à ce qu'il venait d'apprendre.

– Ils font partie de ceux qui veulent ma peau, soupira Ulrik en s'approchant du musicien. On dirait qu'ils ne se rendent pas compte que s'ils ont eu une vie, c'est grâce à moi. Ils ont choisi de ne se rappeler que de la raison pour laquelle ils l'ont perdue.

– Je ne sais pas si j'aurais eu la même réaction qu'eux à mon arrivée ici si la sorcière avait réussi à me noyer dans la Tamise, avoua Samuel.

– Contrairement à certains de mes descendants, tu es capable de faire la part des choses. Tu aurais pris en compte que je ne savais pas à qui appartenait la maison que j'ai incendiée et tu en viendrais à la conclusion que j'ai été suffisamment puni pour mon geste.

– Sans doute. Mes parents m'ont appris à réfléchir avant de parler.

– Et pour le drakkar, la raison de sa solidité est bien simple. Tout comme la plupart de mes descendants, je l'ai pris ailleurs. Il ne faisait pas partie des biens que j'ai possédés dans ma vie, il y a neuf cents ans. Il se trouvait dans un musée.

– Alors que c'était la chaloupe d'un des deux?

– En fait, Svend a fini par hériter de cette embarcation qui avait appartenu à Halvor, jusqu'à ce qu'il la perde en mer. C'est plus clair?

– Oui, merci. Je dois rentrer, maintenant.

– À plus tard, mon cher Samuel.

Ulrik se dématérialisa.

CHAPITRE 3

Samuel retourna au château avant que le sentier devienne difficile à discerner dans l'obscurité. Alors qu'il s'en approchait, toutes les torches accrochées sur les murs extérieurs s'allumèrent en même temps. Il put ainsi gravir les marches qui menaient à la terrasse sans se blesser.

Les bougies brûlaient dans toutes les pièces, mais ce soir-là, il n'y avait personne dans la salle de jeux. Samuel alla s'asseoir au piano et se mit à jouer ses ballades les plus romantiques. Plusieurs fantômes apparurent silencieusement derrière lui pour l'écouter et se dispersèrent après la dernière note. Le musicien se retira alors dans sa chambre pour poursuivre la lecture de son livre sur les vies antérieures.

Il ne comprenait tout simplement pas pourquoi la majorité des gens ne se rappelaient pas avoir vécu auparavant. «Et ceux qui s'en souviennent rêvent-ils la nuit à ces anciennes incarnations comme je le fais?» se demanda-t-il. «Qui décide de l'étendue de la mémoire de chaque individu? Dieu ou notre ADN?» Bien que très intéressant, l'ouvrage d'Edgar Cayce ne lui fournissait aucune réponse à ses questions.

Les paupières de plus en plus lourdes, Samuel ferma le livre et sombra dans le sommeil. Au lieu de rêver à l'Atlantide, il se revit dans la maison de ses parents quand il était petit.

Ces lieux familiers, les bras rassurants de sa mère, ses jouets préférés et les arômes de la cuisine contribuèrent à le mettre particulièrement de bonne humeur lorsqu'il se réveilla le lendemain. Il s'étira longuement, puis prit une douche. Après avoir enfilé un t-shirt de *Three Days Grace,* avec un jean noir, et avoir lacé ses souliers de course, il passa à la salle à manger.

— Vous rayonnez ce matin, Samuel, le complimenta Esther.

— J'ai passé une très bonne nuit.

— Lorsque j'étais vivante, j'avais moi aussi des sautes d'humeur occasionnelles, mais dans votre cas, elles sont fréquentes et surprenantes.

— J'ai bien peur que la plupart des artistes soient ainsi. C'est justement grâce à leur extrême émotivité qu'ils arrivent à créer des chefs-d'œuvre.

— Les musiciens plus que les écrivains?

— Je ne saurais dire.

— Quels sont vos plans pour aujourd'hui?

— J'ai une souris à terminer.

Samuel mangea avec appétit, but son café à petites gorgées en rappelant à son esprit les images apaisantes de la nuit, puis quitta le château.

Il alla d'abord s'occuper de ses roses, puis remarqua que de gros nuages floconneux arrivaient de l'ouest. Pourtant, depuis son arrivée, le ciel avait presque toujours été d'un bleu limpide...

Dès qu'il eut terminé son travail, il s'allongea sur la pelouse pour observer les cumulus. Il avait souvent fait la même chose avec sa mère quand ils allaient en pique-nique à la campagne, jadis... Ils passaient des heures à distinguer toutes sortes de formes qui pouvaient aller d'un troupeau d'éléphants à un visage humain.

Il sursauta quand Thorfrid s'allongea près de lui.

— Tu flânes souvent, on dirait, lui reprocha-t-elle.

— Je ne flâne pas. Je me détends en observant les nuages.

— À quoi ça sert?

— Regardez par-là, fit-il en pointant un coin du ciel. C'est un lapin.

Thorfrid fronça les sourcils avec plus d'étonnement que de dédain.

– Et là-bas, on dirait un aigle aux ailes allongées.

– Ce ne sont que des nuages, Samuel.

– Ne vous arrive-t-il jamais de vous laisser emporter par votre imagination?

La Valkyrie scruta le ciel en silence pendant quelques secondes.

– Tiens donc, celui-là ressemble à Arvid, laissa-t-elle tomber avant de s'esclaffer.

– Très drôle, grommela le musicien.

Il fit la moue pendant qu'elle se tordait de rire.

– Juste au-dessus de nous, on distingue clairement un ourson en peluche, indiqua-t-il lorsqu'elle se fut calmée.

– En peluche? Qu'est-ce que c'est?

– C'est plus ou moins de la fausse fourrure.

– Comment de la fourrure peut-elle être fausse?

– Ce sont des machines qui la produisent plutôt que des animaux.

– Est-ce que ça veut dire que dans ton monde, vous êtes obligés de faire ça parce qu'il n'y a plus d'animaux?

– Il en reste encore, mais beaucoup d'espèces sont menacées d'extinction. Alors, nous les protégeons de notre mieux. Au lieu de les tuer pour nous vêtir comme autrefois, nous trouvons d'autres moyens de nous garder du froid sans utiliser leur peau.

– Vous écorchez les oursons en peluche?

– Certainement pas, puisqu'ils ne sont pas vivants. Nous les offrons aux enfants qui les serrent dans leurs bras quand ils ont besoin d'être rassurés.

– Est-ce qu'il y a des mères ours en peluche?

– On fabrique toutes sortes d'animaux à partir de ce tissu, même des loups, des poissons et des crustacés.

– Mais les poissons n'ont jamais eu de fourrure.

– Je le sais bien, mais aucun parent ne veut que son enfant se blesse sur des écailles.

– Qu'est-ce qu'il y a de rassurant dans un poisson?

– Les enfants ont tous des goûts différents, comme les adultes, d'ailleurs. Il devait sûrement y avoir quelque chose qui vous sécurisait quand vous étiez petite.

– Oui... Le manche du poignard de mon père.

– Une arme? s'étonna Samuel.

– Il l'avait utilisé si souvent que le bois était doux comme le vent. Je pouvais le caresser pendant des heures.

– Ulrik vous laissait jouer avec son poignard?

– Chaque fois que je piquais une crise.

– Les poupées n'existaient pas, à votre époque?

– Pfft... C'était pour les filles. Je suis bien contente de n'avoir pas vécu dans ton siècle de fous où les gens perdent leur temps à regarder le ciel.

Elle se dématérialisa d'un seul coup.

– C'est réciproque... grommela Samuel.

Il passa le reste de l'avant-midi à trouver d'autres formes dans les cumulus jusqu'à ce que son estomac lui rappelle qu'il devait encore se nourrir. En traversant le salon, il aperçut, posté devant une fenêtre, un fantôme qu'il ne connaissait pas. Contrairement à Halvor et à Svend, celui-là n'était pas vêtu comme un Viking. En fait, ses habits lui rappelèrent plutôt ce que portaient les pères de la confédération américaine qu'il avait vus dans des livres d'histoire. Cependant, il était aussi baraqué que les deux Scandinaves et ses longs cheveux étaient attachés sur sa nuque. Une pipe à la main, dont ne s'échappait aucune fumée, il semblait fasciné par ce qu'il voyait dehors. Samuel décida de s'approcher de lui.

– Pardonnez-moi...

L'homme se retourna lentement. Il avait la même forme de visage que Halvor et les mêmes yeux bleus.

– Bonjour, Samuel, le salua-t-il poliment.

– Tout le monde me connaît au château, mais je n'ai pas encore eu la chance de rencontrer les descendants d'Ulrik au grand complet.

– Je m'appelle William Bradley, le numéro vingt.

– Êtes-vous le médecin?

– C'est bien moi. Je suis le fils d'Anwen. Elle m'a raconté votre rencontre lorsque vous avez ouvert la porte de sa vie à la recherche d'Ulrik. C'était quelque temps avant ma naissance.

– La pauvre femme...

– Nous n'avons pas compris, à l'époque, que c'était la sorcière qui nous empêchait de la faire sortir de la tour. Et je vous jure que nous avons tout tenté. L'unique porte qui y donnait accès refusait de s'enfoncer. Nous avons même essayé de la faire brûler, en vain. Même les boulets de canon n'ont pas réussi à la faire voler en éclats. Nous nous sommes donc tournés vers l'extérieur, mais personne n'est arrivé à accrocher le moindre grappin à la fenêtre. Ma mère était condamnée à mourir dans sa prison.

– Êtes-vous né dans cette tour?

– Oui, car elle était enceinte la dernière fois que mon père l'y a enfermée. Puisqu'il est mort dans cette bataille contre un de ses voisins, il n'est jamais revenu pour la libérer. Elle a accouché toute seule et, quand elle s'est sentie capable de se lever, elle m'a passé par l'ouverture dans la porte pour que la nourrice prenne soin de moi, avant que je me mette à grandir et que je sois emprisonné avec elle. Elle voulait que j'aie un avenir dans le monde extérieur.

– Quelle bravoure...

– Malgré sa situation que je jugeais intenable, je ne l'ai jamais entendue s'en plaindre. Elle s'était courageusement résignée à son sort.

– William, accepteriez-vous de me parler de votre propre vie?

– Pourquoi pas? Elle n'a pas été aussi tragique que celle de ma mère, mais j'aurais volontiers changé de place avec elle.

– Elle avait besoin que vous ayez un héritier avant de vous faire mourir à votre tour, lui expliqua Samuel.

– Commençons donc par mon enfance. J'ai été élevé par ma nourrice, qui était une femme extrêmement dévouée. Mais le contact physique de ma mère m'a cruellement manqué. Je venais souvent m'asseoir devant la porte de la tour, à travers laquelle je pouvais entendre sa voix. Elle me donnait des conseils sur la vie, sur l'amour et sur la persévérance. Je ne voulais pas l'abandonner, mais quand j'ai eu atteint l'âge adulte, elle a insisté pour que je poursuive des études avancées dans le domaine qui m'intéressait le plus, soit la médecine. Alors, je suis parti pour Londres en me jurant de revenir aussi souvent que je le pouvais, mais elle est morte pendant que j'étais au loin.

– Je sais que ça peut paraître étrange comme question, mais la porte est-elle restée bloquée après qu'Anwen ait rendu son dernier souffle?

– J'allais justement le mentionner. Quand j'ai vu par l'ouverture qu'elle ne bougeait plus sur son lit et qu'elle était blanche comme la neige, j'ai donné un coup d'épaule sur la porte et elle s'est ouverte. J'ai pris ma mère dans mes bras et j'ai pleuré pendant des heures. Son décès m'a frappé si durement que j'ai même songé à m'enlever la vie. Une fois qu'elle a été mise en terre, j'ai plutôt sombré dans l'alcoolisme. C'est ma nourrice qui m'a secoué en me disant que ma mère ne serait pas contente de savoir que je gâchais ainsi ma vie. J'ai vendu le domaine de mon père pour ouvrir mon propre cabinet à Londres, où j'ai pratiqué la médecine toute ma vie.

– Votre mère a dû être fière de l'apprendre lorsque vous vous êtes revus ici.

– Elle n'arrête pas de m'en parler, confirma William.

– Quand avez-vous rencontré la mère d'Andrew?

– Quelques années plus tard, je suis tombé amoureux d'une jeune patiente qui était venue me consulter pour des maux d'estomac. Elle était presque aussi belle que ma mère. Je l'ai guérie, puis je l'ai demandée en mariage. Nous avons eu deux magnifiques enfants: Andrew et Joyce.

– J'ai rencontré votre fils, mais pas votre fille.

– Elle est plus timide que son frère, mais donnez-lui un peu de temps. Elle finira par se manifester, surtout s'il lui parle de vous. Je suis un père comblé, Samuel. Andrew est devenu un homme magnifique, intègre, efficace, dévoué. À son époque, les femmes n'avaient pas autant d'opportunités de se démarquer, alors Joyce a d'abord étudié le droit en cachette dans les livres de son frère, puis elle a découvert la typographie et elle en a fait une carrière. Mais je n'ai évidemment appris tout ceci que plus tard, puisque mes enfants n'avaient que onze et sept ans quand je suis mort.

– De quelle façon?

– J'ai succombé à une maladie soudaine quelques jours après avoir soigné une vieille femme.

– C'était la sorcière, n'est-ce pas?

– Hélas, oui. Je n'ai pas su flairer sa putride odeur à temps. Il faut dire que nous ignorions l'existence de la malédiction, à l'époque. Nous aurions sans doute été beaucoup plus prudents.

– Tout comme moi...

– Mon cher descendant, j'espère sincèrement que vous pourrez nous faire sortir d'ici. Même si ce château peut sembler au premier abord un lieu paradisiaque, ce ne l'est pas du tout pour des hommes et des femmes qui ne font qu'exister et rien d'autre. Depuis que je me suis réveillé ici, je me creuse l'esprit pour trouver une façon de libérer tout le monde. Vous êtes la réponse à toutes mes prières.

– Je vous promets de faire de mon mieux.

– Je suis vraiment content d'avoir fait votre connaissance, Samuel.

– Moi de même.

William le salua de la tête et s'évanouit comme un mirage.

Ravi d'avoir rencontré un autre des spectres, le musicien poursuivit sa route jusqu'à la salle à manger, où une petite pizza aux épinards et au fromage féta l'attendait, ainsi qu'une chope de bière froide.

— Tout se passe bien, Samuel? lui demanda Esther.

— À part le manque d'imagination de Thorfrid, je dirais bien que oui. J'ai rencontré les pêcheurs Halvor et Svend.

— Je ne leur ai jamais parlé, à ceux-là, avoua la bonne.

— Ils ne sont pas aussi raffinés qu'Ulrik, mais ce sont de bonnes personnes. Ils sont surtout très patients vu qu'il n'y a pas de poissons dans l'étang.

— Comme pour beaucoup d'entre nous, ces gestes routiniers en provenance de notre vie passée nous rassurent et nous permettent de ne pas perdre l'esprit.

— J'aurais sans doute joué du piano jusqu'à la fin des temps si la sorcière m'avait tué, moi aussi.

— Personne ne s'en serait plaint, je vous assure.

— Oh! Et je viens tout juste de trouver William dans le salon.

— Vous voyez bien qu'ils s'habituent à votre présence.

— Il y en a encore plusieurs que je ne connais pas. J'espère que j'aurai le temps de leur parler avant de faire tomber la malédiction.

Samuel prit une bouchée et but un peu de bière.

— Peut-être aurais-je dû prendre le temps de m'informer de toutes leurs vies avant de commencer à franchir les portes, par contre. J'aurais été moins démuni chaque fois.

— Moi, je trouve que vous vous débrouillez plutôt bien.

— Merci, Esther.

Il termina son repas et rejoignit ensuite Simon pour travailler sur sa souris. Avec beaucoup d'application, il termina les oreilles et effectua un dernier polissage.

— Qu'en pensez-vous, Simon?

— Elle est très réussie. Demain, nous pourrons commencer votre buste.

— Ouais... le buste... Je ne me suis pas encore fait à cette idée.

– Vous le réussirez, car vous avez un don certain pour la sculpture.

Samuel n'était pas aussi confiant que lui. Il ramena sa dernière œuvre au château et la plaça sur sa table de chevet. Assis sur son lit, il la contempla pendant un long moment. «C'est vrai qu'elle ressemble à une vraie souris...» finit-il par admettre. Il aperçut son livre et décida de lire jusqu'au souper. Il apprit alors que sa vie en Atlantide n'était probablement pas sa seule autre incarnation. La plupart des gens qui avaient consulté le prophète endormi avaient eu jusqu'à une dizaine de vies, et certains, plus encore. «Pourquoi est-ce que je ne me souviens que de celle d'il y a dix mille ans?» Les autres avaient sans doute été sans intérêt pour l'évolution de son âme. «Il est bien malheureux que Cayce soit mort, parce que j'aurais tout donné pour le rencontrer.»

L'arôme du souper lui fit lever les yeux de son livre. Il le déposa près de la souris et de l'écureuil et passa dans la grande salle. Esther l'accueillit avec une assiette de saumon et de cœurs de laitue grillés ainsi qu'un verre de vin blanc.

– Et aujourd'hui, vous aurez même du dessert, plaisanta la bonne.

Elle tint sa promesse et, quand il eut terminé son repas, lui fit apparaître une portion de gâteau mousse au yogourt à la mangue. Samuel poussa un cri de joie et l'avala presque tout rond. Il se rendit ensuite au salon avec l'intention de jouer du piano, mais aperçut Jonas tout au fond de la pièce, appuyé sur sa canne. Il eut alors une idée...

– Sidney, j'ai besoin de vous voir, murmura-t-il.

Le New-Yorkais apparut devant lui, l'air inquiet.

– Que se passe-t-il, Samuel?

– Je ne me mêle sans doute pas de mes affaires, mais il y a quelqu'un qui brûle d'envie de faire un pas vers vous avant que ce château cesse d'exister.

Il lui pointa Jonas. Ni l'un ni l'autre ne prononça un seul mot, alors Samuel décida de leur servir d'intermédiaire.

– Sidney, je sais que votre père vous a beaucoup manqué quand vous grandissiez seul avec votre mère aux États-Unis et que vous n'avez jamais compris, avant votre arrivée ici, pourquoi votre mère ne vous parlait jamais de lui, commença le musicien. Mais je vous assure que Jonas a été le descendant qui a le plus souffert de la cruauté de la sorcière. Elle s'est emparée de sa volonté et l'a forcé à tuer. Maintenant qu'il est enfin libéré d'elle, il aimerait renouer avec la famille qu'il a perdue, mais il ne sait pas comment s'y prendre.

Jonas était figé comme un animal effrayé pris dans un coin. Sidney hésita quelques minutes, puis marcha vers lui.

– Sam a raison, père, admit le New-Yorkais. Il est grand temps que nous ayons une bonne discussion.

Il mit la main sur celle de Jonas et ils disparurent ensemble. Samuel ne cacha pas sa déception, car il aurait aimé entendre ce qu'ils avaient à se dire. «Je suis trop curieux», conclut-il. Il alla s'asseoir au piano et se mit à jouer ses pièces les plus chargées d'espoir, un sourire de satisfaction sur le visage.

CHAPITRE 4

Lorsqu'il mit finalement la tête sur l'oreiller, Samuel était plutôt content de sa journée. Il avait enfin terminé sa souris et probablement réconcilié Jonas et Sidney. Il savait que l'un des deux finirait par lui donner des nouvelles de leur discussion privée. «Il y a sûrement d'autres fantômes à réconcilier», se dit-il avant de s'endormir. Il se réveilla au lever du soleil et paressa un peu au lit. Il ne souvenait pas d'avoir rêvé. «Peut-être que je le désire trop», conclut-il. À partir de maintenant, il ferait l'effort de se relaxer complètement avant de se laisser emporter par le sommeil.

Il fila sous la douche et chanta une de ses chansons préférées à pleins poumons, puis enfila un t-shirt blanc et un jean bleu avant de rejoindre Esther dans la salle à manger.

– Vous avez une très belle voix, Samuel, le complimenta la bonne.

– Oh... vous pouviez m'entendre?

– Jusque dans le jardin. Vous devriez chanter pour nous tous les soirs.

– Vraiment?

– Même que je vous y encourage.

– Il est vrai que ça me ferait beaucoup de bien de recommencer à chanter.

Il mangea sans se presser en se demandant ce que lui réservait cette journée. Puis il sortit sur la terrasse pour respirer l'air du matin. Comme pour lui dire bonjour, les roses se servirent de la brise pour diriger vers lui leur parfum capiteux. Il décida donc d'aller s'occuper d'elles. «Quand j'aurai finalement une maison bien à moi, j'en planterai partout», se promit-il.

Ambrose n'était nulle part, mais ses instruments aratoires reposaient à l'entrée du jardin. Samuel ameublit la terre des plates-bandes tout en les désherbant, étendit un peu d'engrais et supprima les sauvageons et les fleurs fanées. Lorsqu'il eut terminé son travail, il alla s'asseoir au pied d'un arbre et sortit la liste des descendants pour continuer à l'étudier. C'est alors qu'Ambrose lui apparut enfin, portant ses éternelles braies marron, ses bottes noires et sa chemise blanche.

– Que lisez-vous? demanda-t-il.

– Les noms de tous les fantômes du château, dans l'ordre où ils ont été victimes de la malédiction, ainsi que les dates de leur naissance et de leur mort. J'essaie de les apprendre par cœur.

– Je suis ici depuis très longtemps et je ne connais pas encore tout le monde. Et je ne sais pas non plus à quelle époque ils ont vécu.

– Parce que vous ne quittez jamais ces jardins?

– Il m'arrive de marcher autour de l'étang ou d'aller m'amuser dans la salle de jeux, mais presque toujours avec les mêmes descendants. Vous avez sûrement remarqué que quelques-uns d'entre nous en évitent certains autres.

– Oui, malheureusement. Mais si je mémorise tout ceci, c'est surtout pour mieux m'orienter quand j'ouvre une des portes de l'étage.

– Quelle excellente idée... Isabel m'a dit que vous aviez une fille.

– C'est exact. Elle s'appelle Emily et elle vient d'avoir dix ans.

– Ah, le bel âge. J'ai eu une fille, moi aussi. Phoebe était belle et douce comme le miel. Ses manières étaient exquises et elle possédait un cœur grand comme le monde. Elle n'avait que vingt-deux ans quand j'ai perdu la vie. Sa mère et moi n'avions jamais pris le temps de lui trouver un mari. Je pense que nous voulions la garder avec nous pour toujours...

– C'est normal de vouloir protéger son enfant du monde extérieur, mais il vient un temps où il doit voler de ses propres ailes.

– Nous ne l'avons pas compris, j'imagine. Ma femme ne m'a survécu que deux ans, mais elle n'a pas non plus assuré l'avenir de Phoebe. La pauvre petite a été désemparée quand elle s'est retrouvée seule au monde. Incapable de se débrouiller par elle-même, elle a vendu tous ses biens et elle est entrée au couvent. Les religieuses lui ont ouvert les bras quand elles ont vu l'argent qu'elle leur apportait. Mais je ne devrais pas vous embêter avec de l'histoire ancienne.

– Au contraire, Ambrose. Je veux tout savoir de mes ancêtres.

– Nous poursuivrons donc plus tard, puisque Esther vous réclame.

Pourtant, il n'avait rien entendu.

– Je vous souhaite une belle journée, jeune homme.

Le jardinier s'éloigna avec sa bonne humeur habituelle et Samuel se dirigea vers le château. Il trouva à sa place sur la table une assiette de couscous au poulet et un panier de fruits, mais pas d'Esther. «Elle s'absente de plus en plus souvent», remarqua-t-il. Il mangea lentement. Bientôt, il lui faudrait ouvrir une nouvelle porte et improviser encore une fois. «Jamais je n'ai pensé que j'aurais ce talent», s'étonna-t-il. Jusqu'à présent, il s'était fort bien débrouillé dans les quatre époques où il avait mis le pied. Il croqua dans une poire en se demandant si elle provenait du domaine, mais la bonne n'était pas là pour lui répondre.

En entrant dans le salon, Samuel fut bien surpris d'apercevoir Ulrik assis devant le feu, à faire semblant de taquiner les bûches avec son tisonnier spectral. Il ne l'avait pas vu faire ce geste depuis longtemps.

– Missionnaire, laissa tomber le Viking.

41

– Si je peux rétablir de bonnes relations entre les descendants, pourquoi pas? se défendit Samuel. Ce n'est pas la faute de Jonas si la sorcière s'est servie de lui comme d'une marionnette pour faire le mal. Sa femme n'a pas eu d'autres choix que de fuir avec Sidney si elle voulait rester en vie. Et Sidney mérite de connaître enfin son père.

– Tu es vraiment un étrange Dragensblöt.

– Êtes-vous en train de me dire que les Vikings ne croyaient pas à la paix et à l'harmonie?

– Bien sûr qu'ils y croyaient, mais pas dans le cas des tueurs en série.

– C'est facile à dire quand on n'a pas eu une vieille folle pour nous pourrir la vie. Moi, tout ce que je veux, c'est que ces gens soient heureux même s'ils sont condamnés à rester ici contre leur volonté.

– Toi y compris?

– À moins que je réussisse à faire tomber la malédiction, je ne sais pas trop quel type de fantôme je serais, avoua Samuel.

– Tu y arriveras. J'ai confiance en toi. Le fait que tu aies survécu à quatre portes jusqu'à présent est plutôt encourageant, non?

– On ne peut certainement pas les comparer à la vôtre...

– J'espère que tu es en train de dresser ton plan pour ce grand jour.

– Plusieurs avenues s'offrent à moi, toutes aussi terrifiantes les unes que les autres.

– Contrairement à ce que prétend ma fille, je n'étais pas un monstre. Avec de bons arguments, peut-être arriveras-tu à me convaincre de ne pas partir avec mes amis.

– Vous aviez besoin d'argent pour la faire vivre.

– Alors, offre-moi une petite fortune.

– Que je prendrai où?

– Tu pourrais tuer un chef de guerre et réclamer ses biens.

– Est-ce que j'ai l'air d'un meurtrier et d'un voleur? s'offusqua le musicien.

– Nous possédons tous un côté sombre, Samuel.

– Eh bien, je ne connais pas le mien et je n'ai nul désir qu'il me séduise.

– C'est ce que je disais: missionnaire...

– Vous ne faites aucun effort pour comprendre ma situation. Je ne suis qu'un homme ordinaire à qui on demande d'accomplir un exploit digne d'un héros.

– Il y en a aussi un en chacun de nous.

– Ça ne sert strictement à rien de poursuivre cette conversation avec vous. Bonne journée, Ulrik.

Samuel quitta le château et commença par marcher autour de l'étang pour se détendre. C'est alors que le faucon passa au-dessus de sa tête en poussant un cri aigu. Le musicien s'immobilisa pour voir où il allait.

Peter et un autre homme apparurent plus loin sur le sentier. L'oiseau de proie se posa sur le gant en cuir de son maître. Samuel se rapprocha d'eux en espérant qu'ils n'allaient pas se dématérialiser avant qu'il les rejoigne. Ils se ressemblaient beaucoup: même forme de visage, les cheveux et les yeux sombres tous les deux et des vêtements presque semblables.

– Quel plaisir de vous revoir, Samuel! s'exclama Peter en l'apercevant. Laissez-moi vous présenter Geoffroy, mon fils et l'homme le plus merveilleux que je connaisse.

– Il ne dit cela que parce que c'est mon père, répliqua Geoffroy, amusé. Je suis enchanté de vous rencontrer, Samuel. Il n'arrête pas de me parler de vous et de votre courage.

– Mon courage? répéta le musicien, inquiet.

– Aucun de nous n'oserait s'en prendre à la sorcière.

– Ce n'est pas ce que je suis censé faire non plus. Ma mission, c'est d'empêcher Ulrik de provoquer sa colère et ainsi de faire disparaître la malédiction.

– Croyez-vous vraiment qu'elle vous laissera faire? Elle a bien trop de plaisir à nous faire souffrir.

– Au moment où j'interviendrai, Ulrik ne l'aura pas encore rencontrée.

– C'est un bon point, admit Peter. Mais je suis tout de même soulagé que ce ne soit pas à moi qu'on demande de le faire. Saviez-vous que je suis mort assassiné par des voleurs et Geoffroy, d'une infection du sang?

«Il en parle comme si c'était une action remarquable», remarqua Samuel, troublé.

– Je t'en prie, Geoffroy, raconte-lui ta vie, le pria Peter. Le numéro quarante-six veut tout savoir de nous.

– Elle a été plutôt tranquille, mais pourquoi pas? Pour commencer, je suis le descendant numéro quatorze. Après la mort de mon père, mon grand-père maternel nous a emmenés vivre dans une autre ville, ma mère et moi. J'ai commencé à fabriquer des bahuts pour m'occuper et oublier mon chagrin. Pour m'encourager, mes grands-parents me les achetaient tous. Ils ont conservé ceux qu'ils aimaient et offert les autres à leurs amis. Grâce au bouche-à-oreille, j'ai commencé à recevoir des commandes de la part de gens que je ne connaissais pas. C'est donc ainsi que je suis devenu bahutier de métier.

– Est-ce que vous en créez encore ici, au château? voulut savoir Samuel.

– J'ai un petit atelier, en effet.

– Continue ton histoire, réclama Peter.

– À la mort de ma mère, mes grands-parents ont insisté pour que je reste avec eux. Ils étaient âgés et ma présence les rassurait. Quelques mois plus tard, j'ai rencontré Joan, à l'église. Juste en nous regardant, nous avons compris que nous étions faits l'un pour l'autre.

«Ils ont dû avoir d'autres vies ensemble», ne put s'empêcher de penser Samuel.

– Je l'ai présentée à mes grands-parents, qui l'ont tout de suite adorée. Alors, un mois plus tard, je l'ai épousée et elle est venue habiter avec nous, pour la plus grande joie de ma grand-mère qui n'était plus capable de cuisiner. Trois ans plus tard, Joan a donné naissance à notre fils, Nicholas. Mes grands-parents sont décédés l'année suivante et j'ai hérité de tous leurs biens. J'ai continué de fabriquer des bahuts pendant que ma femme s'occupait de la maison. Notre petite famille a connu une vie des plus sereines jusqu'à ce que je me blesse sur un vieux clou. L'infection n'a pas voulu guérir. Je me suis mis à faire de la fièvre et j'y ai succombé.

– À cause d'un clou?

– Une mort plutôt bête, vous ne trouvez pas? Mon petit Nicholas était encore si démuni.

– La malédiction a le don de séparer les parents de leurs enfants alors qu'ils ont encore besoin d'eux.

– N'est-ce pas? soupira Peter.

– Nicholas m'a depuis raconté qu'à mes funérailles, il a vu une vieille femme quitter l'église en riant. Elle tenait dans les mains une poignée de vieux clous.

– La sorcière...

– Et malgré tout, Geoffroy ne lui en veut pas de l'avoir tué! s'exclama le fauconnier.

– Si j'avais été plus prudent, je ne me serais pas blessé ainsi.

– Elle vous aurait assassiné autrement, lui fit remarquer Samuel.

– Des années plus tard, sans doute, ce qui m'aurait donné le temps de voir grandir ma petite-fille.

– Permettez-moi d'en douter.

– Il n'y a rien à faire: mon fils est un éternel optimiste, l'excusa Peter.

– Je suis vraiment ravi de vous connaître, Geoffroy, et l'optimisme n'est pas un défaut, affirma Samuel.

– Tout le plaisir est pour moi. J'espère que vous nous sortirez bientôt d'ici, car ma mère, ma femme et mes grands-parents me manquent terriblement.

– Je ferai tout ce que je peux, c'est promis.

– À notre prochaine rencontre, je vous présenterai Nicholas, lui dit Peter, enthousiaste.

Les deux fantômes s'effacèrent devant Samuel. Il resta immobile un moment à réfléchir à ce qu'il venait d'apprendre, puis poursuivit sa balade.

Au même moment, dans la bibliothèque, Esther avait profité de l'absence du musicien pour sortir du grand coffre son premier roman sous sa forme reliée afin de le montrer à Isabel. Elle le fit voler tout doucement jusqu'au bureau, où il se posa.

– Mais c'est notre château sur la couverture! s'exclama la potière.

– Je trouvais que c'était une bonne idée de bien situer les lecteurs et je voulais aussi que Samuel s'en souvienne pour toujours.

Avec sa magie, Esther fit doucement tourner les pages du roman.

– Pourquoi l'avoir intitulé Anwen, la délaissée? demanda Isabel.

– Parce que la première porte qu'il a ouverte, c'était celle de sa vie. Le prochain tome s'intitulera *Jacob, le pirate*.

– Mon cher petit...

– Ce sera même lui qui figurera sur la couverture.

– Et nous, Esther, serons-nous sur l'un de ces romans?

– Si Samuel ouvre nos portes avant de tomber sur celle d'Ulrik, pourquoi pas?

– Cela me plairait beaucoup.

– À moi aussi, avoua Esther.

Avant de se faire surprendre par Samuel, la bonne retourna le livre dans le grand coffre qu'il ne pourrait pas ouvrir avant que la malédiction soit tombée.

CHAPITRE 5

Depuis que Rose était arrivée au château, cent cinquante ans plus tôt, les fantômes croyaient qu'elle errait sans cesse sur le domaine parce ce que son âme n'acceptait pas qu'elle soit morte aussi jeune. En réalité, l'enfant avait rapidement saisi, peu de temps après s'être réveillée parmi ses ancêtres, qui était Sortiarie ainsi que les changements qu'elle percevait dans le champ d'énergie de la propriété chaque fois qu'elle y arrivait et qu'elle en repartait.

L'enfant avait aussi remarqué le curieux comportement de la fontaine et avait fini par comprendre que l'eau cessait de couler quand la sorcière pénétrait dans une grotte tout au fond d'une des forêts qui entouraient la résidence et où aucun des spectres n'osait jamais mettre les pieds. Rose s'était donc donné pour mission de surveiller la méchante femme, pour s'assurer qu'elle ne fasse pas plus de mal à ceux qu'elle avait déjà tués.

Même si ses rencontres avec Samuel avaient été brèves et peu nombreuses, la petite s'était liée d'amitié avec ce descendant encore vivant, surtout qu'il avait réussi à la raccommoder avec son grand frère Jonas et que, tout récemment, il avait forcé celui-ci à s'expliquer avec Sidney. Rose avait donc ajouté à ses responsabilités celle de ne rien laisser arriver à Samuel. Chaque fois qu'il s'aventurait à l'extérieur, elle le suivait discrètement pour éviter qu'il croise le chemin de Sortiarie. Lorsqu'il dormait enfin dans sa chambre protégée par la magie d'Esther, elle pouvait aller jouer avec les autres enfants fantômes autour de la fontaine. Rose ne ressentait pas le même besoin qu'eux de s'amuser, mais elle ne voulait pas qu'ils pensent qu'elle était trop bizarre.

Tout ce qui lui restait de sa vie d'antan, c'était une vieille poupée de chiffon que sa mère lui avait offerte. Elle ne s'en séparait jamais, même si, en théorie, elle avait passé l'âge de jouer avec des poupées. Quelques fois, elle la gardait serrée contre sa poitrine et d'autres fois, elle ne la tenait que par la main. Et quand elle se retirait dans son propre coin du château, elle lui parlait tout bas. Elle lui avait donné le nom de Phoebe et lui confiait tous ses secrets et toutes ses peines. Elle ne laissait jamais Elizabeth, Daisy ou Charlotte y toucher. Quant à Edward, il ne s'y intéressait d'aucune manière et restait profondément attaché à son cube Rubik.

Pendant qu'Esther, Andrew et Isabel ratissaient différents coins du domaine à la recherche de possibles cachettes pour Samuel, qui masqueraient entièrement son odeur à la sorcière, Rose continuait de monter la garde. «Il faut bien que quelqu'un puisse l'avertir si notre ennemie jurée se met à le traquer», songea-t-elle. Elle savait aussi que Sortiarie était une puissante magicienne et elle avait de la difficulté à croire qu'une poignée de fantômes réussirait à l'empêcher de mettre la main sur une nouvelle proie...

«J'ai absolument besoin de plus d'informations pour mieux aider Samuel», décida-t-elle. Elle n'avait jamais osé explorer la grotte de la sorcière, mais son intuition lui disait qu'elle pourrait sans doute y trouver quelque chose d'important.

Rose rassembla donc son courage et entra dans la partie interdite du domaine, là où il n'y avait aucun sentier. Mais elle savait exactement où se situait l'entrée de la grotte de Sortiarie.

«Peut-être qu'elle y cache des indices qui nous permettraient de nous débarrasser d'elle une fois pour toutes, sans que Samuel ait à risquer sa vie...» Elle s'arrêta près d'une sapinière, tendit l'oreille, puis la contourna très lentement, tous ses sens aux aguets. L'entrée de l'antre ne se trouvait plus qu'à quelques mètres de l'enfant et, puisque la fontaine coulait encore, sa résidente ne pouvait pas y être. Théoriquement, elle n'y reviendrait que dans quelques jours. «Je ne risque rien», s'encouragea Rose.

Elle s'avança vers l'étroite ouverture, terrifiée jusqu'au fond de l'âme, mais bien décidée à explorer ce sinistre endroit. Elle s'étira le cou pour regarder à l'intérieur: c'était l'obscurité totale. «Je n'ai jamais appris à allumer les bougies», regretta-t-elle. Elle possédait toutefois d'autres pouvoirs qui lui permettraient sans doute de deviner à quoi servaient les objets qu'elle pourrait palper.

Rose s'aventura à l'intérieur. Elle n'avait pas fait deux pas qu'une centaine de chandeliers illuminèrent la grotte. L'enfant ravala un cri de terreur, croyant que c'était la sorcière qui venait de les enflammer. Elle aurait voulu fuir, mais tout son corps de fantôme était paralysé.

Ses yeux parcoururent l'endroit. Quand elle se rendit compte que la grotte était déserte, elle commença à se calmer. Contrairement à ce qu'elle avait imaginé, ce n'était pas une grande caverne aussi imposante qu'une cathédrale.

En fait, c'était plutôt petit, mais un adulte pouvait s'y tenir debout sans avoir à se pencher. Les murs en roc étaient parsemés de gros replis sur lesquels reposaient des bougeoirs de toutes les époques. La petite leva la tête vers le plafond, s'attendant à voir des chauves-souris, mais il n'y avait rien.

Droit devant elle se dressait un large autel en pierre sur lequel il y avait une foule d'objets qu'elle ne pouvait pas distinguer depuis l'entrée. Pour en avoir le cœur net, elle combattit sa peur et avança. Elle ne comprit pas tout de suite ce qu'elle voyait, car ces choses ne semblaient pas former un tout. Elle se concentra davantage et décida de les identifier une à la fois: un bracelet visiblement viking avec des runes gravées dans le cuir, une broche en os qui retenait de longs cheveux roux, un marteau de forgeron, des hameçons, un bluteau, un coupe-pâte, un filet de pêcheur, un petit tas de graines, une plume, un encrier, une boucharde, un vieux rabot, une bisaiguë, un gant de fauconnier, un serre-joints, un tour de potier miniature, des fils à tisser, une aiguière, un vieux livre de mathématiques tout usé, une belle pince à cheveux en argent sertie de pierres précieuses, un petit couteau de saignée, un livre de droit, des caractères mobiles d'imprimerie en plomb, un trousseau de clés de prison, une houe, un crucifix en bois, la pointe d'une pique, un vase en céramique, un poignard de pirate, un tournevis, un chapeau de bonne, un pieu taché de sang, un porte-jarretelles, un archet, un couteau de cuisine, un hachoir, une chaînette en or sur laquelle pendait une breloque en forme de rose...

– C'était à moi! s'exclama l'enfant.

Sa mère lui avait offert ce bijou pour son anniversaire quelques mois avant sa mort!

– La sorcière garde donc ici un objet qui a appartenu à chacun des descendants... Pourquoi?

Elle poursuivit son inventaire: un rivet en métal, une plume d'autruche blanche, un insigne d'aviateur, deux robes d'enfant toutes simples, un collier de hippie, des lunettes rondes, un yoyo, un code civil et un cahier de musique... Rose n'osa pas toucher à ces objets, de crainte que la sorcière s'en aperçoive.

– Le fait qu'ils soient ici est-il relié à l'emprisonnement de chacun des descendants? Et si je les détruisais, est-ce qu'ils seraient libérés ou est-ce qu'ils disparaîtraient à tout jamais?

Puisqu'elle n'en savait rien, l'enfant revint sur ses pas. Dès qu'elle atteignit la sortie, les bougies s'éteignirent toutes en même temps.

Bouleversée, Rose sortit de la forêt en courant et se dirigea vers le château. Elle ne savait pas à qui elle pouvait parler de sa découverte. Il fallait que ce soit quelqu'un de très calme qui ne se précipiterait pas dans la grotte pour tout casser. «Il faut que je choisisse mon confident avec soin...»

Pendant ce temps, Samuel marchait en direction de l'atelier en plein air de Simon lorsque Jonas lui bloqua la route. Il semblait tout à coup soulagé du grand fardeau qu'il avait porté sur ses épaules pendant trop longtemps.

– J'aimerais vous remercier de m'avoir enfin redonné de l'espoir. Mes longues conversations avec Rose et avec Sidney m'ont réellement apaisé. Ils comprennent mieux que je n'ai été qu'une victime parmi tant d'autres de la sorcière, qui a bien failli me faire perdre mon âme pour toujours.

– Je suis si heureux de vous l'entendre dire, Jonas.

– Puis-je vous demander une autre faveur?

– Sans hésitation. Dans une famille, il faut s'entraider, même si plus de cent ans nous séparent.

– Sidney m'a donné rendez-vous dans le nouveau palace afin que je rencontre sa fille et ses petits-enfants. Si on ne m'y emmène pas de force, je ne crois pas que j'aurai le courage d'y aller.

– Vous aimeriez donc que je vous y accompagne.

– Si ce n'est pas trop vous demander.

– Quand doit avoir lieu cette importante réunion?

– Là, maintenant.

– Dans ce cas, allons-y.

– Vous êtes bien certain de n'avoir rien d'autre à faire?

– Rien qui ne peut attendre à demain. Venez.

Ils marchèrent en direction du château, puisque Samuel ne pouvait pas se déplacer instantanément comme les fantômes. Lorsqu'ils arrivèrent devant la porte du palace de Clara, Jonas s'immobilisa. Sa nervosité était compréhensible, car la fuite de sa femme à New York l'avait isolé de sa famille jusqu'à sa mort.

– Tout ira très bien, l'encouragea Samuel.

Il ne pouvait évidemment pas le pousser à l'intérieur, alors il attendit qu'il reprenne courage et qu'il avance de lui-même. Jonas fit un premier pas et Samuel le suivit à son rythme.

Les deux hommes trouvèrent Clara assise sur le plancher brillant où Sidney, Ben, Daisy, Charlotte, Elizabeth et Edward formaient un cercle avec elle. Les enfants étaient en train de montrer aux adultes à jouer aux billes. Samuel aperçut Stuart et Lionel qui se tenaient debout derrière le groupe. Ils semblaient se demander ce qu'ils faisaient là. «Certaines choses ne changeront jamais», songea le musicien. Son père avait eu la même attitude à chaque réception qu'organisait sa mère, jadis. Sidney leva la tête et aperçut Jonas.

— Merci d'avoir accepté mon invitation, le salua-t-il. Approche et vient faire la connaissance de ma charmante famille.

Puisque les spectres pouvaient se toucher entre eux, Clara bondit sur ses pieds pour être la première à serrer Jonas dans ses bras.

— Je suis si heureuse de me trouver enfin en présence de mon grand-père! s'exclama-t-elle.

Elle recula de quelques pas pour étudier le visage de Jonas. Le contraste ne pouvait être plus grand entre ce pauvre homme torturé et sa petite-fille dévergondée et vibrante d'énergie.

— Lionel, Ben, approchez, ordonna-t-elle avec un grand geste de la main.

Ses deux garçons, qui étaient également de parfaits contraires, lui obéirent. Lionel portait son uniforme militaire et les cheveux coupés très courts. Son jeune frère Ben était vêtu d'un jean troué et d'une longue chemise blanche à franges. Ses cheveux, qui touchaient ses épaules, étaient retenus par un bandeau.

— Je vous présente votre arrière-grand-père, Jonas Andersen, le père de Sidney, votre grand-père.

Ils lui serrèrent solennellement la main au lieu de l'étreindre comme leur mère.

— Mais ce n'est pas tout, ajouta Clara. Lionel a eu deux filles: Daisy et Charlotte.

Les petites, en robe turquoise et joli collet blanc, esquissèrent une révérence qui fit balancer leurs longs boudins bruns.

– Et Ben a eu trois enfants, une fille et deux garçons, poursuivit Clara. Voici Elizabeth, Edward et Stuart.

Les deux premiers portaient plutôt des vêtements aux couleurs criardes qui n'allaient pas vraiment ensemble tandis que le plus vieux des trois était habillé comme un homme d'affaires.

– Vous ressemblez à un personnage de vieux film de vampires, laissa tomber Elizabeth.

– Ce n'est pas lui, le vampire, ma petite chérie, l'informa Clara. C'est Anthony, qui a au moins huit décennies de plus que lui.

– Ouais, je l'ai déjà vu errer dans le château, il me semble, ajouta Edward. Mais c'est vrai qu'ils ont le même visage.

– Forcément, certains descendants auront une similitude de traits, intervint Samuel pour les inciter à changer de sujet.

Jonas se tourna vers le plus vieux. Clara suivit son regard.

– Voici leur petit frère, Stuart. S'il est si grand, c'est que lui, il est mort quand il était presque dans la cinquantaine.

L'avocat ne fit que saluer son ancêtre de la tête. Dans le lot, il était le seul qui se rappelait que Jonas avait été un tueur en série et il n'avait pas vraiment envie d'entretenir de relations avec lui.

– J'ai déjà expliqué aux enfants que tu n'es pas plus responsable de tes actes de jadis qu'Anthony des siens, déclara Sidney. Ils savent que c'était une idée diabolique de la sorcière et ils ne t'en tiennent pas rigueur.

– Merci, dit finalement Jonas. Vous ne savez pas à quel point il est terrible de vivre avec autant de remords.

– Nous n'avons pas eu le temps d'en avoir, rétorqua Charlotte.

– Nous sommes mortes brûlées vivantes par notre mère quand nous étions petites, ajouta Daisy.

– Quant à Edward et moi, on nous a arraché le cœur sur un autel de sacrifices dans une secte satanique, expliqua Elizabeth.

L'expression horrifiée de Jonas les étonna tous. N'avait-il pas commis lui aussi des crimes crapuleux?

— Pendant que nous en parlons, intervint Clara, la sorcière a poussé Sidney dans le vide et il est mort écrasé sur le trottoir. J'ai été étranglée par un inconnu et Stuart a été assassiné par un de ses clients.

«Quelle belle famille», soupira intérieurement Samuel. «Je vais attendre qu'Emily soit plus vieille avant de lui raconter la vie de ses ancêtres.»

— Et vous? demanda alors Edward.

— J'ai été pendu, répondit Jonas.

— C'est lui qui gagne, décida Elizabeth.

— Tu trouves ça plus horrible que d'être brûlé ou immolé? s'étonna Daisy.

— Les enfants, ne parlons pas de mort mais de vie, ce soir, exigea Clara. Nous sommes réunis dans mon palace pour apprendre à connaître Jonas.

— Comment c'était à Londres, à votre époque? voulut alors savoir Charlotte.

Constatant que son ancêtre ne se sentait plus menacé par sa famille, Samuel s'esquiva pour se rendre à l'atelier de Simon. Déjà affairé au polissage d'un gros bloc de pierre, le sculpteur se tourna vers lui et se plaça les mains sur les hanches.

— Je croyais que vous n'arriveriez jamais.

— J'ai été retardé, mais je n'avais pas l'intention de me dérober.

Samuel remarqua le gros bloc d'argile de forme rectangulaire sur sa table.

— Mais j'avoue être plutôt intimidé par ce nouveau projet, ajouta-t-il.

— Ce sera le chef-d'œuvre de votre vie, Samuel, et, bien entendu, je vous aiderai à toutes les étapes de sa réalisation.

— Vous êtes beaucoup plus confiant que moi.

— Nous procéderons tout doucement, c'est promis. Je vais d'abord imprimer vos traits sur le bloc et vous commencerez à enlever de minces couches d'argile en suivant ces guides. Ce sera un jeu d'enfant.

- Je pense que vous me surestimez...
- Cessez de vous inquiéter. Je corrigerai le tir au besoin.
- Ce qui risque d'arriver très souvent.
- Une œuvre d'art ne se crée pas en une seule journée.
- À moins que son créateur s'appelle Thorfrid Dragensblöt...
- Il est vrai que notre ancêtre aime la facilité. Mettons-nous au travail, Samuel. Nous avons fort à faire.

Le musicien vit alors apparaître ses traits en lignes noires sur le bloc rectangulaire. Simon lui procura ensuite des instruments différents de ceux qu'il avait utilisés pour la pierre.

- Faites vos premières armes sur la chevelure, suggéra-t-il.
- Vous l'aurez voulu.

Samuel prit une profonde inspiration et se mit à sculpter prudemment le dessus du rectangle.

CHAPITRE 6

Après tout un après-midi de sculpture, qui n'avait finalement abouti qu'à donner une forme ovale au bloc d'argile, et un excellent repas de poulet chasseur qu'il termina par une pointe de tarte à la lime, Samuel alla jouer quelques-unes de ses compositions dans le salon. Il se risqua même à les chanter, émerveillant son public spectral. Il fut chaudement applaudi lorsqu'il s'arrêta. Il remarqua avec fierté qu'il y avait de plus en plus de fantômes dans le salon chaque fois qu'il offrait un concert. Même Ulrik se tenait tout au fond, visiblement impressionné par son talent.

Thorfrid manquait toujours à l'appel, mais Samuel refusait de se décourager. Il avait capté une certaine sensibilité sous son extérieur revêche et il finirait par l'obliger à la manifester au grand jour. Et peut-être arriverait-il aussi à la réconcilier avec Ulrik...

Samuel se retira dans sa chambre. Il prit une interminable douche chaude, puis s'allongea sur son lit en pensant à sa fille. Il jeta un œil au vieux téléphone et se demanda s'il pourrait lui parler encore une fois. Mais il ne voulait pas non plus lui causer de détresse, car il ne pouvait pas lui dire où il était et il ne savait pas quand il pourrait rentrer à Londres.

– Ni dans quel état, soupira-t-il.

Il n'avait pas souvent vu Emily ces dernières années, mais il continuait de l'aimer de tout son cœur. Lorsqu'il ouvrit les yeux, au matin, il lui sembla les avoir à peine fermés. «Est-ce parce que je n'ai pas rêvé que j'ai l'impression de n'avoir pas dormi?» se demanda-t-il. Il fit sa toilette et entra dans la salle à manger, où Esther l'attendait avec son bagel et son café.

– Vous semblez angoissé, Samuel? remarqua-t-elle.

– Je ne rêve plus à l'Atlantide et à Stincilla, avoua-t-il en prenant place devant son repas. Je me sens abandonné...

– Je n'ai pas vécu dans votre siècle survolté, mais je peux vous dire que dans mon temps, nous nous réjouissions après chaque bonne nuit de sommeil durant laquelle nous n'avions pas été traumatisés par des événements qui n'étaient même pas réels.

– Dans mon cas, il s'agit de souvenirs d'une incarnation précédente.

– Qui est terminée depuis des milliers d'années.

– Et qui me manque cruellement.

– Vous avez suffisamment de raisons de vous tourmenter dans cette vie sans vous en inventer d'autres.

– Il est vrai que je ressens les choses plus intensément que mes semblables.

– Arrêtez de penser à ce pays qui n'existe plus et préparez-vous à votre prochaine expédition.

– Oui, ce serait préférable, concéda-t-il pour mettre fin au sermon.

Samuel mangea en s'efforçant de demeurer dans l'instant présent, puis alla marcher autour de l'étang sans s'apercevoir que Rose le suivait de loin, pour assurer sa protection. Il prit place sur le banc de parc le plus éloigné du château et observa les deux pêcheurs, qui ne lui prêtèrent aucune attention. Sur leur droite, les dragons se poursuivaient en faisant naître de petites vagues à la surface de l'eau.

«Si seulement je comprenais pourquoi je ressens une telle urgence de retrouver cette femme que j'ai aimée il y a si long-temps...» se désola Samuel. «Que s'est-il passé en Atlantide que j'ignore encore? Est-elle morte dans mes bras tout de suite après notre mariage? M'a-t-elle repoussé? A-t-elle marié un autre homme, de gré ou de force?» Ces pensées obsédantes lui firent monter les larmes aux yeux. «Esther a raison: je dois arrêter de penser au passé et regarder devant moi», tenta-t-il de se consoler. Il poursuivit donc sa promenade. En revenant vers le château, il aperçut Ulrik à la proue de son drakkar. Il était immobile comme une statue et regardait au loin. Samuel se tourna du même côté, mais ne vit rien d'anormal dans la forêt.

– Qu'est-ce qui vous préoccupe autant par-là? demanda-t-il finalement.

– Je rêve d'aventures sur les mers du monde avec mes anciens camarades qui, eux, sont désormais en train de s'amuser dans le hall d'Odin.

– Dans votre imagination, donc?

– En ce moment, je vogue sur l'océan en direction de l'ouest et je suis en train de consulter le ciel afin de m'assurer de bien garder le cap. Bientôt, j'accosterai sur de nouvelles terres riches de promesses.

– Ça vous fait du bien, au moins?

– C'est mieux que rien, affirma Ulrik en se tournant vers son descendant. Et toi, Samuel, ça ne t'arrive jamais de rêver que tu te trouves ailleurs?

– Quand j'étais jeune et que je devais monter sur scène pour le récital de piano de fin d'année des élèves de ma mère, pour me calmer, je m'imaginais en train de compter un but après l'autre dans un filet de rugby. Plus tard, pour combattre le trac, j'ai commencé à me voir déjà en train de terminer ma prestation sous un tonnerre d'applaudissements avant même de me produire en spectacle.

– Et maintenant, c'est quoi ton nouveau fantasme?

Samuel rougit jusqu'aux oreilles.

– Il n'y a aucune honte à se voir dans le lit d'une belle femme, jeune homme. S'agit-il de ton ex-épouse?

– Non...

– De ta dulcinée du passé ou d'une de nos jolies dames fantômes?

– Ce sont mes ancêtres! protesta le musicien, scandalisé.

– Moi, je ne dirais pas non à la jolie Anwen.

– C'est votre descendante!

– Numéro dix-neuf, je te ferai remarquer. Il s'est donc ajouté beaucoup de sang étranger dans ses veines depuis, tu ne crois pas?

– Les liens de famille ne s'évaluent pas de cette façon, Ulrik.

– Alors, j'en conclus que c'est ta bien-aimée de la civilisation perdue.

– Je ne veux pas en parler.

– Viens me rejoindre dans le drakkar et imagine-toi plutôt que tu as vécu à mon siècle.

– C'est bien aimable de m'y inviter, mais après l'épisode du dragon, j'ai décidé de ne plus y remonter.

– Ils ne sont pas méchants, mais ils aiment nous jouer des tours.

– Et puis, ce n'est pas comme si je n'avais jamais mis le pied à votre époque. Grâce à Esther, j'ai vu de mes propres yeux à quoi ressemblait votre village.

– Tu m'y as vu?

– Non. Il n'y avait personne. Esther ne peut que rappeler des images à mon esprit, pas me transporter dans le passé comme le font les portes.

– Dommage...

– Où en êtes-vous dans vos efforts de réconciliation avec Thorfrid?

– Au point mort, mais ça fait quelques centaines d'années qu'elle a cessé de me battre. Est-ce que ça compte?

– Je n'arrive pas à croire que depuis tout ce temps, vous n'avez jamais pris la peine de vous expliquer, tous les deux, déplora Samuel.

– As-tu déjà essayé de discuter avec ma fille?

– Quelques fois...

– As-tu eu beaucoup de succès?

– Elle fait semblant de ne pas entendre mes paroles, mais je suis certain qu'elle y réfléchit par la suite.

– Samuel, personne ne peut obliger Thorfrid à faire quoi que ce soit. Ne perds pas ton temps à tenter de nous remettre en accord. Moi, je suis ouvert à cette idée, mais c'est elle qui décidera du moment où elle en aura envie.

– J'ai une fille, moi aussi. Vous ne savez pas de quoi vous vous privez.

– Dans ce cas, considère-toi béni des dieux.

Samuel abandonna, car tout comme Thorfrid, Ulrik n'écoutait pas un mot de ce qu'il lui disait.

– Bonne traversée, lui souhaita-t-il.

Il piqua vers la forêt en songeant que dans sa famille, c'était son père qui avait hérité du caractère intraitable des Dragensblöt et pas lui. Il décida de suivre un sentier qu'il n'avait pas encore exploré, sans se douter du danger qui le guettait désormais. C'est alors qu'il entendit des plaintes aiguës qui semblaient provenir d'un animal en détresse. «Il n'y a pourtant que le faucon sur le domaine», se rappela Samuel. Intrigué, il se faufila entre les buissons en faisant le moins de bruit possible et arriva à l'orée d'une clairière, où Thorfrid, assise par terre près de son loup couché sur le dos, lui gratouillait le ventre.

– C'est à qui le gros bébé?

Brynjulf se tortillait avec plaisir comme un chiot en émettant de petits cris. «Alors, là, si je m'attendais à ça...» s'étonna Samuel. Captant une présence, l'énorme loup se remit sur ses pattes et gronda de façon menaçante.

– Ce n'est que Samuel, gros poltron, lui dit sa maîtresse. Tu le connais, maintenant, et tu sais bien qu'il ne massacre que les mannequins en bois.

– Est-ce qu'on pourrait arrêter d'en parler, à la fin? réclama le musicien, irrité.

– Je ne crois pas, non. C'était bien trop drôle.

Samuel s'assit sur le sol, mais à une distance respectueuse de la Valkyrie et de son bouclier vivant. Celui-ci se calma sur-le-champ et s'assit sagement, mais il continua de le surveiller.

– Je viens de discuter avec votre père, qui aimerait bien que vous deveniez plus proches, mentit le musicien.

– Pfft, répondit la guerrière. Je veux bien faire preuve de retenue quand nous nous retrouvons dans le même lieu, mais c'est là que ça s'arrête, compris?

– Il ne vous a pas abandonnée quand il est parti pour ce raid, Thorfrid. Il avait l'intention de revenir les bras chargés de richesses pour vous offrir une belle vie et la possibilité de trouver un bon mari.

– Je n'en crois pas un mot. Il m'a laissée là pour que quelqu'un finisse par me prendre en pitié et m'adopter, parce qu'il ne voulait plus de moi.

– Mais c'est complètement faux. Qui vous a mis une idée pareille dans la tête?

– Je le sais, c'est tout. Il a passé sa vie à me dire que j'étais intraitable et que je finirais mal si je ne radoucissais pas mon caractère.

– Ce que tous les parents disent à leurs enfants qui font continuellement des caprices.

– Je n'en faisais pas! tonna-t-elle.

– Je ne veux pas vous mettre en colère, mais uniquement vous faire comprendre que le pardon, c'est le moyen le plus puissant d'améliorer notre vie. La première chose à faire, c'est de vous ouvrir à la possibilité de vous débarrasser de votre sentiment de colère.

Thorfrid se contenta de lui décocher un regard dubitatif. «Elle ne m'a pas rabroué, c'est bon signe», s'encouragea Samuel.

– Essayez d'imaginer tous les bénéfices que vous obtiendrez en pardonnant à votre père. Je sais que ça ira à l'encontre de ce que vous ressentez présentement, mais votre colère se transformera en paix d'esprit, votre tristesse en joie.

– Ça ne changera pas le passé.

– Ce n'est pas le but du pardon, non plus. C'est plutôt d'améliorer l'avenir. Vous devez laisser s'envoler vos sentiments de regret, d'abandon et de peur.

– Je n'ai peur de rien ni personne!

– Le pardon apporte la paix et la liberté, Thorfrid.

Elle se croisa les bras sur la poitrine en lui offrant son air de combat le plus menaçant.

– Si Ulrik vous avait emmenée avec lui, vous auriez été tuée par la sorcière et je n'existerais même pas. En fait, en vous laissant à la maison, votre père vous a sauvé la vie.

– Je n'ai qu'un seul conseil à te donner, Samuel: mêle-toi de ce qui te regarde.

– Je veux seulement rétablir l'harmonie dans le château et vous faites tous partie de ma famille...

Brynjulf tourna la tête vers sa maîtresse et émit une longue plainte.

– Si tu prends son parti, je vais t'accrocher au mur pour le reste de tes jours, le menaça-t-elle.

– Je... commença Samuel.

Il n'alla pas plus loin car Thorfrid disparut avec son loup. «Ulrik a bien raison: on ne peut pas lui faire faire ce dont elle n'a pas envie... même en lui exposant les meilleurs arguments», se désola le musicien.

Il poursuivit donc sa promenade dans les bois, Rose derrière lui. Elle avait assisté à toute la scène. Elle n'était qu'une enfant, mais elle avait déjà compris l'importance du pardon. «Mamie Thorfrid est courageuse et intelligente, mais têtue comme une mule», se dit-elle en scrutant les environs.

Samuel aperçut alors une maison en bois, d'un seul étage, construite sur le long. Curieux, il s'en approcha et poussa doucement la porte. Il s'agissait d'une immense pièce qui lui fit plutôt penser à une grange, avec ses poutres qui maintenaient le toit en place. Un homme était debout devant un établi de menuisier et travaillait sur un meuble en bois. Il reconnut Geoffroy.

– Samuel! Mais approchez-vous, voyons!

– Pourquoi avez-vous choisi de travailler au beau milieu de nulle part?

– Parce qu'il n'y a pas suffisamment d'espace dans le château et parce que j'aime avoir la paix.

– Tout comme Simon...

– Exactement.

Samuel vit alors que des buffets de tous les styles s'alignaient sur le pourtour de la maison.

– Vous en avez fabriqué combien? s'étonna-t-il.

– J'ai arrêté de compter. N'oubliez pas que je suis ici depuis plus de six cents ans. Je ne cesse de raffiner mes méthodes.

– Ils sont tous vraiment très beaux. Vous avez un talent exceptionnel.

– Plus on y met des heures et mieux on réussit.

– Je ne le sais que trop bien. Je suis pianiste.

Samuel le regarda travailler pendant quelques heures, puis décida de rentrer pour le repas du midi. Il dévora les paninis à la mortadelle et au provolone avec appétit, puis sirota sa bière en repensant à sa journée. Esther n'était pas là, mais il s'attendait à ce qu'elle lui apparaisse d'une seconde à l'autre. Ce fut plutôt Andrew qui le fit à sa place. Il semblait très tendu.

– Que se passe-t-il? s'inquiéta Samuel.

– Je crains que la sorcière finisse par conclure que votre présence dans le passé est reliée à ces portes qu'elle a créées pour y enfermer nos vies.

– Pourrait-elle les cadenasser avec sa magie pour m'empêcher d'en ouvrir d'autres?

– Ce n'est pas impossible et, si elle le fait, le seul qui pourra sortir d'ici, ce sera vous, si elle ne vous tue pas avant.

– Je saisis l'ampleur du danger, mais à tout problème il y a une solution, non? Comment pouvons-nous empêcher ça?

– En nous assurant qu'elle ne flaire pas votre présence. Esther croit qu'elle a enfin trouvé la solution.

«C'est donc pour cette raison qu'elle s'absente aussi souvent», comprit Samuel.

– Je vous remercie tous de votre bienveillance, lui dit-il.

– C'est bien peu vous offrir en échange des risques que vous courez constamment pour nous tous. Nous sommes conscients que vous pourriez connaître une fin hâtive dans le passé.

– Je ne pourrais jamais laisser tomber mes ancêtres, peu importe le danger que je dois affronter.

– Vous êtes décidément le plus brave d'entre nous.

«De toute façon, aucun d'eux ne pourrait ouvrir ou franchir ces portes», se rappela Samuel. Gulbran avait essayé et avait été violemment rejeté dans le couloir.

– Merci pour tout, Samuel. Gardez l'œil ouvert en attendant que nous vous offrions cette fameuse solution.

– Je ferai attention, promis.

Andrew le salua et disparut.

CHAPITRE 7

Dès qu'elle avait un moment, Esther continuait de rédiger les aventures que venait de vivre Samuel aux États-Unis. Elle avait réuni ses expériences chez Clara et chez Sidney dans le même tome, qu'elle avait intitulé *Les New-Yorkais*. Il ne lui restait plus qu'un chapitre à composer, alors elle s'y mit dès le matin, avant le retour du musicien pour son repas du midi.

Lorsqu'elle eut écrit le dernier mot, Esther recula de deux pas derrière le bureau, très fière du résultat. Comme elle savait que Jarsdel ne pouvait plus se passer de cette série, elle décida de préparer tout de suite la lettre de présentation qui accompagnerait le manuscrit. «Si je trouve un bon concept pour la couverture dès aujourd'hui, je pourrai le livrer à l'éditeur cette nuit», décida-t-elle.

La bonne se mit à marcher le long des étagères chargées de livres en réfléchissant aux derniers épisodes qu'elle venait de jeter sur le papier. «J'ai besoin d'une image percutante qui résumera cette période de l'histoire américaine...» Elle s'arrêta net.

– Mais oui!

Elle demanda aussitôt à Henry de la rejoindre à la bibliothèque.

– Que puis-je faire pour vous à une heure aussi matinale, ma chérie?

– Pardonnez-moi de vous arracher à vos expériences de laboratoire, père, mais je dois préparer la couverture du tome trois.

– Un nouveau dessin? Mais j'accepte avec plaisir.

Esther imprima dans son esprit l'image de leur descendant Sidney debout sur une poutre en acier, tout en haut d'un gratte-ciel en construction, avec la ville de New York derrière lui. Il ne portait ni harnais ni équipement de sécurité. Malgré tout, il semblait heureux de se trouver dans une posture aussi dangereuse juste en dessous des nuages.

– Est-ce bien le fils de Clara? demanda Henry.

– Oui, c'est bien lui. Il a participé à la construction de ces immenses tours de l'autre côté de l'océan.

– Je ne pourrais jamais grimper à une telle hauteur. J'ai le vertige juste à y penser.

– Certaines personnes y sont très à l'aise, apparemment. Croyez-le ou non, Sidney adorait son travail de soudeur et le sentiment de liberté que lui offrait une telle altitude.

– Ce n'était donc pas un homme, mais un oiseau.

Sa comparaison fit sourire Esther. Henry souleva le crayon avec sa magie et se mit à le mouvoir sur la feuille de papier vierge, sous le regard admiratif de sa fille. Quelques minutes plus tard, ce qu'elle avait imaginé y avait pris vie de façon saisissante.

– Est-ce que cela vous plaît? demanda Henry.

– C'est absolument parfait. Merci, père.

Il lui fit un baisemain et se dématérialisa pour retourner dans le sous-sol du château. Il restait très peu de temps avant le repas de Samuel, mais Esther décida de poursuivre son travail jusqu'à la dernière minute. Elle fit une copie du dessin et commença à lui ajouter de la couleur afin qu'il ressemble à une photographie, mais dut s'arrêter avant de l'avoir terminé.

La bonne se déplaça jusqu'à la salle à manger en traversant les murs qui l'en séparaient. À l'aide de son esprit, elle alla chercher dans la cuisine d'un restaurant de Londres une assiette de filet mignon avec des frites et des épinards, ainsi qu'un verre de vin rouge. Samuel arriva quelques minutes plus tard.

– Peu importe l'heure à laquelle je rentre, mon plat est toujours prêt. Comment faites-vous?

– Mon intuition féminine m'avertit lorsque votre estomac se lamente.

Il s'assit à table et découpa un morceau de bœuf, qui lui fondit dans la bouche.

– C'est tout simplement divin!

– Je l'ai trouvé dans un établissement prisé.

Des larmes se mirent à couler sur les joues du musicien.

– Vous ai-je fait de la peine? se troubla Esther.

– Non, au contraire. Vous prenez soin de moi comme une mère. Il s'agit seulement d'émotions refoulées qui sont soudainement remontées à la surface. Voyez-vous, après mon divorce, il ne m'est resté que très peu de biens. Kathryn a eu la décence de ne pas me prendre les quelques livres sterling qui me restaient et les chèques de redevances que je recevais étaient plutôt maigres. Avant mon arrivée ici, je ne mangeais qu'un seul repas par jour, parce que je ne pouvais pas m'en payer plus. Il m'est même arrivé de me mettre dans la file de salles à manger pour les sans-abri... Je ne me souviens même plus de la dernière fois où je suis allé dans un vrai restaurant manger de la viande de cette qualité. C'est comme un trop-plein de gratitude que je viens de ressentir.

– Je comprends, Samuel, et je vous promets de continuer à ne vous offrir que des aliments de qualité.

– Je vous en suis mille fois reconnaissant.

– Et puis, les quelques kilos que vous avez pris depuis que vous êtes arrivé vous donnent un air de santé.

– Il est vrai que je commençais à ressembler à un squelette.

Samuel but un peu de vin.

– Waouh... qu'est-ce que c'est?

– Du Saint-Émilion.

– Mais c'est un repas absolument parfait!

Il mangea quelques frites et tous les épinards.

– Vous devez faire le plein d'énergie, car vous ouvrirez bientôt une nouvelle porte.

– Ouais... et plus le temps avance, plus je risque de tomber sur celle d'Ulrik. Je ne me sens tellement pas de taille à l'affronter à l'époque où il était un guerrier sanguinaire.

– Avec tout le respect que je dois à mon ancêtre, je ne crois pas qu'il ait déjà répondu à un tel signalement. Je pense plutôt qu'il a été un bon fermier qui ne prenait les armes que lorsqu'il y était obligé. On le redoutait surtout parce qu'il avait fait un enfant à une Valkyrie.

– Êtes-vous en train de me dire qu'il a toujours été le vieux sage qu'il est maintenant?

– J'en suis même persuadée. Neuf cents ans d'incarcération ne transforment pas un homme dans ce sens-là. C'est comme si dans quelques siècles vous passiez de votre nature paisible à celle d'un homme agressif et batailleur.

– Il y a en effet peu de risques que ça se produise... à moins d'y être poussé par Thorfrid.

– L'isolement peut rendre quelqu'un amer, mais pas le transformer du tout au tout.

– J'ai donc une chance sur deux de tomber sur un Ulrik qui écoutera ce que j'aurai à dire? se réjouit Samuel.

– Je suis certaine que vous arriverez à le raisonner.

– Ça me changera de manger sans m'angoisser, pour une fois.

Esther remarqua qu'il avait déposé près de son assiette la liste des descendants qu'elle lui avait préparée.

– Vous est-elle enfin utile? voulut-elle savoir.

– Jusqu'à la quatrième porte, ma mémoire m'a fait défaut, mais depuis, je consacre plusieurs heures par jour à l'apprendre par cœur. Ainsi, je saurai qui se trouve dans la période historique où j'atterris.

– Un homme averti en vaut deux.

– Très juste.

– Je vous laisse manger en paix, Samuel.

– Merci pour tout, Esther.

Le musicien éternisa ce repas de roi, mangeant la viande à petites bouchées, puis but le vin de la même manière.

– Quel délice... murmura-t-il, ravi.

Il alla se laver les mains et sortit du château pour retourner travailler sur ce buste qu'il était intimement persuadé de ne jamais réussir. Tout ce qu'il avait accompli, jusqu'à présent, c'était de donner une forme ovale au bloc rectangulaire et deux mèches de cheveux sur son futur front. «Je ressemble à une version Elvis Presley d'Arvid», songea-t-il, découragé. Simon semblait constamment branché dans ses émotions et, tout comme Esther, il se faisait un devoir de l'encourager. Il fit donc apparaître un miroir sur pied sur la table, à côté de la future sculpture de sa tête, afin que son apprenti puisse étudier régulièrement ses propres traits qu'il devrait reproduire dans la terre humide. Le regard de Samuel se mit à passer de son reflet à l'œuf d'argile sans qu'il fasse un seul geste.

Simon l'observa pendant un moment, puis décida d'intervenir encore une fois. Il imprima sur la forme ovale des zones ombragées que Samuel devrait creuser afin d'obtenir des sourcils, des yeux, un nez, des joues, une bouche, des oreilles et un menton.

– Vous n'êtes pas obligé de tout terminer aujourd'hui, le rassura-t-il. Ne choisissez qu'un défi à la fois.

Le musicien rassembla son courage et se mit à travailler sur le haut de l'ovale avec les instruments fins que lui indiquait le sculpteur. Il ne vit plus le temps passer et parvint à façonner une ébauche de visage en commençant par le front et en descendant vers le cou. Simon avait sans doute réussi à cerner ses traits, mais en grattant les espaces plus sombres, Samuel avait l'impression de faire naître un tout autre personnage dans l'argile. À la fin de la journée, il dut admettre que cela ne lui ressemblait tout simplement pas.

– Bravo, le félicita Simon.

– Vous vous moquez de moi?

– Certains apprentis créent plutôt des monstres à leurs débuts.

– Mais ce n'est pas du tout moi.

– Ce qui est important, c'est que tous les organes soient là, et surtout humains. Il ne vous restera qu'à les peaufiner un à un jusqu'à ce qu'ils ressemblent aux vôtres.

– Il est vrai que cet inconnu n'est pas trop laid, en fin de compte.

– Dans quelques jours, il sera votre portrait fidèle.

– Merci de me bercer d'illusions, Simon.

– Vous possédez un immense talent et très peu de confiance en vous. Mais vous êtes encore jeune. Vous finirez par en acquérir.

Samuel retourna au château et s'arrêta à la cuisine pour se laver les mains et le visage dans la grande cuvette. Il alla s'asseoir quelques minutes devant le feu qui brûlait éternellement dans l'âtre, en dégageant tout de même une bienfaisante chaleur. Jamais il n'avait pensé un jour pouvoir accomplir autant de choses dans sa vie. Tous les fantômes avaient un art à lui enseigner.

Il entra dans la salle à manger et trouva un bol de gnocchis au chou-fleur qui fumait à sa place ainsi qu'une grande chope de bière blonde qui, elle, semblait bien froide. Il commença par boire en s'adossant dans sa chaise, puis savoura les pâtes chaudes. Dès qu'il les eut terminées, une pointe de tarte au chocolat noir et à la menthe apparut devant lui.

– Elle pense vraiment à tout, se réjouit Samuel.

Il mangea le dessert, puis aperçut Rose qui se tenait au bout de la table.

– Depuis combien de temps es-tu là? s'étonna-t-il.

– Depuis longtemps. Mais quand on est petite, les gens mettent du temps avant de nous voir.

– Ça n'a rien à voir avec ta taille, Rose. J'étais concentré sur mon assiette.

Elle marcha le long de la table pour se rapprocher de lui.

– Demain, la fontaine s'arrêtera, lui rappela-t-elle. Surtout, n'aie pas peur.

– Et si la sorcière décidait de sortir de sa grotte comme la dernière fois pour me surprendre dans le passé?

– Elle ne l'a jamais quittée, Samuel. Tu es seulement arrivé dans la vie de Sidney au moment où elle y était également.

– Ça pourrait se reproduire.

– Oui, c'est vrai, mais si tu restes sur tes gardes, tu pourras échapper à son regard. Tu dois apprendre à être plus prudent.

– Merci pour le conseil. Mais pourrait-elle deviner derrière quelle porte je m'aventurerai demain?

– Depuis que je suis arrivée ici, elle n'est jamais entrée dans le château. C'est pour ça que les descendants ignoraient que c'est elle qui l'a créé.

– Admettons qu'il lui prendrait l'envie d'y faire un saut, sa magie lui permettrait-elle de me retrouver si elle montait à l'étage?

– Je ne vois pas pourquoi elle ferait une chose pareille, puisqu'elle ignore que tu es ici. S'il te plaît, ressaisis-toi.

– D'accord... Je ferai de mon mieux.

– Essaie de tomber sur Ulrik demain pour que nous en finissions une fois pour toutes.

L'enfant disparut après lui avoir servi un regard chargé d'avertissement.

– Comme si je le faisais exprès de l'éviter...

Samuel demeura immobile un long moment à tenter de se calmer sans y arriver. Il passa donc dans le salon et s'installa au piano, sa thérapie préférée. Pour ne pas les oublier, il rejoua les mélodies qu'il avait composées pour Felicity, Alice et Stincilla. Il n'y avait pas encore ajouté de paroles. Sans s'en rendre compte, il versa dans les pièces classiques qu'il avait dû apprendre au conservatoire. Il n'avait jamais compris pourquoi, durant toute sa vie, il avait été incapable de se souvenir de ses rendez-vous alors que son cerveau avait enregistré toutes les notes qu'il avait jouées depuis son enfance.

Les spectres se mirent à apparaître, étonnés d'entendre ce tout nouveau répertoire, mais aucun ne s'en plaignit. La musique de Samuel avait le don de leur faire oublier leur captivité et les êtres chers qu'ils avaient laissés derrière eux après leur mort. Le jeune homme ne s'arrêta que quelques heures plus tard, lui-même rasséréné. Il se courba volontiers devant son auditoire pour accepter les applaudissements, puis se retira dans sa chambre. Il prit une douche et s'assit sur son lit pour lire un peu. «Peut-être que mon destin sera scellé demain...»

Pour sa part, après avoir subvenu aux besoins de Samuel, Esther s'était remise au travail. Pour que la photo de Sidney soit parfaite, elle y avait mis des heures, retouchant sans cesse les couleurs et les ombrages jusqu'à ce qu'elle soit complètement satisfaite.

– Je crois que c'est bon, maintenant, se réjouit-elle.

Esther plaça le dessin sur le dessus du manuscrit, puis la lettre, et enveloppa le tout dans du papier brun comme les deux premières fois. La nuit allait bientôt tomber et Samuel avait arrêté de jouer du piano dans le salon. Elle sentit sa présence dans sa chambre, où sa magie pouvait toujours le protéger. Avant de quitter le domaine pour aller livrer son précieux roman, la bonne prit encore le temps de penser à la façon de préserver le musicien de la cruauté de Sortiarie. Son regard s'arrêta alors sur les gros coffres alignés contre le mur, au pied des étagères.

– Mais oui... Je n'ai qu'à les envoûter et les disperser dans le château et sur tout le domaine, là où Samuel a l'habitude d'aller. Il n'aura qu'à s'y cacher en cas de danger...

Elle commença donc à les envelopper de sa magie, les uns après les autres, puis les fit voler devant elle pour en placer un par pièce, et même un à l'étage, sous la fenêtre qui donnait sur le jardin. Au matin, elle disperserait les autres à l'extérieur. Il était déjà minuit passé, alors elle se mit en route pour Londres. Esther adorait ces escapades nocturnes qui lui permettaient de faire un peu de lèche-vitrine. Elle ne pouvait évidemment pas troquer ses vêtements du dix-huitième siècle contre les tenues plus osées de l'époque actuelle, mais elle ressentait un grand plaisir juste en les regardant.

En tenant le manuscrit sous son tablier, elle pouvait le rendre invisible alors qu'elle déambulait dans les rues. Il n'y avait ni brouillard ni pluie, juste une brise qui faisait frissonner les feuilles des arbres. Esther arriva enfin en vue de la maison d'édition. Le détective, avec qui elle avait joué au chat et à la souris lors de son dernier guet dans les environs, n'était nulle part. «Dommage», soupira-t-elle intérieurement. Elle avait bien aimé ce petit jeu autour de la boîte aux lettres.

Elle traversa la porte de l'immeuble comme si elle n'avait pas été là et déposa son butin sur le bureau de l'éditeur. «Il va être très content en rentrant au travail demain matin», s'égaya-t-elle. Au lieu de repartir tout de suite, Esther visita les lieux. Elle s'attarda au bureau d'Abigail en se disant qu'elle aurait adoré faire ce travail. «Je suis née au mauvais siècle», déplora la bonne. Mais la malédiction lui aurait sans doute fait la vie dure, peu importe à quelle époque elle aurait vécu.

Elle emprunta le grand boulevard à son retour pour regarder dans des boutiques différentes, puis réintégra le domaine avant le lever du soleil.

CHAPITRE 8

Le matin de son nouveau départ, Samuel se récita un tas de phrases d'encouragement sous la douche. Il enfila une chemise à carreaux qu'il n'avait jamais aimée en se disant que de toute façon, il ne la reverrait plus jamais une fois que son petit génie lui aurait procuré des vêtements de la période de l'histoire où il allait aboutir dans une heure ou deux. Il fouilla ensuite dans toutes ses affaires, jusqu'à ce qu'il mette enfin la main sur son téléphone intelligent. Il y avait longtemps que Vodafone avait annulé son abonnement, mais il pouvait encore se servir de certaines de ses fonctions, comme celles de la caméra. Toutefois, la pile était à plat et il n'y avait aucune prise électrique dans le château. «Je devrais demander à Esther de me trouver un petit appareil photo la prochaine fois qu'elle sortira d'ici», songea-t-il.

Il laissa tomber le téléphone dans le tiroir et mit plutôt son canif dans ses poches avant d'aller manger, même s'il avait l'estomac à l'envers. Esther l'attendait avec son repas préféré du matin. Samuel commença par le café.

– Je comprends votre nervosité, avoua la bonne, mais vous êtes devenu un explorateur endurci.

– Endurci? répéta-t-il, incrédule. Résigné, plutôt.

– Peu importe, vous arrivez toujours à vous en tirer et, en plus, vous apprenez quelque chose de nouveau chaque fois.

– Ça, je ne peux pas le nier.

– Si jamais nous ne devions plus jamais nous revoir, je vous souhaite une vie merveilleuse en sortant d'ici.

Elle lui sourit et s'effaça doucement.

– Une vie merveilleuse? s'étonna-t-il. Je n'ai probablement plus de logement, plus de travail et plus d'argent. Je pourrais sans doute devenir jardinier pour une famille riche et vivre au-dessus de leur garage...

Il aurait aimé s'exiler à New York, ville qu'il avait adorée, mais cela l'aurait séparé à tout jamais de sa fille chérie.

– Une chose à la fois, Samuel Andersen, se dit-il en gonflant le torse.

Il mangea son bagel au fromage à la crème, puis traversa le salon aussi désert que la première fois qu'il y avait mis les pieds. Sans se presser, il grimpa le grand escalier du vestibule et marcha dans le couloir jusqu'à la fenêtre sous laquelle il y avait désormais un grand coffre.

– Comme c'est étrange, remarqua-t-il.

Il regarda à l'extérieur. Rose était postée devant la fontaine, comme elle le faisait chaque fois qu'arrivait le moment du départ. Il attendit en silence que l'eau arrête de couler. La petite se tourna alors vers le château, ferma le poing et leva son pouce à l'intention du musicien. Celui-ci acquiesça d'un mouvement de la tête, puis se retourna vers les portes.

«Allons-y pour celles du milieu, cette fois», décida-t-il. Il marcha lentement, promenant son regard d'un côté et de l'autre, puis s'arrêta. Prenant une grande inspiration, il agrippa la poignée de celle qui se trouvait à sa droite.

– Advienne que pourra... murmura-t-il.

Il pénétra dans l'obscurité et avança en se rendant compte que ce n'était plus Ulrik qu'il craignait, mais Sortiarie. S'il devait tomber encore une fois sur elle au mauvais moment et au mauvais endroit, elle le tuerait et c'en serait fait de sa quête. Il arrêta d'y penser quand il se mit à tomber dans le vide. Ses pieds touchèrent finalement le sol. Il ferma les yeux, mais la lumière à l'extérieur du vortex ne lui parut pas aussi intense que les fois précédentes. Il battit des paupières. C'était l'aube et le ciel était rosé. Son ouïe s'enclencha en second lieu. Le hurlement d'une sirène le fit sursauter. Il pivota pour s'orienter et vit des bâtiments et des hangars de chaque côté de lui. «Je ne suis certainement pas en 1060», constata-t-il.

Un avion de chasse décolla sur sa droite, puis un autre sur sa gauche. Paralysé par la peur, Samuel ne pouvait aller ni d'un côté ni de l'autre sans se faire happer par ces puissantes machines de guerre. Comme son père lui avait appris à le faire quand il était enfant, lorsqu'ils étaient surpris par des orages à la campagne, il se mit en boule par terre. Le vent créé par le mouvement des appareils le faisait glisser sur le sol. Au bout d'un moment, il sentit qu'on le saisissait par le bras. Il releva la tête et aperçut le visage inquiet d'un homme dans la quarantaine qui le tirait sur ses pieds. Sans dire un mot, il profita des quelques secondes entre le passage de deux avions pour l'entraîner rapidement vers les hangars.

– Mais qu'est-ce que vous faisiez là? hurla-t-il. Voulez-vous vous faire tuer? Vos ordres sont pourtant clairs! Tous les prochains pilotes doivent attendre dans leurs quartiers!

– Pilote? s'étonna Samuel. Mais je n'en suis pas un!

– Votre uniforme dit pourtant le contraire!

Samuel baissa les yeux sur ses vêtements et constata qu'il portait une combinaison bleu sombre, des bottes noires et une veste de flottaison jaune. Les décollages se poursuivaient sur la piste. Le bruit des moteurs était assourdissant. Il s'efforça de noter tous les détails qu'il pouvait et force lui fut de reconnaître que les appareils n'étaient pas modernes. Ils ressemblaient à ceux qu'il avait si souvent vus dans les vieux films de guerre.

– Qu'est-ce qui se passe? demanda-t-il.

L'homme lui fit signe d'attendre que les derniers appareils soient dans le ciel. La sirène se tut en même temps que le dernier disparaissait à l'horizon. Samuel secoua la tête pour reprendre ses sens.

– Vous venez d'arriver, n'est-ce pas? lui demanda son sauveteur.

– Tout juste.

– La Luftwaffe attaque Southampton. Ce sera une longue journée. Et comme nous avons plus de pilotes que d'avions, il va falloir attendre qu'ils reviennent, qu'on fasse les pleins d'essence et le ravitaillement des munitions pour que ces aviateurs puissent partir à leur tour.

Samuel avait compris qu'il était inutile de lui répéter qu'il n'était pas pilote. Si on le forçait maintenant à grimper dans un cockpit, il risquait de faire plus de dommages à l'armée britannique qu'aux Allemands! Il entendit alors les explosions en provenance de l'ouest.

– Où suis-je, exactement?

– Vous l'ignorez? Avez-vous bu toute la nuit pour chasser votre peur, soldat?

– Pardonnez-moi. Je suis réellement désorienté.

– Vous êtes sur la base de Tangmere, dans le sud de l'Angleterre.

– Quelle date sommes-nous?

– Le 16 août 1940. Ça ne va vraiment pas bien dans votre tête, dites donc.

Le musicien baissa les yeux. Il ne pouvait tout simplement pas lui dire la vérité sans se retrouver dans un asile d'aliénés.

– Comment vous appelez-vous, pilote?

– Samuel Andersen, monsieur.

– Moi, c'est Nick pour tout le monde. Je suis le mécanicien en chef de la base. Allez, venez avec moi. Je vais vous faire évaluer.

Samuel n'avait pas vraiment le choix. S'il avait appris une chose à l'école, c'était que l'armée n'entendait pas à rire durant la Seconde Guerre mondiale. Il suivit donc Nick jusqu'à un des nombreux bâtiments qui bordaient la piste, de l'autre côté des hangars.

– Vous êtes ici depuis longtemps? se risqua-t-il à lui demander.

–   Depuis que la base a été construite.

L'homme le fit entrer dans ce qui ressemblait à un hôpital de fortune, mais il n'y avait que du personnel médical et aucun patient où que ce soit. Toutefois, tous semblaient prêts à en recevoir. Ils tournèrent la tête vers les nouveaux venus avec curiosité. Sans doute que les soldats blessés n'arrivaient pas souvent sur leurs deux jambes à l'infirmerie.

–   Docteur Northcott? appela Nick.

Un médecin se détacha du lot et s'approcha. Il était grand et mince et son visage, austère. Ses cheveux noirs coupés très courts grisonnaient sur ses tempes.

–   Sont-ils déjà revenus? s'étonna Northcott.

–   Non, docteur. Voici le pilote Samuel Andersen, qui est certainement une recrue qui n'a jamais été envoyée au combat.

–   La peur de la violence?

–   Je n'en sais rien. À vous de me le dire. Ou bien il a reçu un sérieux coup sur la tête, ou bien c'est l'idée d'affronter l'ennemi pour la première fois qui lui a fait perdre la mémoire. Il ne sait même pas où il se trouve. Si vous pouviez la lui rafraîchir, nous allons avoir besoin de tout notre monde d'ici quelques heures.

–   Je m'occupe de lui, Nick.

–   Merci, doc.

Le mécanicien tourna les talons, abandonnant Samuel à cette petite armée médicale.

–   Venez vous asseoir, je vous prie.

Le musicien prit place sur la civière qu'il lui indiquait et le laissa vérifier ses signes vitaux.

–   Votre cœur bat très vite, mais c'est tout à fait normal en temps de guerre. D'où venez-vous, Samuel?

–   De Londres.

–   Quel âge avez-vous?

–   Trente ans.

–   Pourquoi vous êtes-vous engagé dans la RAF?

– Pour faire plaisir à mon père, mentit Samuel, qui ne pouvait pas lui dire la vérité.

– Vous n'avez jamais eu à descendre de véritables cibles, n'est-ce pas?

– Non, jamais.

– Il est normal d'avoir peur quand l'ennemi nous attaque, vous savez. C'est la même chose pour nous tous. Mais pour sauver notre pays, nous devons faire preuve de courage. Si vous n'êtes pas prêt à voler à la rencontre de la Luftwaffe, je suis certain que vous pourriez vous rendre utile autrement sur la base. Tout le monde compte.

– Sans doute.

– Et quand vous aurez vaincu votre trac, vous pourrez rejoindre votre escadrille. De toute l'histoire de l'humanité, très peu de soldats se sont habitués à la guerre, mais malheureusement, elle éclate constamment partout. En attendant que l'homme devienne enfin une créature pacifique, minimisons les dégâts. Vous êtes en bonne santé, soldat. Détendez-vous de votre mieux et allez faire votre devoir.

– Merci, docteur.

Samuel sortit de l'hôpital en se disant qu'il l'avait échappé belle, encore une fois. Il promena son regard sur la base en essayant de rappeler à sa mémoire ses leçons d'histoire. «Le 16 août 1940... Ce sont des Spitfire et des Hurricane... La bataille d'Angleterre! C'est la porte de Lionel que j'ai ouverte!» Il avait appris, durant sa courte conversation avec lui au château, que ce descendant avait perdu la vie durant la guerre. Était-il mort lors de cet affrontement? Samuel espéra que non, car si tel était le cas, il risquait encore une fois de tomber sur la sorcière! Malgré tous ses efforts, il n'arrivait pas à se rappeler la date exacte de son décès...

Nick l'aperçut et lui fit signe d'approcher. Samuel s'assura qu'aucun avion ne s'apprêtait à décoller ou à atterrir et traversa la piste.

– Le médecin t'a-t-il déclaré trop instable pour voler? demanda le mécanicien.

– Oui, c'est ce qu'il a dit, mentit encore une fois Samuel pour ne pas être obligé de grimper dans l'un des appareils qui reviendraient incessamment à la base.

– Est-ce que tu t'y connais en mécanique?

– Pas vraiment...

– Dans ce cas, il n'y a qu'une seule chose que je peux te montrer à faire pour que tu puisses participer à nos efforts de défense. Comme la recharge des munitions demande trop d'entraînement, tu vas apprendre à faire le plein des avions quand ils reviennent.

– Tout ce que vous voudrez, accepta Samuel.

– Tu vois les camions-citernes, là-bas?

Le musicien acquiesça de la tête.

– Ce sont eux que nous devons d'abord remplir d'essence à partir des réservoirs qui sont enterrés entre les hangars. C'est par ça que nous allons commencer.

Samuel suivit Nick jusqu'aux véhicules et comprit assez rapidement comment dégager les tuyaux dissimulés sous les trappes pour les visser dans la citerne. À l'arrière des camions se trouvaient une dizaine de cadrans dont il fallait surveiller attentivement les aiguilles, tant pour remplir que pour vider les réservoirs. Autour d'eux, d'autres mécaniciens procédaient à la même opération.

– Quand les avions commencent à atterrir, nous devons nous rendre jusqu'à eux pour les ravitailler sans nuire au travail des munitionnaires.

– Bien compris.

– Est-ce que tu sais conduire un camion, au moins?

– Non, mais j'apprends vite, je vous assure.

– Misère... soupira Nick, découragé. Comment se fait-il qu'un pilote de la RAF soit capable de faire voler son appareil et inapte à prendre le volant d'un véhicule terrestre?

– Je ne sais pas pour les autres, mais je me suis surtout concentré sur le pilotage.

– Alors, sache que ce n'est pas plus compliqué qu'un avion. Mieux encore, tu resteras sur le sol, mais je ne peux pas te garantir que ce sera moins dangereux, par contre.

Nick le fit asseoir derrière le volant et lui expliqua le fonctionnement de l'embrayage.

– Tu n'as besoin que de deux vitesses: à fond de train et stop. Tu vois le vieux Spitfire endommagé de l'autre côté de la piste. Nous n'avons pas encore eu le temps de le réparer, alors nous allons l'utiliser pour ta formation éclair. Je vais te demander d'y aller doucement pour commencer, puis nous referons l'exercice comme si nous étions en véritable situation de combat.

– Ça me va.

Samuel apprit rapidement à quoi servaient les pédales et n'éprouva aucune difficulté à diriger le véhicule là où il le désirait. Nick le fit arrêter près de l'avion et lui indiqua la position qu'il devait adopter pour remplir le réservoir du Spitfire rapidement et sans gêner personne. Il le ramena ensuite à son point de départ.

– Maintenant, retourne près de l'appareil comme si ta vie en dépendait.

Samuel enfonça l'accélérateur, forçant Nick à s'accrocher fermement. En vingt secondes, l'apprenti avait franchi la distance et reculé le camion en position de remplissage.

– Excellent! le félicita son instructeur.

Il lui montra ensuite à dérouler correctement le boyau et à quel endroit le visser sur l'avion pour procéder au transfert de carburant.

– Nous n'allons pas faire couler d'essence dans son réservoir puisqu'il est percé, mais lorsque tu auras à le faire sur un avion qui vient d'atterrir, voici l'ordre que tu dois suivre sur les cadrans.

Nick lui en fit la démonstration, puis lui demanda plusieurs fois de refaire la même opération devant lui.

– Tu apprends vraiment vite, fiston.

– Merci.

– Mais n'oublie pas que dès que tu auras repris confiance en toi, tu devras aller servir ta patrie là-haut, comme on te l'a enseigné à l'académie, et mitrailler ces salauds qui essaient de nous voler notre pays.

– Oui, monsieur.

– Maintenant, va garer le camion avec les autres et vois si tu peux aider les gars à remplir les suivants.

Samuel les ramena près des réservoirs souterrains. Nick sauta sur le sol et s'éloigna en direction de plusieurs hommes qui sortaient de grosses boîtes en métal d'un hangar, sans doute les préposés aux munitions.

– Comment tu t'appelles, le nouveau? demanda alors un des mécaniciens.

– Samuel.

– Viens par ici. On a besoin de toi.

Le musicien les suivit volontiers, heureux d'être accepté aussi facilement par le groupe.

CHAPITRE 9

Lorsque tous les camions-citernes furent remplis, Samuel commença enfin à se détendre. Autour de lui, les mécaniciens étaient silencieux et attentifs. Tant que les combats aériens avaient lieu à des kilomètres de la base, ils ne risquaient rien.

De l'autre côté, devant les bâtiments, des pilotes attendaient leur tour de monter dans les appareils pour retourner harceler l'ennemi. La plupart affichaient un calme désarmant, mais certains étaient visiblement aussi nerveux que lui. Il y avait des vétérans parmi eux, mais la grande majorité était composée de jeunes hommes à la fin de la vingtaine. «Combien mourront durant cette guerre insensée?» s'attrista Samuel. Tant qu'on lui demanderait uniquement de faire du ravitaillement, il savait qu'il s'en sortirait bien. En une heure à peine, il avait appris à remplir la citerne du camion, à le conduire sur la piste et à attacher le boyau à un Spitfire. «Je vais participer aux efforts de guerre de mon pays avant ma naissance...»

La base était étrangement tranquille, comme dans les films de monstres, avant que la bête géante ne sorte de terre et que les soldats se mettent à lui tirer dessus. Personne ne parlait. Au loin, ils pouvaient entendre les explosions. À cette époque, en Angleterre, tout le monde devait se tenir informé de ce qui se passait partout au pays par le truchement de la radio ou des journaux, alors Samuel ne pouvait pas se permettre de questionner les soldats sans éveiller de soupçons et être enfermé dans un des bâtiments en attendant l'arrivée de la police militaire. Il aurait toutefois aimé savoir exactement quand les hostilités avaient débuté afin de se situer dans le temps.

Pendant cette attente qui lui parut interminable, le musicien en profita pour étudier attentivement les lieux afin de les retrouver un jour dans un livre d'histoire sur la guerre.

Les hangars semblaient tous avoir des fonctions particulières et ne pas servir uniquement à remiser les avions. Des groupes d'hommes habillés différemment y pénétraient et en sortaient constamment comme une colonie de fourmis.

Directement devant lui se trouvait un grand bâtiment qui semblait être le mess des pilotes. Plusieurs d'entre eux, vêtus exactement comme lui, étaient assis sur des bancs en bois de chaque côté de la porte. Ils prendraient sans doute la relève de ceux qui allaient bientôt atterrir pour leur permettre de se reposer avant de retourner au combat. «Même en cent ans, je n'aurais jamais le courage de m'enfermer dans un aussi petit habitacle pour m'envoler dans le ciel et tirer sur des ennemis aussi bien armés que moi et capables de m'éliminer...» songea Samuel.

Les fesses appuyées contre le parechoc d'un camion, il se demanda pourquoi le petit génie qui l'accompagnait derrière chaque porte avait décidé de lui faire porter un uniforme de pilote sur cette base alors qu'il ne possédait aucune notion de vol. «J'imagine que je n'aurais pas fait long feu si j'étais arrivé ici habillé en soldat allemand», conclut-il.

– Tu viens d'où? lui demanda alors son voisin.

– De Londres.

– Comment ça se fait que tu nous aides pour le ravitaillement alors que tu es pilote?

– J'ai honte de le dire, mais la panique brouille mon esprit en ce moment et j'ai peur de faire de fausses manœuvres qui pourraient mettre la vie de mes ailiers en danger.

– Ne t'en fais pas pour ça. Nous sommes tous passés par là. Même si on s'y prépare pendant des années à l'école de mécanique ou, dans ton cas, à l'académie, on n'est jamais prêts pour la guerre et on ne sait pas comment on réagira quand on aura les deux pieds dedans.

– Ça fait longtemps que les Allemands nous attaquent?

– Seulement depuis quelques jours. Ce qui est vraiment inquiétant, c'est que nos avions n'arrivent pas à les empêcher d'avancer vers l'intérieur. Nous ne sommes pas assez nombreux.

– Et nos alliés?

– Ils sont sans doute en route, mais ils sont encore loin. Nous devons tenir le coup jusqu'à leur arrivée. Tu t'appelles comment, le pilote?

– Samuel.

– Moi, c'est Nigel.

Les deux hommes se serrèrent la main.

– Est-ce que tu finiras par monter dans un des avions?

– Je n'en sais rien encore... mais je veux me rendre utile en attendant.

– C'est plus courageux que d'aller trembler de peur sous un lit.

«Il est vrai que j'aurais pu faire ça aussi», pensa Samuel. Quand il commença à avoir des fourmis dans les jambes, il se mit à marcher devant le véhicule et finit par s'asseoir en tailleur sur un gros baril vide. Il observa le ciel en direction de l'ouest pour ne pas manquer le retour des avions. Il lui sembla alors que les détonations étaient de plus en plus fréquentes. Qui se faisait descendre dans cette bataille aérienne: les Britanniques ou les Allemands? Le soleil brillait maintenant au-dessus des arbres en réchauffant la base. Samuel enleva sa veste de flottaison qui ne lui servait vraiment à rien et la laissa tomber sur le sol à côté de lui. Il vit alors Nick qui arrivait d'un des hangars.

– Quand seront-ils de retour? lui demanda le musicien.

– Dans un peu moins d'une heure, sinon ils n'auront plus suffisamment de carburant pour rester en vol. Allez, respire tout doucement. Quand nous aurons ravitaillé les avions et qu'ils seront repartis, je nous trouverai quelque chose à manger avant la prochaine ronde.

– Merci, Nick, de ne pas me traiter en froussard.

– J'ai vécu la même chose, moi aussi. Je comprends ce que tu ressens.

– Vous avez été formé pour être pilote?

– Ouais... de bombardier, mais quand j'ai compris ce que nous devions faire, j'ai figé et j'ai dû passer de longs mois dans une maison de santé. Quand j'en suis finalement sorti, j'ai décidé de servir mon pays autrement. Tout à l'heure, quand viendra le temps de nous précipiter vers les appareils, essaie de ne penser à rien du tout et de faire tous tes gestes de façon automatique, d'accord?

– C'est un excellent conseil. Merci.

Le mécanicien poursuivit sa ronde pour s'assurer que tout le monde était prêt à faire son travail. Samuel se perdit dans ses réflexions. Il savait évidemment comment allait se terminer la Seconde Guerre mondiale, mais il ne pouvait pas le révéler à tous ces soldats qui l'entouraient. Il ne voyageait dans le temps que pour débarrasser sa famille de la terrible malédiction qui l'affligeait, pas pour modifier le cours de l'histoire. Il ne pouvait pas non plus informer ces pauvres diables que cette guerre ne serait malheureusement pas la dernière. «Pourquoi les hommes éprouvent-ils le besoin de s'agresser ainsi depuis la nuit des temps?» se demanda-t-il. «Pourquoi n'ont-ils pas plutôt choisi de vivre dans la paix, l'harmonie, la collaboration et l'échange d'informations utiles à la préservation des ressources de la planète?»

Il se mit ensuite à penser à Emily et au sacrifice de ses compatriotes qui avaient repoussé les Allemands pour qu'elle puisse naître et grandir dans un pays libre. «Mais personne n'a songé à nous débarrasser des sorcières et de leurs mauvais sorts...» Il ne voulait pas que sa fille soit victime d'autant de malheurs que lui dans la vie. C'était pour elle qu'il avait entrepris cette dangereuse mission, pas pour lui-même.

En 1940, Clara vivait de l'autre côté de l'océan et devait être déjà dans la quarantaine. Sidney était mort depuis bien longtemps et Ben Andersen, son grand-père, n'était qu'un bébé. Au moins, il était à l'abri sur un autre continent. Samuel frissonna alors d'horreur en pensant que Lionel serait la prochaine victime de Sortiarie durant la guerre. «Il ne faut pas que je la croise...»

Les premiers Spitfire apparurent dans le ciel, suivis de plusieurs Hurricane. Malgré l'urgence de la situation, ils se posèrent de façon plus ou moins ordonnée sur la longue piste et s'arrêtèrent les uns derrière les autres le long des bâtiments.

Samuel courut jusqu'au premier camion libre qu'il trouva. Puisqu'il ignorait combien il y avait eu d'avions au départ, il ne pouvait pas déterminer combien d'entre eux avaient été descendus par la Luftwaffe. Il tourna la clé dans l'ignition et se rua vers les appareils de tête dès qu'ils eurent arrêté leurs moteurs. Nick le surveillait du regard, impressionné par ses réflexes. Il n'avait pas eu à lui dire de foncer.

Samuel installa le boyau dans le réservoir de l'avion, et, pendant qu'il surveillait les cadrans indiquant le niveau de carburant et la pression, sous le Spitfire, des hommes procédaient à son réarmement en installant de longs rubans de balles dans les boîtes métalliques qu'ils allaient ensuite refixer sous ses ailes. La frénésie qui régnait maintenant sur la base étourdissait le pauvre musicien. «Respire, Samuel... Respire...» se répétait-il.

Après avoir ravitaillé seulement deux avions, Samuel dut retourner chercher un autre camion dont la citerne était pleine pour pouvoir alimenter les autres. En voyant que les mécaniciens s'affairaient à remplir les réservoirs vides, il sauta dans un autre véhicule et se dirigea vers un appareil qui n'avait pas encore été ravitaillé. Il recommença son travail sur ce Spitfire. Ses gestes étaient devenus répétitifs et plus assurés. Pendant que l'essence coulait dans le boyau, Samuel jeta un œil au cockpit. Son pilote venait de s'en extirper avec beaucoup d'agilité et enlevait ses lunettes et son casque en cuir. «C'est Lionel!» le reconnut le musicien.

– Pourquoi me regardes-tu comme ça? lui demanda le jeune homme en apercevant sa mine surprise et sa bouche ouverte.

– Oh, pardonnez-moi, bafouilla Samuel. On m'a pourtant appris à ne pas dévisager les gens, mais je crois savoir qui vous êtes.

– Pourtant, moi, c'est la première fois que je te vois.

– Je connais Clara, votre mère.

Cette information surprit visiblement l'aviateur.

– Je n'ai certes pas le temps de te parler maintenant, mais à la prochaine ronde, dès que j'aurai cédé ma place, je te retrouverai.

– Vous repartez?

– Je sais qu'il est plus prudent de se reposer entre les charges, mais je ne suis nullement fatigué, alors je vais aller vider ma vessie, boire un cola et repartir. Prends bien soin de mon chasseur.

Il tapota l'épaule de Samuel et marcha rapidement vers le bâtiment qui servait de mess. Le musicien, qui était en fait le petit-fils de son frère, n'eut pas le temps de lui demander s'il avait descendu beaucoup d'appareils ennemis. Il termina le plein et referma le réservoir. Il remit ensuite le boyau dans le camion et se dirigea vers l'avion suivant, un Hurricane cette fois. Tout en faisant son travail, il jetait de fréquents coups d'œil au Spitfire de Lionel. Les munitionnaires venaient d'y raccrocher les boîtes de balles et le pilote revenait vers eux. Ce dernier prit le temps de s'assurer lui-même qu'elles étaient fixées correctement, puis que le couvercle de l'entrée de carburant était bien vissé. Il ramassa ses lunettes et son casque sur l'aile, les ajusta et se faufila dans le cockpit. «Il a tellement plus d'assurance que moi», ne put s'empêcher de remarquer Samuel.

Son cadran lui indiqua que le réservoir du Hurricane était plein. Il termina l'opération et alla chercher un autre camion.

En retournant sur la piste, il suivit des yeux l'appareil de Lionel qui allait se placer en position de décollage. Nick avait oublié de lui dire qu'il lui faudrait se faufiler entre les départs pour continuer d'alimenter les appareils en essence. «Je suis capable de faire ça sans causer d'accident», s'encouragea Samuel. Il aurait bien aimé que Lionel reste avec les pilotes qui avaient décidé de prendre une pause, mais d'une certaine façon, il comprenait la passion qui l'animait. Cet homme était heureux de faire son devoir et de sauver sa patrie. Clara avait-elle fini par le comprendre?

Une fois que tous les chasseurs furent de nouveau en vol, Samuel ramena le camion avec les autres pour que sa citerne soit de nouveau remplie. Il était épuisé, mais très content de sa performance. «J'ai bien hâte de raconter ça à mon père», se dit-il, avec fierté. Nick s'approcha alors de lui.

– Viens manger. Tu l'as bien mérité.

– Il est vrai que je commence à avoir l'estomac dans les talons.

Le mécanicien l'emmena dans un des bâtiments où il n'y avait que de longues tables qui s'alignaient les unes au bout des autres. Ils commencèrent par aller se chercher un plateau au comptoir de la cuisine. Samuel imita les gestes de Nick. Il déposa le sien devant le cuisinier, qui le garnit d'un gros sandwich au jambon et d'une bouteille de soda.

– Merci, fit-il poliment, ce qui fit sourire l'homme.

Il alla ensuite s'asseoir avec les mécaniciens et les pilotes qui prenaient une pause. Ce n'était pas la fine cuisine d'Esther, mais il était si affamé qu'il aurait mangé n'importe quoi. Nick le laissa avaler son repas et attendit qu'il sirote sa boisson gazeuse avant de recommencer à le questionner.

– Il y a quelque chose qui cloche chez toi, laissa-t-il tomber.

– Qui cloche? répéta Samuel, feignant l'étonnement.

– Ta façon de te comporter, tes manières... on dirait que tu viens d'ailleurs.

– Peut-être parce que j'ai passé quelque temps à New York...

Il n'ajouta pas qu'il n'y était resté que deux jours et il ne pouvait certainement pas lui avouer qu'il arrivait tout droit du futur.

– Ça pourrait expliquer certaines choses que j'ai eu le temps de remarquer. Mais il y a plus encore.

– Plus?

– Ton attitude n'est pas non plus celle d'un soldat et encore moins d'un pilote.

– Je suis d'abord et avant tout un musicien qui aime son pays et qui veut le sauver. Je ne connais rien à la guerre, sauf ce qu'on en dit dans les manuels.

– Ouais, j'en ai vu d'autres comme toi. Ils n'ont pas vécu très longtemps.

– Ce n'est guère rassurant.

– Si tu veux un bon conseil, reste au sol. Ça vaudra mieux pour tout le monde.

– C'est ce que je pense aussi, Nick. Vous m'avez montré que je peux servir l'armée autrement.

– Et, ma foi, tu te débrouilles très bien.

– J'aurais peut-être dû faire de meilleurs choix pour commencer.

– On a tous le droit de se tromper. L'important, c'est d'avoir le courage de rectifier le tir le moment venu.

– Vous avez raison. Quand les avions seront-ils de retour?

– Dans deux heures, environ. Il y a des lits dans le bâtiment d'à côté si tu veux dormir un peu.

– Non, merci. Les camions-citernes ont besoin d'être remplis avant le retour des pilotes.

– Tu as du cœur au ventre, Samuel. J'aime ça.

Il lui donna une claque amicale dans le dos et quitta le mess. Le musicien termina son soda, puis demanda où se trouvaient les latrines. Une fois soulagé, il retourna au travail.

CHAPITRE 10

Samuel participa volontiers au remplissage des camions-citernes en vue du retour des avions. Personne ne le disait, mais tout le monde se demandait chaque fois combien il en reviendrait.

Les mécaniciens faisaient leur travail en essayant de ne pas se laisser distraire par les détonations qu'ils continuaient d'entendre au loin. Samuel se demanda s'il s'agissait de bombardements ou de chasseurs qui explosaient dans le ciel. Ses connaissances de la guerre étaient vraiment sommaires.

Tout comme l'avait prédit Nick, les avions revinrent à la base deux heures plus tard. Les mécaniciens et les munitionnaires s'affairèrent une fois de plus. L'escadrille de Lionel, qui venait de combattre tout l'avant-midi, céda finalement sa place à des pilotes en meilleure disposition et se dirigea vers le mess. Samuel les regarda passer et poursuivit son travail avec cœur. Il commençait à ressentir une grande lassitude dans les bras, mais il ne s'en plaignait pas. «Je ne suis vraiment pas en forme», constata-t-il après plusieurs pleins. Nick l'observait depuis un petit moment et le voyait ralentir la cadence. Il savait bien qu'il avait affaire à un pilote dont ce n'était pas le travail.

– Samuel, l'appela-t-il.

Le jeune homme se tourna vers lui.

– Après cet appareil, ramène le camion avec les autres et va te reposer.

– Mais il y a encore beaucoup d'avions à ravitailler.

– Nous allons nous en occuper. Si tu continues à cette allure, tu ne pourras plus rien faire pour nous aider. Je veux que tu sois frais et dispos cet après-midi.

– Est-ce que ça continuera toute la journée?

– Tant qu'il y aura des avions de chasse qui accompagneront les bombardiers allemands.

– Même la nuit?

– Tout dépendra du nombre de projecteurs disponibles à l'endroit où ils seront rendus.

«Il n'y avait donc pas de radars dans les avions à cette époque», conclut Samuel.

– Tu as bien compris tes ordres, pilote?

– Oui, monsieur.

Dès qu'il eut terminé le plein, Samuel ramena le véhicule à sa place où les hommes, infatigables, continuaient de remplir les citernes pour permettre aux appareils de repartir le plus rapidement possible. Ce n'est que lorsqu'il prit la direction du mess qu'il ressentit vraiment sa fatigue. Il entra dans le bâtiment où il avait vu disparaître les pilotes et s'arrêta sur le seuil en se demandant s'il voulait s'asseoir ou s'allonger sur un lit. Trop tard, Lionel l'avait aperçu. Il bondit sur ses pieds et vint à sa rencontre.

– Je suis content que Nick t'ait accordé un temps d'arrêt, lui dit-il. J'avais peur que nous ne puissions pas nous croiser de la journée.

– J'étais prêt à fournir encore un peu d'efforts, mais il craignait que je ne sois plus bon à rien dans quelques heures.

– Il a eu raison. Viens t'asseoir avec mon escadrille.

Samuel le suivit, plutôt embarrassé de porter un uniforme de la RAF devant ces hommes qui étaient de véritables pilotes. Mais il voulait aussi découvrir une autre facette de ce descendant d'Ulrik.

– Comment t'appelles-tu, le mécanicien qui porte notre uniforme?

– Samuel Andersen.

– Tu as le même nom de famille que moi et tu connais ma mère? Je commence à penser que ce n'est pas une coïncidence.

Le musicien n'osa pas lui révéler qu'il l'avait déjà rencontré, lui aussi, à New York, quand il n'avait que sept ans, parce qu'il en aurait eu lui-même au moins cinquante, vingt ans plus tard, ce qui n'était pas le cas.

– Sommes-nous parents? poursuivit Lionel.

– C'est ce que votre mère et moi avons tenté d'établir quand j'ai visité son palace à New York.

– Avec cet accent, tu n'es certainement pas Américain.

– Non. Je suis Britannique pure laine. J'étais de passage à New York et, par hasard, j'ai trouvé son commerce.

– À quelle conclusion en êtes-vous arrivés, tous les deux?

– Nous sommes vraisemblablement issus de la même branche de la famille Andersen.

– Donc, parent avec moi aussi. Es-tu venu jusqu'ici pour faire ma connaissance?

Samuel lui décocha un regard embarrassé.

– Est-ce pour cette raison que tu t'es déguisé en pilote? Je n'ai qu'à te regarder pour constater que tu n'as jamais volé de ta vie. En fait, je ne suis même pas sûr que tu sois un véritable mécanicien.

– Je suis musicien.

Lionel éclata de rire.

– Et un habile comédien de surcroît. En plein le genre d'homme qu'aime ma mère. Comment as-tu fait pour tromper l'armée britannique? Aucun civil ne peut se rendre aussi loin sans être découvert.

– C'est compliqué à expliquer...

– Savais-tu ce que tu risquais en agissant de la sorte?

– Je suis plutôt doué en improvisation.

– Tu aurais fait de la prison juste pour me rencontrer?

– Clara m'a beaucoup parlé de vous, mais une mère n'est pas toujours objective quand elle vante les talents de ses enfants. Alors, j'ai voulu constater par moi-même si elle disait vrai à votre sujet.

— Je suis étonné qu'elle n'ait pas plutôt critiqué ma décision de retourner dans le pays de mes ancêtres.

— Il est vrai que vous lui manquez beaucoup, mais elle comprend votre dévouement.

— Je reste plutôt d'avis que ma mère n'a toujours pensé qu'à son propre plaisir. Je suis arrivé dans sa vie par accident, mais je pense aussi que nous avons tous une mission à accomplir quand nous naissons sur cette planète.

— Comme combattre les nazis...

— Mon devoir est de protéger les citoyens libres de toute la Terre du joug de n'importe quel envahisseur. Si j'avais vécu à l'époque d'autres tyrans, il est certain que j'aurais pris les armes contre eux.

— Au risque d'y laisser la vie?

— Oui. Je ferais n'importe quoi pour changer le sort du monde.

«Et moi qui m'évertue à ne pas modifier le cours de l'histoire derrière chaque porte», songea Samuel.

— Es-tu marié? lui demanda Lionel, à brûle-pourpoint.

— Divorcé.

Sa réponse sembla attrister le pilote.

— Ça ne fonctionnait plus du tout entre ma femme et moi, ajouta Samuel pour ne pas entrer dans les détails. Et vous?

— Je suis marié à une femme qui sert aussi notre patrie dans l'armée. Nous avons deux magnifiques fillettes. C'est pour elles et pour tous les enfants de la planète que nous devons mettre fin aux guerres.

— J'ai une fille, moi aussi, alors je suis parfaitement d'accord.

— Où habites-tu?

— À Londres.

— Tout comme moi! Lorsque nous aurons vaincu les Allemands, nous irons prendre une bière ensemble.

– Avec grand plaisir.

– Je ne voudrais pas t'empêcher de manger, se désola Lionel en se rendant compte qu'il l'avait accaparé depuis son arrivée.

– Je n'ai pas vraiment faim, mais j'aimerais bien boire quelque chose.

Le pilote lui tendit sa bouteille de soda, qu'il n'avait pas touchée.

– Allez-vous me faire jeter en prison? s'inquiéta Samuel, qui ne voulait surtout pas manquer l'apparition du vortex.

– Moi, non, mais si quelqu'un d'autre s'aperçoit que tu es un imposteur, je ne pourrai rien faire pour toi.

– Je comprends.

– Mais à mon avis, tu te débrouilles assez bien au ravitaillement pour que tout le monde n'y voie que du feu.

– Je voulais quand même participer à vos efforts de défense.

– Et la Grande-Bretagne te dit merci.

Déshydraté, Samuel avala la moitié du soda d'un seul coup.

– Pouvez-vous au moins me raconter ce qui se passe à Southampton ou est-ce de l'information réservée à vos commandants? demanda-t-il.

– Nous n'avons pas encore fait notre rapport, mais il n'y a vraiment rien à cacher dans cette opération militaire. La Luftwaffe est arrivée à nos portes par le sud afin de bombarder l'Angleterre et l'obliger à se rendre. Le travail de toutes les escadrilles comme la mienne, c'est d'empêcher les avions ennemis de pénétrer à l'intérieur du pays. Nous devons aussi neutraliser leurs bombardiers, qui sont protégés par des Messerschmitt.

– Ce sont leurs avions de chasse?

– Exactement. J'en ai descendu plus d'une trentaine aujourd'hui, mais il y en a des milliers. Je ne sais pas encore combien mes ailiers ont réussi à en abattre, par contre. Nous n'en avons pas discuté depuis que nous sommes revenus tout à l'heure. Nous avons surtout besoin de manger et de décompresser avant de repartir.

– Donc, cette bataille va durer plusieurs jours.

– Sans aucun doute. Si nous ne pouvons pas éliminer tous ces appareils, nous pourrons certainement les forcer à battre en retraite et à y penser à deux fois avant de revenir.

«Il est vraiment très confiant», remarqua Samuel avec admiration.

Si Lionel était encore en vie, c'était certainement parce qu'il était un excellent pilote. «J'aimerais tellement pouvoir lui dire que j'ai rencontré Sidney, son grand-père, et que celui-ci serait si fier de lui. Mais là, il me prendrait pour un illuminé, puisque Sidney est mort il y a plus de quarante ans et que je n'en ai que trente.»

– Que ferez-vous quand la guerre sera finie? demanda-t-il plutôt.

– Je m'achèterai une maison à la campagne pour y élever mes filles loin des tentations des grandes villes. J'aurais aimé qu'elles servent notre patrie et qu'elles expriment le vœu de devenir pilotes, même si ce n'est pas un métier qui attire beaucoup de femmes. Mais leur choix de carrière me conviendra parfaitement, peu importe ce que ce sera, sauf si elles manifestent le désir d'ouvrir un palace comme celui de ma mère.

– Il n'y a pas de sot métier, vous savez.

– Elle n'a pas eu le bonheur d'être bien dirigée par son père, qui est mort quand elle était petite. Je ne ferai pas cette erreur. Mais il est aussi important pour moi qu'elles choisissent une carrière qu'elles aimeront toute leur vie.

– Je suis d'accord. Allez-vous dormir un peu avant de repartir?

Lionel éclata de rire.

– Nous sommes des durs de durs, Samuel. Avant de poser la tête sur l'oreiller, nous allons faire au moins deux autres sorties. Il n'y a pas beaucoup de projecteurs sur la route que la Luftwaffe semble vouloir emprunter, alors nous les rattraperons à la première heure demain.

– N'auront-ils pas pris une grande avance?

– Ils devront retourner se ravitailler sur leurs porte-avions jusqu'à ce qu'ils s'emparent d'une de nos bases, ce que nous ne les laisserons pas faire.

– Si je comprends bien, vous ne vous reposez pas souvent.

– Nous ne devons jamais relâcher notre vigilance. C'est ce qu'ils espèrent. Nous aurons le temps de dormir quand cette menace aura été éliminée... jusqu'à la prochaine.

Lionel cessa de se préoccuper de lui pour questionner les membres de son escadrille. Ils ne mentionnèrent aucune perte, ce qui était rassurant.

Samuel les écouta raconter leurs prouesses aériennes, même s'il n'y connaissait pas grand-chose. En fait, il se félicita d'avoir choisi d'être musicien, quand il se rendit compte du haut niveau de danger de leur travail. Au bout d'une heure, il accepta finalement de manger un sandwich, sachant très bien qu'il allait travailler très fort le reste de la journée. Ces pilotes étaient de véritables pies, qui parlaient de tout et de rien sans la moindre gêne. Samuel se contenta de hocher la tête devant certains de leurs commentaires, mais n'en fit aucun lui-même.

Trois heures plus tard, les hommes se levèrent d'un seul bloc, comme s'ils savaient instinctivement que leurs appareils étaient sur le point d'atterrir. Samuel les suivit à l'extérieur et entendit les premiers grondements des moteurs dans le ciel. Il assista à l'atterrissage avec émerveillement. «Personne de mon âge n'a jamais eu cette chance», se rappela-t-il. Il y avait bien des Spitfire et des Hurricane reconstitués qui faisaient des démonstrations dans les spectacles aériens partout dans le monde, mais ce n'était pas du tout la même chose...

Samuel observa le comportement de l'escadrille de Lionel. Ses membres se réunirent en cercle, mais il ne comprit pas ce qu'ils disaient. Étaient-ils en train de prier ou de maudire les nazis? Après plusieurs accolades et claques amicales dans le dos, ils se séparèrent et se dirigèrent vers les avions que les mécaniciens et les munitionnaires étaient en train de préparer à repartir. Samuel choisit évidemment de suivre Lionel.

Consciencieux, il inspecta rapidement les boîtes de balles accrochées sous les ailes de son appareil, puis le remplissage de son réservoir. Satisfait, il attacha son casque de cuir et grimpa sur l'aile du Spitfire. Il se tortilla sur le siège et un mécanicien vint tout de suite l'aider à s'attacher. «J'assiste à une importante tranche d'histoire et j'ai fait bien attention de ne pas divulguer d'informations qui auraient pu tout changer», se félicita le musicien.

Dès que l'avion fut enfin prêt, le mécanicien leva son pouce en direction de Lionel, qui mit aussitôt le moteur en marche. L'hélice se mit à tourner et l'appareil à avancer pour aller se placer en bout de piste. C'est avec beaucoup d'orgueil que Samuel regarda les escadrilles foncer vers le ciel les unes après les autres. Une main se posa sur son épaule. Il tourna la tête et vit que c'était Nick.

— Ce sont de braves hommes.

— Ça, vous pouvez le dire, acquiesça Samuel.

— Te sens-tu suffisamment alerte pour venir nous aider à remplir les camions-citernes qu'ils ont vidés?

— Oui, j'ai repris tout mon aplomb.

Il accompagna Nick jusqu'aux réservoirs souterrains. Fatigués, les mécaniciens avaient commencé cet important travail.

— On dirait que ces récipients sont sans fond, remarqua innocemment Samuel.

— Ce n'est malheureusement pas le cas. Nous les avions fait remplir jusqu'au bord avant l'attaque et si nous ne recevons pas de carburant de Londres bientôt, nos oiseaux ne pourront plus voler.

— Ce serait désastreux.

– Nous serions forcés de laisser passer les Allemands en ne leur opposant que des tirs d'artillerie. Et encore faut-il qu'ils choisissent de passer au-dessus des endroits où se trouvent ces barrages.

– Espérons que nous en aurons assez alors pour descendre au moins les bombardiers.

– J'aime bien ton optimisme, Samuel. Allez, au boulot, pendant que nous le pouvons.

– Oui, monsieur.

Le musicien se précipita vers les mécaniciens et leur demanda de lui assigner un camion à remplir. Nick l'observa un moment et s'émerveilla encore une fois devant son dévouement. Dans un peu plus de deux heures, les pilotes seraient de retour et ils seraient prêts à les ravitailler. Il se dirigea plutôt vers deux des Hurricane qui avaient présenté des problèmes en vol et qui devaient être réparés rapidement afin d'être jetés de nouveau dans la mêlée.

– Vous deux, avec moi, ordonna-t-il en passant près de ses meilleurs hommes.

Samuel s'était assis dans un des camions et attendait son tour de s'approcher des boyaux qui sortaient de terre. «Le calme avant la tempête», se surprit-il à penser. Il ne savait pas d'où lui était venue cette pensée. «Est-ce que je me rappelle inconsciemment quelque chose que mon cerveau ne veut pas partager avec mon esprit conscient?»

Il se reprocha de n'avoir pas demandé à Lionel la direction qu'avait décidé de prendre la Luftwaffe à partir du sud. «Passeront-ils par ici?» Ce n'était guère rassurant. Le véhicule devant lui avança et il embraya le sien pour le suivre. «Rien ne presse... Il faut travailler consciencieusement», se dit-il.

CHAPITRE 11

Les heures passèrent, mais Samuel ne s'en rendait même plus compte. En fait, il avait plutôt l'impression de se trouver sur cette base depuis des semaines. Il travaillait sans relâche maintenant pour sauver son pays et le reste de l'univers contre la menace du dictateur allemand.

Une fois les camions-citernes prêts à alimenter les avions, Nick eut recours à ses services pour toutes sortes de petites tâches qui accéléraient les réparations des avions et de la piste. Samuel faisait tout ce qu'il lui demandait sans jamais ouvrir la bouche pour se plaindre. Il ne savait pas à quoi ressemblaient les pièces et les outils qu'on l'envoyait chercher dans les hangars, alors il s'en informait une fois sur place. Il passa tout son temps à faire la navette entre les mécaniciens et les étagères chargées de boîtes. Une demi-heure avant le retour des appareils, Nick l'envoya manger.

Samuel commença par se laver les mains et le visage avec le boyau d'arrosage à l'entrée du mess, puis se dirigea vers le comptoir des cuisiniers. Lorsqu'on lui remit sa portion de viande et de pomme de terre en purée avec des petits pois et une tasse de thé, il constata qu'il était déjà dix-huit heures. Il allait bientôt faire sombre. Les avions pourraient-ils faire une dernière ronde avant la nuit? Il alla s'asseoir seul à une table et commença par relâcher sa tension nerveuse avant de tenter d'avaler quoi que ce soit. «Je vais dormir pendant deux jours entiers quand je rentrerai au château», se promit-il. Il mangea lentement pour ne pas brusquer son estomac.

Au milieu des bruits des ustensiles, il crut entendre les explosions. «Est-ce qu'elles se rapprochent?» s'inquiéta-t-il.

Il but son thé à petites gorgées en se disant que s'il restait assis plus longtemps, il n'arriverait pas à se remettre debout. Ses mollets palpitaient au même rythme que son cœur. «Les soldats finissent-ils par s'habituer à ce rythme d'enfer?» se demanda le musicien. Il déposa sa tasse vide et sursauta lorsqu'un mécanicien fit irruption dans le mess.

– Incendie! cria-t-il.

Samuel n'avait aucune idée de la procédure applicable en pareille situation. En voyant les hommes sortir du bâtiment, il crut plus prudent de les suivre. Il s'arrêta net en apercevant un avion en flammes qui descendait vers la piste. Après ce premier choc, il songea tout de suite aux camions qui étaient remplis d'essence! Il promena son regard devant lui et éprouva un grand soulagement en les apercevant à l'autre bout de la piste. C'est alors qu'il vit d'autres véhicules émerger entre les bâtiments près de lui. Ils ressemblaient à ceux qu'il remplissait de carburant, mais ils contenaient de l'eau.

– Ce sont les pompiers... murmura Samuel, qui ne savait toujours pas quoi faire.

Le feu qui consumait le Spitfire n'empêcha pas son pilote de le poser sur la piste. Dès que l'appareil s'immobilisa, les pompiers entrèrent en action. Ils l'aspergèrent jusqu'à ce que des infirmiers soient capables d'ouvrir le cockpit et d'en extraire le pauvre homme. Ils le déposèrent prestement sur une civière et le transportèrent à l'hôpital de fortune. Ce qui restait de l'avion fut aussitôt tiré à l'extérieur de la piste d'atterrissage par des câbles attachés à une Jeep.

Samuel ne resta pas pour voir ce qu'ils en feraient. Il suivit plutôt l'équipe médicale pour s'assurer qu'il ne s'agissait pas de Lionel. Personne ne se préoccupa de lui, mais il fit bien attention de ne pas nuire au travail du médecin qui examinait les brûlures au fur et à mesure que les infirmiers découpaient la combinaison du pilote. On lui enleva également son casque avec beaucoup de précautions. Samuel se détendit en constatant qu'il ne s'agissait pas du frère de son grand-père, mais il demeura affligé à l'idée que cet homme pourrait succomber à ses blessures.

Ne s'y connaissant absolument pas en soins infirmiers, le musicien retourna dehors. C'est alors que le sol trembla sous ses pieds. «Qu'est-ce qui se passe?» s'alarma-t-il. Il leva les yeux vers le ciel qui s'obscurcissait de plus en plus. Les explosions, qu'il n'avait qu'entendues depuis son arrivée, étaient maintenant visibles à l'horizon. Personne n'eut besoin de lui dire que l'action se rapprochait de la base. Il le sentait jusque dans ses os et la peur s'emparait peu à peu de lui.

– Samuel! l'appela Nick en le faisant sursauter.

Le musicien fit volte-face.

– Les bombardiers vont bientôt être là, l'informa-t-il. Il faut déplacer les camions-citernes loin des réservoirs souterrains et des hangars. Dépêche-toi et surtout, n'allume pas les phares. Vous ne devez pas être repérés à partir des airs.

Samuel s'en doutait déjà. Il fila vers les véhicules et sauta dans le premier qui était libre pour suivre les autres à la queue leu leu jusque derrière les bâtiments, où se trouvaient les grands filets de camouflage. Il y en avait un par camion. Le musicien recouvrit le sien et repartit à la course pour aller en chercher un autre. Il aperçut Nick qui en conduisait un lui-même.

La situation était sans doute plus grave qu'il l'imaginait. Habituellement, le chef mécanicien se contentait d'observer les opérations et de donner des ordres...

Quand il revint cacher un autre camion derrière les autres, Samuel vit que Nick était resté pour s'assurer que tous les véhicules étaient bien camouflés.

– Que ferons-nous si les avions reviennent pour être ravitaillés? lui demanda-t-il.

– J'enverrai un seul camion à la fois, mais je serais bien surpris que nous en ayons le temps. La bataille aérienne se rapproche, alors les pilotes resteront dans les airs aussi long-temps qu'ils le peuvent pour abattre autant d'ennemis que possible. Ils savent que si les bombardiers arrivent jusqu'ici, ils se feront un plaisir de nous réduire en bouillie.

Samuel était déjà tendu, mais cette information le terrorisa.

– Que fait-on quand on se fait bombarder? osa-t-il demander.

– On espère ne pas se trouver à proximité des obus quand ils frappent le sol. En général, ils aiment bien endommager les pistes et détruire les bâtiments.

– L'hôpital?

– Entre autres. Prions pour que nos pilotes les dévient de leur route.

Nick poursuivit sa ronde pour s'assurer que tous ses hommes tenaient le coup.

– Prier? répéta Samuel.

Il ne savait même pas comment le faire. Ses parents n'avaient jamais pratiqué quelque religion que ce soit. «Peut-être que je devrais commencer à me tourner vers Odin?»

– Je ne dois pas mourir ici, murmura-t-il.

– C'est notre but commun, lui dit le jeune homme près de lui.

Le musicien travaillait aux côtés de ces soldats depuis des heures, mais il ne les connaissait pas du tout. Pendant les pauses, entre les pleins, ils étaient trop épuisés pour entamer des conversations entre eux.

– Je m'appelle Michael.

– Moi, c'est Samuel.

Ils se serrèrent la main.

– C'est ta première fois à la guerre?

– Ouais, soupira le musicien, et c'est beaucoup plus trau-matisant que je l'imaginais.

– Pareil pour moi. Malgré tout ce qu'on nous enseigne dans l'armée, une fois qu'on est sur le terrain, c'est un monde complètement différent.

Michael était un blondin dans la vingtaine et sa pâleur fit comprendre à Samuel qu'il était mort de peur. Dans une certaine mesure, ce dernier éprouvait la même chose, mais son instinct paternel prit le dessus et il décida plutôt de le rassurer.

– Dans la vie, rien n'est jamais facile, commença-t-il. Que ce soit notre travail, notre famille ou notre couple. Tout ce que nous pouvons faire, c'est de notre mieux et espérer que tout se passera bien. Personne ne peut prédire l'avenir.

«Sauf ceux qui se baladent dans le passé», songea Samuel, mais il n'allait certainement pas tenter de lui expliquer cela.

– À mon avis, la meilleure façon de survivre à ce qui nous attend, c'est de faire notre travail sans penser au danger, pour que les pilotes puissent s'en prendre aux chasseurs ennemis sans avoir à se demander s'ils auront suffisamment d'essence ou de munitions pour continuer. Si nous nous concentrons tous sur notre propre tâche, nous vaincrons.

– Tu devrais te lancer en politique, commenta Michael. Tu es très convaincant.

– Je ne suis pas certain que j'aimerais ça, répliqua Samuel en riant. C'est encore plus dangereux que la guerre.

Les explosions, qui illuminaient de plus en plus le ciel comme des éclairs orangés, étaient vraiment inquiétantes, mais le musicien les ignorait volontairement afin de ne pas terroriser davantage le pauvre mécanicien.

– Tu portes un uniforme de pilote, mais je ne t'ai jamais vu monter dans un avion, laissa tomber Michael.

– Je suis réserviste, mentit Samuel. Et comme je n'ai pas suffisamment d'expérience, j'ai décidé de me rendre utile au sol. Tu vois, je ne suis pas le genre d'homme à me croiser les bras et à laisser les autres faire tout le travail.

– Je comprends.

– D'où viens-tu, Michael?

– De Liverpool. Je voulais devenir architecte, mais je suis né dans une famille de soldats. Mon père et la moitié de mes

109

oncles ont combattu lors de la guerre de 1914. Ils nous ont tellement rebattu les oreilles avec leurs récits héroïques quand nous étions petits, mes cousins et moi, que la plupart d'entre nous avons suivi leurs traces. Même quand nous étions déjà dans l'armée, ils n'arrêtaient pas de nous répéter que c'était notre devoir de protéger notre patrie et notre famille pour que nos propres enfants aient un avenir.

– Est-ce que tu en as?

– Pas encore, mais je suis fiancé. En offrant mes services comme mécanicien, j'ai pensé que j'aurais plus de chances de m'en sortir vivant, mais aujourd'hui, j'en doute. Il y a là-haut des appareils qui lancent des bombes et nous sommes assis sur des camions remplis d'essence.

– Il ne t'arrivera rien tant que tu resteras près de moi. J'ai une bonne étoile.

Samuel faisait référence au petit génie qui l'accompagnait partout dans le passé. Toutefois, à part l'avoir déguisé en pilote de la RAF, il ne s'était pas vraiment manifesté depuis qu'il était sur la base, mais il savait qu'il était là.

– Que doit-on faire pour obtenir une telle étoile?

– Avoir la foi, j'imagine, répondit le musicien en haussant les épaules.

– Crois-tu en Dieu?

– Il est certain qu'une intelligence supérieure a créé l'univers et toutes les créatures qui l'habitent, mais je ne pense pas qu'elle porte un nom en particulier. Il suffit de croire qu'elle veille sur nous.

«Pas question de lui dire que j'ignore tout à fait si c'est vrai», songea Samuel, qui ne voulait pas l'effrayer davantage.

– Est-ce que c'est cette intelligence qui nous envoie les lumières qui se promènent dans le ciel la nuit?

– Quelles lumières?

– Celles qui ressemblent à des projecteurs géants qui se déplacent sans aucun bruit.

– Accrochés à des ballons?

– Non, à rien du tout. Si c'étaient des ballons, ces lumières suivraient les corridors aériens, mais ce n'est pas du tout le cas. Elles se déplacent même contre le vent, changent abruptement de direction et il arrive aussi qu'elles grimpent en ligne droite à des vitesses vertigineuses.

– Et personne ne sait ce qu'elles sont vraiment?

– Avant les attaques de la Luftwaffe, certains pilotes les ont pourchassées sans jamais pouvoir les rattraper. Ils n'ont jamais rien vu d'aussi rapide.

– Des projecteurs, répéta Samuel en réfléchissant.

Il s'agissait sans doute d'objets volants non identifiés, mais l'écrasement à Roswell n'avait pas encore eu lieu en 1940. «Encore une information que je ne peux pas partager avec qui que ce soit dans ce passé.» Il se rappela alors avoir lu quelque part que certains engins volants très lumineux avaient été aperçus pendant la Seconde Guerre mondiale. On leur avait donné le nom de Foo Fighters, ou chasseurs fantômes, et les armées opposées avaient cru qu'ils appartenaient à l'autre camp, qui les utilisait pour faire de l'espionnage.

– Certains des mécaniciens pensent que ce sont des anges, avoua Michael.

– Pourquoi pas?

– Mais qui protègent-ils? Nous ou les Allemands?

– Je ne peux malheureusement pas répondre à cette question.

Le sol trembla alors sous leurs pieds.

– Ils approchent... s'étrangla le jeune homme.

– Quelle est la procédure en cas de bombardement?

– Sauver le matériel important, mais je ne vois pas comment nous pourrions nous en sortir s'ils décident de frapper. Il fait de plus en plus sombre, alors nous ne verrons pas tomber les obus. Peut-être que nous devrions au moins nous éloigner des camions.

– Et si les avions reviennent avant? Ils sont notre seule défense contre une attaque aérienne. Nous devons rester prêts à les ravitailler.

– Tu es vraiment plus brave que moi, Samuel.

– C'est facile quand on se concentre sur son devoir.

Nick marcha alors le long des véhicules alignés au-delà des bâtiments.

– Je sais que vous n'y verrez plus grand-chose, mais ne vous servez pas de vos lampes de poche si vous devez remplir les réservoirs des avions dans quelques minutes. Vous deviendriez des cibles faciles pour un Messerschmitt. Vous avez fait ces gestes si souvent que vous pourrez les répéter dans le noir. Ne perdez pas une minute et, surtout, restez sur les côtés de la piste pour ne pas nuire aux atterrissages et aux décollages qui risquent de se produire dans le plus grand désordre.

– Bien compris, répondit Samuel en même temps que la plupart des hommes.

– Soyez prêts à faire votre travail, mais attendez mon signal. Je ne vous enverrai pas tous en même temps.

Les détonations de plus en plus fortes rappelèrent à Samuel les dangers auxquels il s'exposait chaque fois qu'il franchissait une des portes du château. «Certains de mes ancêtres ont vécu des vies vraiment exceptionnelles», songea-t-il. Jusqu'à présent, seule Anwen avait connu un cruel destin. Jacob, Sidney et Clara avaient mené l'existence dont ils avaient eu envie, même si elle s'était terminée de façon tragique. Tout comme Lionel, d'ailleurs. Samuel avait vu dans les yeux de ce dernier la passion qui l'animait quand il grimpait dans son Spitfire. «Et moi, quelle est ma passion?» se demanda-t-il. «Elle s'est éteinte quand on m'a empêché de monter sur scène et qu'on m'a séparé de ma fille...» Ses yeux se remplirent d'eau.

Il dissimula sa tristesse au jeune Michael, qui commençait à peine à retrouver son courage. Puisqu'il faisait de plus en plus sombre, celui-ci ne vit pas qu'il pleurait.

Des vrombissements de moteurs lui parvinrent et il espéra que ce n'était pas ceux des appareils ennemis. Un premier avion se posa. C'était un Hurricane. Samuel essuya ses larmes et attendit le signal de Nick avant de se précipiter à la rencontre des pilotes, qui ne sortirent même pas de leur cockpit. Tous travaillèrent aussi vite qu'ils le pouvaient sans prononcer un seul mot. Samuel procéda au ravitaillement de plusieurs des chasseurs. Il avait déjà joué à des jeux vidéo de batailles aériennes et se demanda si c'était vraiment excitant là-haut. «Probablement pas», décida-t-il. Une fois sa citerne épuisée, il retourna vers la file de camions pour aller en prendre un autre et attendre les ordres de Nick.

CHAPITRE 12

Samuel venait tout juste de compléter un autre plein lorsque la première bombe frappa la base à l'extrémité de la piste d'atterrissage. L'onde de choc le projeta sur le sol et le fit rouler plusieurs fois sur lui-même. Il secoua la tête et réussit à se remettre sur pied. Il devait à tout prix éloigner le camion du Spitfire pour qu'il puisse repartir à l'assaut du bombardier. Il sauta sur le siège et écrasa l'accélérateur en dirigeant le véhicule derrière les bâtiments, puis grimpa dans un autre. Sans attendre le signal du chef mécanicien, il repartit en direction d'un autre avion qui avait besoin d'essence, sans se rendre compte qu'il était le seul à poursuivre cette dangereuse opération. Il y avait si peu de clarté maintenant qu'il ne vit pas Nick qui lui faisait de grands signes pour qu'il revienne vers lui. Une deuxième bombe éclata. Cette fois, Samuel vola dans les airs et retomba à proximité des premiers bâtiments. Son camion ainsi que l'avion qu'il ravitaillait volèrent en morceaux et furent engouffrés par les flammes. Le musicien se protégea les yeux pour ne pas être aveuglé par la déflagration, mais la chaleur du feu l'empêcha de respirer.

— *Ne crains rien, je suis là,* fit une voix de fillette.

Sam tourna la tête avec difficulté, mais ne vit personne près de lui. Un vent frais souffla dans son visage, l'empêchant de subir de graves brûlures et lui permettant de remplir ses poumons.

— *Tu t'es blessé au cou et si je n'interviens pas maintenant, il se pourrait que tu ne sois plus jamais capable de marcher.*

— Qui est là?

– *Tu ne me connais pas encore.*

– J'ignorais qu'il y avait des enfants sur la base.

– *Il n'y en a pas et personne ne peut me voir.*

– Quoi?

– *Je n'existe pas encore sur le plan physique.*

– Alors là, j'ai dû me frapper la tête très durement pour avoir une telle hallucination.

– *On m'a laissée venir jusqu'à toi, mais je n'ai pas le droit de te dire qui je suis. Arrête de bouger.*

Il ressentit un froid intense sur sa nuque.

– *Est-ce que ça te fait du bien?*

– C'est certain, mais je ne comprends pas comment c'est possible...

– *Les êtres incarnés n'ont pas suffisamment confiance en eux, car ils pourraient tous faire ce que je fais, s'ils le désiraient.*

– Les êtres incarnés?

– *Comme toi.*

– Alors, qu'est-ce que tu es, au juste?

– *Je ne suis qu'une âme qui n'est pas encore née.*

– Elles se promènent comme ça dans notre univers sans qu'on le sache?

– *Certaines personnes plus sensibles aux énergies que d'autres captent leur présence.*

Couché sur le ventre et incapable de bouger pendant l'agréable traitement, Samuel vit repartir les appareils qui le pouvaient encore et se désola pour le pilote qui était resté coincé dans le sien. La bataille faisait rage à l'horizon, alors que la RAF protégeait férocement sa base. Irréductibles, les avions britanniques frappaient l'ennemi encore et encore, jusqu'à ce que le bombardier pique du nez. Son écrasement secoua toute la région pendant quelques secondes et une boule de feu s'éleva de la campagne.

– *Je dois te laisser pendant un moment...*

– Non! Ne pars pas! Je veux savoir qui tu es!

Nick se laissa tomber sur les genoux près de Samuel.

– N'essaie pas de te lever, l'avertit-il. Je vais demander aux infirmiers de venir te chercher pour que tes blessures ne s'aggravent pas.

– Je me sens bien.

– Ne discute pas. Et puis qu'est-ce que tu faisais sur la piste?

– Mon travail.

– Je n'ai donné à personne le signal de poursuivre les ravitaillements, parce que je savais que les Allemands étaient presque sur nous.

– Mais les avions devaient repartir pour les arrêter.

– Dès que nous aurons évalué l'étendue des dommages, je vais te renvoyer à Londres.

– Je suis désolé de ne pas vous avoir obéi, mais je n'entendais plus que les explosions.

Nick fit signe au personnel médical qui déboulait des bâtiments de venir vers lui.

– L'avion qui est tombé, c'était bien l'un des leurs, n'est-ce pas? demanda Samuel.

– Heureusement, mais nous ne saurons que plus tard combien nous en avons perdus nous-mêmes. Maintenant, ne donne pas de fil à retordre aux médecins, sinon tu auras affaire à moi.

– Bien compris, monsieur.

Les infirmiers retournèrent doucement Samuel sur le dos et le déposèrent sur un brancard.

– J'ai des avions à faire atterrir et une piste endommagée, grommela Nick en s'éloignant.

Pendant qu'on le transportait vers l'hôpital, Samuel tourna la tête pour observer ce qui se passait au loin.

Les avions ennemis semblaient s'éloigner, poursuivis par les pilotes de la RAF. En réalité, la Luftwaffe ne faisait que poursuivre sa progression à l'intérieur des terres. D'autres bases avaient sûrement été alertées de leur présence et devaient se préparer à les intercepter.

Au sol, les mécaniciens se précipitaient pour aller placer des balises qui délimiteraient le cratère creusé par la bombe. Il ne fallait pas que les appareils atterrissent à partir de cet endroit. Cela allait raccourcir grandement la piste, mais tous ces pilotes étaient des as. Ils arriveraient à se poser.

Les infirmiers firent passer Samuel de la civière à la table d'examen. Le docteur Northcott s'approcha aussitôt et l'ausculta d'abord rapidement. Ne voyant pas de sang nulle part, il se mit à le tâter.

– Avez-vous mal quelque part?

– À la poitrine, constata alors Samuel.

Sa sauveuse n'avait pas eu le temps d'aller plus loin que sa nuque.

– Et mes oreilles bourdonnent comme si elles allaient éclater.

– C'est normal au milieu de toutes ces explosions.

Le médecin détacha la combinaison de son blessé et exerça une pression sur ses côtes, lui arrachant une plainte sourde.

– Je crains que vous ayez quelques côtes de cassées.

– Ce n'est pas impossible, grimaça Samuel.

Des hommes commencèrent à ramener les blessés dans la grande pièce où s'alignaient les lits d'hôpital. Certains étaient brûlés, d'autres, couverts de sang.

– Allez vous occuper d'eux, dit le musicien au docteur Northcott.

– Je vais demander qu'on vous donne quelque chose contre la douleur.

– Merci.

Quelques minutes plus tard, une infirmière aida Samuel à avaler des comprimés avec un peu d'eau et le couvrit chaudement.

– Tenez bon.

Il ferma les yeux en espérant que la douleur s'estomperait bientôt, sinon il serait incapable de retourner à son propre siècle. Quand toutes les plaies furent nettoyées et pansées et que les blessés eurent enfin fermé les yeux, alignés les uns près des autres, le personnel médical prit une pause bien méritée. Samuel aurait aimé dormir un peu, mais il était trop inquiet. Que se passerait-il s'il demeurait coincé en Angleterre pendant la Seconde Guerre mondiale? «Il faut que je sois capable de marcher», se dit-il. Il tenta de s'asseoir, mais la douleur le cloua sur le matelas. Il reprit son souffle et tourna la tête pour voir si quelqu'un ne pourrait pas l'aider. Il ne vit que deux infirmières occupées à remplir des feuillets à une table à l'autre bout de la pièce, sans doute la description des blessures de chaque soldat. Il tourna la tête de l'autre côté et aperçut la même fillette qui lui avait donné une rose à New York, dans la vie de Sidney. Elle portait une salopette noire, un t-shirt rose et une casquette à l'envers sur la tête. Plus curieux encore, elle ressemblait à Emily!

– Es-tu le même ange qui m'a soigné la nuque tout à l'heure? chuchota-t-il.

– *Oui, mais ne t'inquiète pas. Tu es le seul à me voir.*

– Es-tu aussi le petit génie qui adapte ma tenue et qui met de l'argent dans mes poches chaque fois que j'en ai besoin quand je me retrouve dans le passé?

– *Eh oui.*

– Est-ce que tu rends ces services à tous les voyageurs du temps?

– *Seulement à toi.*

– Pourquoi?

Elle se mordit les lèvres, incertaine.

– Qui te défend de tout me révéler?

– *Ce sont les règles.*

– Qui les a établies?

L'enfant hésita encore une fois.

– Et qui le saura si tu n'en parles qu'à moi? poursuivit Samuel, qui voulait vraiment savoir qui elle était. Tout code de conduite prévoit des exceptions, non?

Un sourire se dessina sur les lèvres de la petite.

— *Je n'y avais jamais pensé, mais tu as raison. Laisse-moi d'abord te débarrasser de la douleur.*

Elle plaça ses mains sur la poitrine du musicien, mais il ne le sentit même pas. Quelques secondes plus tard, le même froid glacial que celui qu'elle avait fait pénétrer dans sa nuque enveloppa tout son torse.

— Que ça fait du bien, murmura-t-il. Ai-je autre chose de cassé?

— *Non, tu es plus solide que tu en as l'air. Reste couché pour l'instant. Tu ne veux pas attirer l'attention des soignantes et te faire injecter une drogue pour dormir.*

— Certainement pas. Ça risquerait de me faire manquer le vortex demain matin, car j'imagine que tu es au courant de mon moyen de transport magique.

— *C'est là que j'existe, pour l'instant.*

— Alors, ça vient, cette exception?

— *Je flotte entre deux vies.*

— Ça ne me dit toujours pas qui tu es.

— *On m'a assigné un nouveau corps, mais je dois attendre que le bébé soit conçu pour m'attacher au corps de sa mère.*

— Es-tu Stincilla de l'Atlantide?

— *Non, mais je serai ta fille dans ton présent. Tu me prénommeras Felicity.*

Cette révélation causa un grand choc à Samuel, qui se demanda s'il n'était pas en train d'imaginer cette conversation dans son délire de médicaments.

— *Tu n'es pas obligé de me croire,* poursuivit la petite. *Mais il arrivera un temps où tu pourras vérifier ce que je viens de te dire.*

— Est-ce que je retournerai avec ma femme?

— *J'ai déjà trop parlé.*

— Est-ce que je connaîtrai à nouveau l'amour avec une autre?

— *N'insiste pas. Essaie plutôt de t'asseoir.*

Samuel fit ce qu'elle demandait, mais fut incapable d'arrêter son cerveau de tourner.

– Tu es donc une future descendante d'Ulrik, toi aussi, et tu risques d'être la victime de la sorcière quand tu naîtras. Est-ce pour cette raison que tu me viens sans cesse en aide?

– *Si je veux exister, je dois m'assurer que tu ne te fasses pas tuer dans tes inexplicables expéditions dans le passé.*

– Mais elles ont un but, je t'assure. J'essaie de trouver la vie d'Ulrik pour l'empêcher de brûler la maison de cette vieille femme.

– *Il faudra que je fasse preuve d'encore plus d'imagination,* commenta la petite.

– Et si tu ne le sais pas, ça veut dire que ton âme n'a pas accès au château hanté...

– *Je n'existe que derrière les portes... et dans le cœur d'une autre petite fille...*

– Alors, s'il m'arrivait quelque chose là-bas, tu ne pourrais rien faire pour m'aider.

– *Absolument rien.*

– Bon, d'accord, c'est plus clair, tout à coup.

– *Je savais que tu finirais par comprendre.*

Son dernier commentaire fit sourire Samuel.

– Tu n'es pas encore née et je ne t'ai pas encore élevée, mais tu parles déjà comme ma grande fille, avec qui j'entretiens une merveilleuse relation.

– *La nôtre le sera aussi.*

– Ça ne fait aucun doute. Mais vous aurez plus d'une dizaine d'années de différence, Emily et toi.

– *Il arrivera un âge où nous pourrons nous comprendre plus facilement. En attendant, je me laisserai cajoler et gâter.*

– Oui, je la vois bien faire ça, avoua Samuel. Tu ne t'en rends probablement pas compte, Felicity, mais tu viens de me redonner une énorme dose de courage.

– *De quelle façon?*

– Tu viens de me fournir une raison supplémentaire de mener cette mission à bien.

– *J'aimerais aussi t'en donner une pour que tu sois plus prudent.*

– Crois-moi, ce n'est pas faute d'essayer, mais j'ai été mal préparé par la vie pour faire face à toutes ces situations de danger. Pardonne-moi.

– *Si tu me promets de faire plus attention, alors ça me va.*

– Continueras-tu à m'accompagner dans mes prochaines aventures jusqu'à ce que je tombe enfin sur Ulrik?

– *Comme je te l'ai dit tout à l'heure, il faut que je te garde en vie.*

– C'est grâce à toi que la sorcière ne m'a pas mis la main au collet à New York, n'est-ce pas? crut comprendre Samuel.

– *Il a fallu que je réagisse rapidement pour créer une diversion, mais j'ai réussi.*

– Dis-moi, quand tu seras incarnée, seras-tu aussi sagace?

– *Je l'espère bien. Il ne reste que quelques heures avant le retour du vortex. Je vais t'aider à sortir d'ici avant qu'on décide de te mettre dans l'avion qui ramènera les blessés à Londres.*

– Excellente idée.

– *Je vais occuper les infirmières pour que tu puisses t'esquiver en douce. Essaie de ne pas trébucher ou faire tomber quelque chose.*

– C'est fou à quel point tu me fais penser à mon petit général Emily.

– *Nous en reparlerons une autre fois. Tiens-toi prêt.*

– Bien compris, madame.

Felicity s'effaça devant lui comme les fantômes le faisaient sur le domaine. Il surveilla les infirmières pour voir comment sa future fille s'y prendrait pour les empêcher de le voir s'éloigner en catimini.

– Aidez-moi... gémit un soldat.

Les deux femmes laissèrent toute la paperasse en plan et se précipitèrent au secours du blessé couché sur le lit le plus éloigné de celui de Samuel. Ce dernier ne perdit pas une seconde.

Il mit les pieds sur le sol et découvrit avec soulagement qu'il n'avait plus mal nulle part. Sans faire de bruit, il fonça vers la porte et se retrouva dehors.

Il faisait encore nuit et le ciel était étoilé. Le musicien alla se rasseoir sur le même baril que la veille. Au loin, il entendait encore des explosions. Une autre base militaire était aux prises avec l'ennemi et si elle la combattait dans l'obscurité, c'était sûrement parce qu'elle possédait de puissants projecteurs. Ses avions n'auraient pas pu voir leurs adversaires autrement. Il respira l'air de la nuit en réfléchissant à tout ce qu'il venait de vivre et surtout à la petite fille avec qui il avait eu une longue conversation. Il continuait de se demander si c'était lui qui l'avait inventée dans un moment de détresse où il avait besoin de réconfort. «Suis-je en train de perdre contact avec la réalité?» se demanda-t-il.

– Mais qu'est-ce que tu fais là? s'exclama Nick en s'approchant.

– Ne dormez-vous donc jamais? répliqua amicalement Samuel.

– Je suis allé voir comment tu allais à l'infirmerie et tu n'y étais plus. Les infirmières m'ont demandé de te retrouver.

– Finalement, je n'avais rien de sérieux, alors j'ai libéré mon lit.

– Tu as peur des médecins, en plus?

– Juste un peu... mais surtout des seringues...

– Tu devrais y retourner, Samuel.

– J'ai eu le temps de me reposer quelques heures. Je vais bien. Dites-moi plutôt ce qui va se passer.

– Les pilotes vont vouloir retourner au combat, alors dans quelques minutes, avant le lever du soleil, mon équipe va s'assurer que les avions sont prêts à décoller.

Ils étaient tous alignés de chaque côté de la piste et Samuel remarqua sans difficulté qu'il en manquait au moins une dizaine.

– Dès qu'ils seront partis, nous allons nous affairer à réparer la piste. Les chasseurs peuvent passer de chaque côté du cratère, mais un bombardier ne pourra jamais atterrir ici si nous ne nous en occupons pas. Et toi, as-tu l'intention de voler, aujourd'hui?

– Je ne sais pas encore.

– Va d'abord manger dans le mess avec les autres pilotes. Après, tu n'en auras plus le temps.

– Vous avez raison. Merci, monsieur.

Samuel descendit de son baril et se dirigea vers le bâtiment en se promettant de ne pas y rester trop longtemps, car le soleil allait bientôt se lever, ce qui coïnciderait avec le retour du vortex.

CHAPITRE 13

Samuel ouvrit la porte et fut accueilli par une bienfaisante chaleur. Tous les pilotes étaient attablés dans le mess. Avaient-ils seulement dormi? L'arôme de la nourriture rappela au musicien qu'il était affamé. Il promena son regard sur l'assemblée, mais ne vit Lionel nulle part. Peut-être avait-il eu la présence d'esprit d'aller se reposer avant de repartir à la chasse. Il fit un pas en direction d'une table libre et reçut une claque dans le dos. Il se retourna vivement et aperçut le regard rieur de Lionel.

— Tu n'es pas facile à retrouver, toi! s'exclama-t-il. Je te cherche partout depuis au moins une demi-heure! J'ai fait le tour de tous les lits à l'infirmerie.

— J'y ai passé une partie de la nuit, mais puisque j'étais remis, j'ai décidé de ne pas imposer au personnel médical plus de travail qu'il n'en avait déjà.

— Allons nous chercher à manger.

Il entraîna Samuel en direction du comptoir des cuisiniers, où ils reçurent une généreuse portion d'œufs brouillés, de saucisses grillées, de bacon, de céréales et une tasse de thé, puis les deux hommes allèrent s'asseoir à l'écart de l'escadrille. Le musicien jeta un œil aux autres hommes, qui semblaient dormir debout alors que leur chef était en pleine forme.

— Je me doute que vous n'avez pas réussi à arrêter les avions ennemis hier et qu'ils ont continué vers le nord, commença Samuel.

— Nous n'étions pas assez nombreux pour les éliminer, mais nous leur avons causé beaucoup de dommages et nous irons prêter main-forte aux autres bases. Le plus important, c'est que maintenant, elles savent toutes qu'ils sont là. Les Allemands vont essuyer de la résistance qui pourrait les obliger à retourner d'où ils viennent.

Samuel ne pouvait pas lui parler des résultats de leurs efforts, qui apparaissaient dans les livres d'histoire moderne.

– C'est un bon plan, se contenta-t-il de lui dire.

– Tu n'as pas arrêté de me poser des questions, depuis ce matin. Maintenant, c'est à mon tour. Je veux absolument tout savoir de ta vie.

– Elle ne rime pas à grand-chose...

– J'insiste.

– Bon, si vous voulez... Je suis né à Londres de parents plutôt à l'aise. Mon père était avocat et ma mère était pianiste et professeure de musique.

– Ils sont décédés?

– Oui, à quelques mois d'intervalle. Mon père aurait voulu que je marche dans ses pas, mais, malheureusement pour lui, j'ai hérité du tempérament artistique de ma mère. J'ai commencé à jouer du piano très jeune et dès mon adolescence, je composais déjà mes propres pièces, même si ma mère insistait pour que je connaisse tous les classiques par cœur. Mon répertoire musical est donc très étendu. Je peux jouer autant des chansons populaires que du jazz ou du Chopin, par exemple.

– Je ne suis pas très ferré en musique, mais j'ai grandi dans le jazz de New York.

– Celui du *Clara's Playground*.

– En effet. Ma mère aimait tellement danser et je l'accompagnais pour lui faire plaisir quand j'étais petit. Puis, la magie a disparu. Je suis passé de chenille à papillon et j'ai eu besoin de plus de sérieux dans ma vie. La débauche, ce n'était pas pour moi. J'étais incapable de fermer les yeux sur les écarts de conduite de ma mère. Moi, je voulais faire régner l'ordre et la justice, même si la moitié des policiers que je connaissais jadis fermaient les yeux sur les activités du palace. Et toi, est-ce que tu avais une bonne relation avec tes parents quand tu étais jeune?

– Surtout durant mes premières années. Je n'ai manqué de rien durant mon enfance. Notre maison n'était pas très grande, mais elle était tout de même spacieuse et il y avait toujours de la nourriture sur notre table. J'étais enfant unique, alors mes parents m'ont tout donné. Ils m'ont inscrit aux meilleures écoles et s'assuraient que je faisais mes devoirs et mes leçons tous les jours. Ils m'habillaient comme un petit prince et me reprenaient lorsque je faisais des fautes, ma mère plus gentiment que mon père.

– Et le piano?

– Je devais répéter plusieurs heures par jour, d'abord des gammes, puis des pièces entières.

– Que tu apprenais par cœur?

– Au bout d'un certain temps. Mais puisque ma mère voulait que je continue de lire la musique, elle me soumettait régulièrement de nouveaux projets.

– Est-ce que ça minait ta liberté?

– Quand j'étais gamin, je trouvais ces exercices contraignants, parce que je ne pensais qu'à jouer, mais en vieillissant, je suis réellement tombé amoureux de la musique et il fallait me décrocher de mon piano pour que j'aille me coucher. Ça rendait mon père complètement fou, parce que son bureau se trouvait à la maison. Ses clients adoraient ça, par contre.

– Tu as eu de la chance de connaître ton père.

– Oui et non. J'ai souvent désiré secrètement ne vivre qu'avec ma mère, qui me comprenait et qui me cajolait tout en étant ferme avec moi. Mon père était sévère et voulait que je sois parfait. Je lui en ai voulu jusqu'à ce que ma mère me parle de ce qui lui était arrivé, enfant. Alors, j'ai compris que, finalement, il me procurait une bien meilleure existence que la sienne.

– Raconte.

– Elle n'est pas entrée dans les détails, mais j'ai appris que sa mère, son frère et sa sœur ont été enlevés par des membres d'un culte satanique quand lui n'avait que six ans.

– Vraiment? Est-ce qu'elle a inventé tout ça pour te faire peur?

– Je ne crois pas, non. Ce n'était pas le genre de femme à dire n'importe quoi.

– Comment se fait-il que ces hurluberlus ne l'aient pas pris, lui aussi?

– Apparemment, il était fin comme un fil, alors il a réussi à se glisser entre deux des murs de leur logement. C'est là que mon grand-père l'a trouvé à son retour à la maison. Le pauvre gamin était terrorisé.

– La police n'a jamais retrouvé sa famille?

– Non, jamais, et ce n'est pas faute d'avoir tout essayé. À cette époque, il disparaissait beaucoup de gens qu'on ne revoyait jamais. Mon grand-père a fini par abandonner les recherches et il a décidé de sauver le seul enfant qui lui restait. Il a changé de quartier, trouvé du travail et a traîné mon père partout avec lui pour que personne ne le lui ravisse.

– Donc, il n'allait pas à l'école... alors comment est-il devenu avocat? s'étonna Lionel.

– La serveuse du petit restaurant où ils allaient manger tous les jours a eu vent de leur situation. Elle a offert du travail à mon grand-père comme cuisinier et une chambre dans sa maison. Elle a même inscrit mon père à l'école du quartier. Tout s'est bien passé pendant cinq ans... jusqu'à ce qu'on retrouve mon grand-père mort d'une surdose de drogue dans une ruelle.

– C'était un toxicomane?

– Quand il était plus jeune, mais il n'avait touché à rien depuis des années. La police a tout de suite pensé que c'était un meurtre, mais elle n'en a jamais eu la preuve et il n'y avait aucun témoin.

128

– Et ton père, là-dedans?

– Matilda, la serveuse, lui a appris la nouvelle aussi douce-ment qu'elle le pouvait. Elle l'a consolé et lui a juré de s'occuper de lui aussi longtemps qu'il le voudrait, puisqu'il n'avait plus aucune famille.

– Mais il y avait nous, à New York.

– Nous ignorions jusqu'à tout récemment que nous avions des parents de l'autre côté de l'océan.

– Continue. Je veux savoir ce qui est arrivé à ton père par la suite.

– Matilda l'a élevé comme son propre fils et elle a mis de l'argent de côté pour qu'il puisse faire des études supérieures. Il a choisi le droit. C'est d'ailleurs à l'université qu'il a rencon-tré ma mère, une jeune pianiste qui répétait dans une autre salle. Ç'a été le coup de foudre. Ils ont commencé à se fréquen-ter et je suis né un an plus tard.

– Ils n'étaient pas mariés?

– Pas à ma naissance, mais ils ont officialisé leur union quelques mois plus tard.

– Et Matilda, là-dedans?

– Dès qu'il a commencé à gagner beaucoup d'argent, mon père lui acheté une maison non loin de la sienne. Elle a été en fait la seule mère dont il se souvient. Pendant que mes parents travaillaient, c'était elle qui me gardait. Elle est morte dans son sommeil quand j'avais quinze ans. Je l'ai beaucoup pleurée...

– Est-ce à ce moment que les choses se sont gâtées pour toi à la maison?

– Après les funérailles, quand mon père m'a demandé ce que je voulais faire de ma vie, je lui ai répondu que je voulais devenir musicien. Il est devenu cramoisi et il m'a ordonné de choisir un vrai métier. Dans sa tête, une femme pouvait être professeure de musique, mais pas un homme. Et quand j'ai ajouté que je voulais composer mes propres chansons et me produire sur une scène, j'ai cru qu'il allait faire une crise d'apoplexie. Ma mère nous a séparés et a exigé que je le laisse réfléchir. C'est elle qui a intercédé en ma faveur.

– Elle a gagné?

– Oh oui. Il m'a inscrit à l'académie de musique, où j'ai vécu les plus belles années de ma vie. J'avais enregistré une démo à temps perdu et dès que j'ai obtenu mon diplôme, je l'ai envoyée à une maison d'enregistrement, qui l'a retenue. J'ai signé un contrat et j'ai commencé à me produire dans les clubs, au grand désespoir de mon père. Et un soir, j'ai rencontré ma future épouse, Kathryn...

– Celle de qui tu as finalement divorcé?

– Ouais... mais à l'époque, nous étions follement amoureux l'un de l'autre. Quelques semaines plus tard, j'ai trouvé le courage de l'annoncer à mes parents. Ma mère ne se sentait pas bien, mais elle était très heureuse pour moi. Elle m'a demandé d'inviter la jeune personne à souper le samedi suivant, mais elle a été foudroyée par un infarctus. C'est donc à ses funérailles que la famille de Kathryn a rencontré mon père.

– Ta vie est encore plus tragique que celle des personnages des romans que lit ma femme! s'exclama Lionel avec découragement.

– Je sais... mais je n'ai rien voulu de tout ça. C'est arrivé ainsi.

«Pas question que je lui parle de la sorcière et de la malédiction», décida Samuel. Il avait eu sa leçon avec Sidney à New York.

– Et ton père, il est mort comment?

– Assassiné, le soir de la naissance de ma fille.

– Es-tu en train d'inventer tout ça pour me faire pleurer?

– Je te jure que c'est la vérité.

– Dans ce cas, j'en ai assez entendu. Je vais aller dormir quelques heures et je te conseille d'en faire autant, Samuel. Nous allons repartir aux combats aux premières lueurs de l'aube.

– Reposez-vous bien, Lionel.

Le musicien le regarda s'éloigner et faire signe aux membres de son escadrille d'aller se coucher, eux aussi. Ils lui obéirent tous sans renâcler.

Samuel dévora son repas, qui avait refroidi, et termina même celui de Lionel. Il rapporta les deux assiettes au comptoir et se dirigea vers la sortie, en espérant ne pas rencontrer le médecin qui ne lui avait jamais octroyé son congé. Il poussa la porte et fut accueilli par des odeurs âcres de brûlé. Mais l'attaque était terminée. Les Allemands s'étaient éloignés et les rayons de la lune essayaient de se frayer un chemin dans la fumée qui recouvrait la piste.

Samuel retrouva sa veste de flottaison restée sur le sol et s'assit dessus. Il se mit à penser à Clara, qui n'avait probablement jamais rien su de ce que son fils aîné avait vécu à la guerre, de son courage et de sa détermination à empêcher le mal de dominer le monde... «Mais la sorcière l'a quand même eu durant cette guerre», se découragea-t-il.

Il leva les yeux vers les étoiles en pensant à son propre courage. «Je n'en ai jamais eu avant d'arriver au château», découvrit-il. «Ces aventures dans le passé sont vraiment en train de me changer...»

Il sentit une main se poser délicatement sur son épaule, mais ne vit personne.

– *Ça t'a rendu triste de parler de la vie de ton père...* fit la voix de sa future fille.

– En fait, c'est toute notre histoire de famille qui me consterne profondément, parce que ça fait neuf cents ans que cette sorcière nous fait souffrir.

– *Certaines personnes sont rancunières.*

– Rancunières? J'ai plutôt l'impression qu'elle a attendu toute sa vie que quelqu'un lui fasse un affront pour déverser ainsi son venin.

– *Arrête de penser à elle. Tu vas bientôt devoir partir.*

Samuel sentit quelque chose toucher son dos et vit que c'était le baril où il s'était déjà assis. Il s'y appuya et ferma les yeux. Son petit génie s'assura qu'il ne dorme que quelques heures. Dès que l'aurore annonça le lever du soleil, elle le réveilla. Les pilotes commençaient à sortir des bâtiments et les mécaniciens étaient déjà au travail pour leur permettre de se remettre rapidement en vol. Le musicien se leva et défroissa sa combinaison. Il vit Lionel qui se dirigeait droit sur lui.

– Tu n'es pas allé dormir? lui dit-il sur un ton de reproche.

– Si, mais pas dans un lit.

– Tu ne survivras pas à la guerre si tu n'apprends pas à recharger ton énergie. Je dois y aller, mais je t'invite à prendre une bière dans mon pub préféré à Londres dès que tout sera fini.

Le musicien n'eut pas le cœur de lui dire qu'il n'en réchapperait pas. Lionel marcha jusqu'à son avion, qui était prêt à partir. Il grimpa sur l'aile, mit son casque et se faufila dans le cockpit. Au lieu d'aider les pilotes comme le faisaient les autres mécaniciens, il resta planté là à observer ce spectacle pour la dernière fois. Les chasseurs décollèrent devant lui sans lui causer la moindre frayeur, cette fois. Puis les camions-citernes furent ramenés près des hangars pour les remplir. «Je ne veux rien oublier de tout ceci», songea Samuel.

C'est alors que le rectangle lumineux apparut au milieu de la piste, attirant l'attention des hommes qui se massèrent de chaque côté en se demandant ce que c'était. Même s'ils étaient mécaniciens, ils n'en demeuraient pas moins des soldats prêts à se battre. Ne voulant pour rien au monde manquer son vortex de retour, Samuel marcha résolument vers la curieuse porte qui flottait à quelques centimètres au-dessus du sol.

– Éloigne-toi de là! hurla Nick.

Au lieu de lui obéir, le musicien accéléra discrètement le pas pour qu'il ne l'empêche pas de partir. Le chef des mécaniciens fonça sur lui, mais n'arriva pas à temps pour lui saisir le bras. Samuel pénétra dans le rectangle étincelant et disparut d'un seul coup, laissant toute la base dans la plus grande consternation.

CHAPICRE 14

Samuel marcha dans le noir sans penser à rien. Les moteurs des avions continuaient de vrombir dans ses oreilles. Il se sentit aspiré vers le haut et sut que son périple était presque terminé.

La porte du couloir s'ouvrit devant lui. La semi-obscurité n'irritant pas ses yeux, il les ouvrit rapidement et se retourna vers la porte qui venait de claquer derrière lui. Il fouilla les poches de sa combinaison de vol. Sa main se referma sur un tournevis. Samuel s'empressa de graver le nom de Lionel dans le bois. «Une de moins... mais il en reste tellement encore...» se découragea-t-il.

Secoué par ce qu'il venait de vivre, il marcha lentement en direction du grand escalier. Les images qu'il avait enregistrées dans sa mémoire repassaient devant ses yeux comme sur l'écran d'une salle de cinéma.

Il avait étudié cette guerre à l'école quand il était plus jeune, et surtout la participation de son propre pays, qui s'était défendu toutes griffes dehors. «Si tous les élèves pouvaient faire des sauts dans le passé, ils s'intéresseraient davantage à leurs cours d'histoire», songea Samuel. Il descendit l'escalier en essayant de se rappeler en quelle année Lionel avait perdu la vie. Il avait à peine mis le pied dans le vestibule que le pilote et ses deux filles venaient à sa rencontre

— Tu vas sûrement trouver ça étrange, mais je me suis rappelé notre rencontre sur la base de Tangmere il n'y a que cinq minutes à peine, lui dit-il.

«Son attitude envers moi a changé», remarqua le musicien.

– C'est la même chose pour les autres descendants que j'ai rencontrés derrière les portes, mais je suis incapable d'expliquer pourquoi.

– J'ai pourtant une bonne mémoire.

– Ce phénomène est sans doute magique.

– J'ai été très déçu de ne pas te retrouver après que nous ayons eu chassé les Allemands du sud du pays.

– Si je vous avais expliqué, à ce moment-là, que mon séjour était limité à vingt-quatre heures et que je devais emprunter un vortex pour revenir à mon propre siècle, m'auriez-vous cru?

– Sans doute pas. Mais si tu arrivais tout droit du futur, tu savais donc déjà comment se terminerait cet affrontement.

– Plus ou moins, car mes leçons d'histoire remontent à plusieurs années et que je n'ai jamais été très doué pour apprendre les dates par cœur. Esther m'a remis une liste de tous vos noms ainsi que de vos années de naissance et de mort et je n'arrive pas à m'en souvenir. En fait, je ne connais que les grandes lignes de la Seconde Guerre mondiale. Mais une chose est sûre, quand je franchis une porte, je n'ai pas le droit de changer le cours des choses. Je ne pouvais donc pas vous en parler.

– Je comprends.

Daisy et Charlotte écoutaient la conversation des adultes avec beaucoup d'intérêt, sans intervenir, ce qu'Emily aurait été incapable de faire. Samuel avait élevé sa fille pour qu'elle soit capable de converser avec les grandes personnes en toutes circonstances...

– Je ne savais pas comment vous mettre en garde contre ce qui allait vous arriver, ajouta le musicien.

– Ma mort et celle de mes filles, entre autres? Je ne t'aurais probablement pas cru, puisque tout allait bien dans la tête de ma femme, à cette époque. Ce n'est qu'après que j'ai été descendu en Allemagne qu'elle a perdu contact avec la réalité.

– C'est vrai que maman n'était plus elle-même, soupira Charlotte.

– Bien souvent, les gros chocs émotionnels ont de terribles effets sur les gens, l'excusa le musicien. Il ne faut pas lui en vouloir.

– Nous l'aimons encore, affirma Daisy.

– Et elle nous manque, ajouta sa petite sœur.

– Maintenant que vous vous souvenez de moi, accepteriez-vous de me raconter la fin de votre vie? demanda Samuel à Lionel.

– C'est important pour toi?

– J'ai la chance d'apprendre à connaître mes ancêtres, alors, oui, ça l'est.

– Tu sais déjà que j'ai quitté New York à l'âge de seize ans pour aller vivre en Angleterre et que je suis devenu pilote de la RAF.

– Sans difficulté?

– J'ai dû gagner mes galons, mais j'étais vraiment doué et je suis rapidement devenu un de leurs meilleurs élèves. On m'a tout de suite fait chef d'escadrille et je veux bien croire que la sorcière n'a rien eu à voir là-dedans.

– En effet, elle ne peut pas nous enlever nos talents et nos aptitudes, seulement nous faire croire que nous sommes pourris, se rappela Samuel.

– Dans mon cas, elle n'a heureusement pas eu le temps de se rendre jusque-là.

– Je vous en prie, continuez.

– J'ai rencontré Charity, ma femme, alors que j'étudiais le pilotage. Elle travaillait pour l'équipe de décryptage, à l'époque. Nous nous sommes mariés avant que la guerre éclate et nous avons eu nos filles peu de temps après. L'armée lui a donc accordé un congé pour qu'elle puisse s'en occuper. Mais elle avait la ferme intention de continuer de servir notre pays dès qu'elles seraient à l'école, ce qu'elle a fait, jusqu'à ma mort.

Quand on lui a appris la nouvelle, elle s'est isolée chez nous en accusant mes supérieurs de lui mentir à mon sujet. Elle était sûre que j'étais encore en vie quelque part en Allemagne et que personne ne s'était soucié de mon sort après la chute de mon avion.

– La pauvre femme...

– Si j'avais été un fantôme ordinaire, peut-être aurais-je pu revenir vers elle pour lui faire comprendre que je n'étais plus là et qu'elle devait être forte pour nos filles, mais je me suis retrouvé emprisonné ici avec mes ancêtres, qui ne sont pas tous de bonne compagnie.

– Vous n'avez pas péri dans la bataille à laquelle j'ai assisté, n'est-ce pas?

– Non. Nous avons repoussé la Luftwaffe, puis environ cinq ans plus tard, les pilotes britanniques ont été dépêchés en Allemagne pour accompagner les bombardiers américains. C'est là que la sorcière m'a eu. J'ai d'abord pensé qu'il s'agissait d'ennuis techniques quand mon avion a refusé d'obéir à mes commandes. Cependant, j'ai encore de la difficulté à croire que la même vieille femme qui a tué Ulrik neuf cents ans plus tôt soit responsable de ma propre tragédie.

– C'est physiquement impossible pour le commun des mortels, je l'avoue. Mais maintenant que je connais l'existence des vortex temporels, je suis tenté de croire qu'elle sait aussi comment les utiliser. Pour le reste, j'imagine qu'elle se sert de la magie.

– Encore faut-il que ça existe.

– Depuis que je suis ici, j'ai vu Esther accomplir des choses vraiment surnaturelles, je vous assure.

– Mais moi, je n'y arrive pas.

– Parce que tu n'y crois pas, papa, tenta de le rassurer Charlotte.

– Nous ne pouvions rien faire de magique non plus, quand nous sommes arrivées ici, renchérit Daisy. Mais avec l'aide de Rose, nous avons appris beaucoup de trucs... sauf nous asseoir.

– Mais nous y arriverons, soutint la petite.

Samuel décida de changer de sujet afin que cette conversation ne se mette pas à tourner en rond sur ce qui était possible et ce qui ne l'était pas au château.

– Vos filles m'ont raconté comment elles sont mortes.

– Je me reproche encore de ne pas m'être aperçu des signes avant-coureurs de l'instabilité de Charity. J'aurais pu envoyer Daisy et Charlotte vivre chez ma mère pendant la guerre.

– Chez Clara? s'étonna Samuel en se demandant comment elles auraient tourné.

– Temporairement, précisa Lionel.

– À mon avis, votre décès a plongé votre femme dans une terrible dépression et, à cette époque, on ne faisait rien pour aider les gens qui perdaient tous leurs moyens.

– Rien n'excusera jamais son geste meurtrier dans mon cœur, Samuel. Si elle ne désirait plus vivre, c'était son choix, mais elle n'avait pas le droit d'enlever la vie à ces petites innocentes.

– Mais, à cette époque, est-ce que votre frère n'était pas déjà en Angleterre? voulut savoir Samuel.

– Oui, mais il était dans une famille d'accueil, parce que les services sociaux n'avaient trouvé aucun membre de notre famille en Angleterre qui puisse le prendre. Il a fait sa vie de son côté.

– Mon rôle, dans ce château, ce n'est pas seulement de chercher la façon de mettre fin à la malédiction, mais de tenter de rétablir les relations entre certains des descendants.

Samuel se doutait qu'Ulrik allait encore le traiter de missionnaire à la prochaine occasion, mais il croyait fermement qu'il était important de partir pour le ciel avec l'âme en paix.

– Je sais que vous pensez qu'il est devenu une loque humaine, mais avez-vous déjà pris le temps de vous informer de ce qu'il a vécu et de la raison pour laquelle il s'échappait dans ses paradis artificiels?

– Je n'ai toujours rien à lui dire, trancha Lionel. Sur ce, je te souhaite une bonne journée, le neveu. Profite bien de ta mortalité.

Le pilote poursuivit sa route avec ses filles, qui sourirent à Samuel en le quittant. Épuisé par sa récente excursion dans le passé, Samuel se rendit à sa chambre, se dévêtit et resta sous la douche pendant un long moment avant de s'allonger sur son lit. Il n'eut qu'à fermer les yeux pour sombrer dans le sommeil. Lorsqu'il se réveilla enfin, la pièce était inondée de soleil. Il s'habilla et passa à la salle à manger, où, immanquablement, Esther l'attendait.

– Je suis désolé d'avoir raté le déjeuner, s'excusa Samuel.

– Parfois, le sommeil est plus important que la nourriture.

Il prit place devant son assiette de nouilles sautées aux légumes qui lui semblèrent asiatiques.

– Si vous êtes de retour, c'est donc que vous n'avez pas encore trouvé Ulrik, déduisit-elle.

– Hélas non... Je suis tombé sur Lionel alors qu'il combattait les Allemands à bord de son avion de chasse. Mais j'avoue, par contre, que c'était une expérience vraiment enrichissante. J'ai pu participer à la défense de mon pays et j'en ai ressenti une très grande fierté. J'ai bien hâte de raconter ça à mon père.

Il huma son plat.

– Merci de varier constamment mes repas, Esther. Je ne vous dis pas assez souvent à quel point j'apprécie tous vos petits soins.

– C'est ma façon de m'assurer que vous serez suffisamment fort pour nous sortir de là. Qu'aimeriez-vous boire, ce midi?

– Juste de l'eau. J'ai eu ma dose de soda.

Elle en fit apparaître une grande bouteille qu'elle venait de trouver, à l'aide de son esprit, dans le réfrigérateur d'une épicerie de Londres.

Samuel se mit à manger avec appétit, alors la bonne en profita pour sonder les souvenirs de ses vingt-quatre dernières heures. L'agitation de la base aérienne, ainsi que toutes les émotions qui secouaient ceux qui y travaillaient, ébranlèrent la pauvre femme. Lorsqu'elle arriva au bombardement, elle dut se ressaisir pour ne pas mettre fin au contact télépathique avec le jeune homme. Il lui fallait se rendre jusqu'au bout de son expérience. Mais dès qu'il s'engouffra dans le rectangle lumineux, elle disparut d'un seul coup pour aller reprendre ses sens dans la bibliothèque. Le bruit assourdissant des moteurs d'avion et des explosions continuèrent de résonner dans sa tête et elle n'arriva à remettre ses idées en ordre que plusieurs minutes plus tard.

– Je n'aurais jamais pu deviner à quel point la vie de Lionel a été tumultueuse, laissa-t-elle finalement tomber. Il est si calme et si posé.

Esther s'installa derrière le bureau et souleva la plume avec sa magie afin de commencer à rédiger ce quatrième roman. Elle commença par parler des instants qui avaient précédé le départ de Samuel, de ses craintes et de ses espoirs, décrivant sa tenue et les conditions atmosphériques de cette journée. Puis elle s'arrêta, encore une fois secouée par la fébrilité de l'endroit où était arrivé le jeune homme.

– Il y avait sans doute moins de commodités dans mon propre siècle, mais jamais je n'aurais voulu vivre dans celui de Lionel.

Elle était déjà rendue au milieu du deuxième chapitre lorsque Henry apparut près d'elle.

– Avez-vous des images pour moi, ma chérie?

– J'en ai plusieurs, mais attention, elles pourraient vous choquer.

– Samuel s'est encore laissé séduire?

– Pas cette fois.

– Alors, montrez-moi ce qui risque de me rebuter autant.

Sa fille lui transmit d'abord la scène du musicien debout au milieu de la piste alors que les avions atterrissaient de chaque côté de lui.

– Mais qu'est-ce que c'était? s'étonna Henry.

– Des machines de guerre qui volent dans les airs comme des oiseaux.

Elle lui donna le temps de mettre le tout sur le papier, puis lui transmit un nouveau tableau, soit l'image de Samuel en train de faire le plein d'un Spitfire à partir de son camion-citerne.

– Mais quelle est cette magnifique machine! Comment fonctionne-t-elle? s'émerveilla l'ingénieur.

– Je ne peux malheureusement pas répondre à ces questions.

Fasciné, Henry exécuta ce dessin plus vite que le précédent et l'étudia pendant quelques minutes.

– Préféreriez-vous attendre pour la suite? lui demanda Esther.

– Non, non. Vous pouvez m'en faire faire autant que vous le voudrez.

Elle lui fit donc voir Samuel assis au mess, en train de bavarder avec Lionel, puis le bombardement de la base qui avait projeté le jeune homme au loin. Même s'il était un homme difficile à ébranler, Henry plissa le front avec inquiétude.

– Aurait-il pu être tué?

– Il n'est certes pas invincible, soupira sa fille, mais tels sont les risques qu'il a accepté de courir pour nous.

– C'est un homme très brave, dans ce cas.

Il manipula magiquement la plume sur la feuille blanche jusqu'à ce que cette illustration, beaucoup plus complexe que toutes les autres, soit terminée.

– J'ai peine à croire ce que je vois, avoua-t-il.

Esther n'osa pas lui dire que le monde avait très peu évolué depuis cette guerre et que les hommes continuaient de s'entretuer sur toute la planète, bien souvent pour des imbécillités.

– Ce sera tout pour le moment, père. Merci, encore une fois.

– Vous n'avez qu'à m'appeler si vous avez besoin de moi, ma chérie.

Il lui fit un baisemain et disparut. Au même moment, dans la salle à manger, Samuel sirotait sa bouteille d'eau, perdu dans ses pensées. Quand il leva finalement le regard de son assiette vide, il aperçut Stuart, à quelques pas de lui.

– Je pensais justement à toi! s'exclama le musicien.

– Je sais.

– Cette fois, j'ai franchi une porte qui m'a mené tout droit à la Seconde Guerre mondiale. Je ne me suis pas battu pour notre patrie. Je n'ai contribué à notre victoire qu'en remplissant les réservoirs des avions de chasse sur une base militaire en pleine attaque aérienne.

– Par choix?

– Quand j'arrive dans une autre époque, il faut que je me mêle à la population pour éviter de me retrouver en prison ou, pire encore, dans un asile d'aliénés.

– Tu sais ce que je pense de la guerre, Samuel.

– Depuis ma tendre enfance, tu n'as cessé de me répéter que tout conflit pouvait être réglé sans faire couler le sang. Mais c'étaient des Allemands qui nous attaquaient! Et du haut des airs, en plus! Ton oncle Lionel commandait une escadrille qui avait pour mission de les décourager de poursuivre leur offensive.

– Est-ce que tu te rends compte que tu aurais pu être tué?

– Oui, c'était très dangereux, mais dis-moi pour une fois dans ma vie que tu es fier de moi...

Stuart soupira avec découragement.

– Je ne voudrais pas que tu penses que je t'encourage à multiplier ce type d'expériences, Sam. Mais, au fond de moi, je dois avouer qu'il y a un petit brin de satisfaction que tu aies botté les fesses des Allemands.

– Je n'ai pas abattu d'appareils ennemis comme Lionel l'a fait, mais en fournissant du carburant à nos avions, c'est tout comme, non?

– Tu as raison, mais s'il te plaît, ne recommence pas.

– J'ai marqué la porte de Lionel, alors je ne l'ouvrirai pas deux fois.

– Ça me rassure de l'entendre. Mais dis-moi, que feras-tu si tu finis par ouvrir la mienne?

– Je n'y ai jamais pensé... Peut-être que j'essaierais de te mettre en garde contre ce client qui t'a tué, mais je doute que tu prennes mon avertissement au sérieux, parce que tu disais toujours que j'avais trop d'imagination.

– Il est vrai qu'à une certaine époque, tu voyais des complots partout.

– Je suis peut-être doué d'une sorte de prescience...

– Et voilà que ça recommence, soupira Stuart en souriant. Promets-moi de faire très attention lorsque tu retourneras dans le passé, peu importe où tu te retrouveras.

– Je te le promets, papa.

Stuart secoua la tête et disparut.

CHAPITRE 15

Repu et content d'avoir pu discuter avec son père d'une façon plus amicale que de son vivant, Samuel alla marcher autour de l'étang. Il s'arrêta à l'autre extrémité, qui faisait face au château, au loin, et s'assit sur le banc de parc en ramenant ses jambes contre sa poitrine. Même s'il était de retour dans cette oasis de tranquillité et de paix, les dernières images du bombardement et la douleur de sa chute continuaient à jouer dans sa mémoire. Il revit les soldats blessés à l'infirmerie et le personnel médical qui travaillait d'arrache-pied pour les soigner. «Les hommes ne devraient pas s'entretuer ainsi», songea-t-il. «Nous sommes tous des âmes semblables emprisonnées dans des corps différents qui sont venues jusqu'ici pour vivre de saines expériences. Au fond, nous sommes tous frères et sœurs, parce que nous faisons tous partie d'un grand tout.»

Clara arriva sur le sentier et s'approcha de lui. Elle portait la même robe noire toute simple que lorsqu'elle l'avait emmené manger quelques minutes avant son départ de New York, ainsi que son petit chapeau rond et ses éternelles perles dans son cou.

— Ça ne va pas, mon beau Samuel? s'inquiéta-t-elle en voyant sa mine affligée.

— J'arrive tout juste de la vie de Lionel.

— Vraiment?

Elle prit place près de lui sur le banc ou, du moins, fit semblant de s'asseoir comme tous les fantômes plus âgés savaient le faire.

– C'est ce qui te met tout à l'envers?

– Je n'ai jamais été soldat et je n'avais participé à aucune guerre avant hier. C'est une expérience traumatisante. Je ne sais même pas comment ces hommes ont pu s'en sortir indemnes dans leur tête après toutes ces années. Je n'ai passé que vingt-quatre heures sur une base aérienne en Angleterre et j'en suis encore secoué.

– Certains hommes sont faits plus forts que d'autres, c'est sûr, mais parmi les militaires que j'ai connus, beaucoup n'étaient braves qu'en façade. Ils faisaient encore des cauchemars la nuit.

– J'espère que ça ne m'arrivera pas.

Clara comprit que ce n'était pas une bonne idée de continuer à lui parler du côté sombre des conflits armés. Une partie du métier qu'elle avait exercé à New York consistait justement à faire oublier à ses clients leurs misères et leurs soucis.

– Alors, tu as vu mon grand garçon en pleine action? fit-elle mine de se réjouir.

– Pour ça, oui. Je ne sais pas s'il vous l'a déjà dit, mais il se passionnait pour son travail de pilote de chasse et il y excellait.

– Les quelques fois où je l'ai revu après son départ pour l'Angleterre, il ne m'en a jamais parlé. Je pense qu'il savait à quel point il m'aurait terrorisée s'il m'avait raconté ses manœuvres dangereuses et toutes les fois où il avait failli être abattu. J'ai eu peur pour lui tous les jours qu'a duré cette guerre insensée de l'autre côté de l'océan.

– Et vous aviez bien raison. J'avais entendu parler de toutes ces atrocités dans mes cours d'histoire, mais je n'avais aucune idée de ce que ça représentait vraiment pour un soldat. Sur la base où je me suis retrouvé, tous les hommes avaient peur, mais ils faisaient leur travail quand même. Certains sortaient à peine de l'adolescence, mais ils voulaient sauver leur pays. Je regrette de ne pas leur avoir dit qu'ils allaient finir par l'emporter sur les Allemands.

— Tu aurais voulu qu'ils te prennent pour un prophète? le taquina Clara.

— Non, mais j'aurais pu leur donner un peu de courage.

— Samuel, chaque personne est responsable de son destin et pas de celui des autres. Mets-toi ça dans la tête tout de suite. De toute façon, un seul homme ne peut pas changer le cours de l'histoire, à moins de s'appeler Hitler, évidemment. Les choses se sont passées ainsi parce qu'elles devaient se passer ainsi.

— Je ne peux m'empêcher de penser que si j'avais été moins pris de court, j'aurais pu faire quelque chose pour désamorcer le conflit.

— On ne pourra jamais dire que tu manques d'ambition, en tout cas. D'après ce que Ben m'a raconté sur le tyran qui menait l'Allemagne avec une main de fer, il n'était pas très ouvert aux compromis. Tu ne te serais jamais rendu jusqu'à lui, surtout en vingt-quatre heures, et si tu avais réussi par le plus grand miracle, à mon avis, il t'aurait tiré une balle dans le cœur dès que tu aurais prononcé le mot «paix». Ce que ce monstre voulait, c'était ni plus ni moins dominer le monde entier. Il n'aurait pas laissé un pianiste le priver de ce qu'il convoitait.

— Vu sous cet angle...

— Mes angles sont toujours les meilleurs, ricana Clara.

«Il n'y a jamais moyen d'avoir une conversation sérieuse avec elle», comprit Samuel.

— En tout cas, je suis vraiment content de n'avoir jamais connu la guerre durant ma vie, soupira-t-il. C'est trop horrible.

— Et tu me dis que mon Lionel s'y plaisait?

— J'ignore s'il aimait vraiment abattre de pauvres types qui ne faisaient que leur travail, mais il défendait sa patrie avec la fureur d'un lion. Il ne pensait même pas à sa propre sécurité. Je ne peux qu'imaginer l'inquiétude qui rongeait les pères et les mères qui savaient que leurs enfants mettaient leur vie en danger de cette façon.

– Vrai, mais en même temps, les parents veulent aussi qu'ils soient heureux. Au fond, ce que tu viens de m'avouer me fait du bien. Lionel m'a beaucoup manqué, mais il a mené la vie dont il avait envie, tout comme moi et tout comme son grand-père Sidney. Pour Jonas... enfin, on repassera.

Clara se leva, tout sourire.

– J'ai tout ce qu'il faut pour te dérider dans mon nouveau palace, tu sais, sauf Heather, les pâtisseries, les thés «spéciaux» et mes musiciens de jazz, mais je suis capable de reproduire leur musique. Viens donc faire un tour, ce soir.

– J'y penserai.

– Si je pouvais te serrer contre moi et te mettre du rouge à lèvres partout sur le visage pour te rassurer, je le ferais.

– Ouais... j'imagine.

– Tata!

Clara poursuivit sa route autour de l'étang, mais disparut au premier tournant. Thorfrid attendit d'être bien certaine qu'elle ne reviendrait pas avant de se matérialiser à son tour entre deux arbres derrière Samuel.

– Je ne me suis jamais battue non plus, mais j'en ai toujours rêvé! lança-t-elle.

Le pauvre musicien sursauta et faillit tomber sur le sol. Il se retourna, le cœur battant la chamade.

– Vous ne pourriez pas vous annoncer avant de faire ce genre de déclaration?

– Pourquoi m'annoncer quand je suis déjà ici? s'étonna la Valkyrie.

– Ça ne faisait probablement pas partie de vos mœurs, mais dans mon siècle, les gens disent d'abord bonjour.

– Sans savoir s'il sera vraiment bon?

– On oublie ça, d'accord? Je ne crois pas que vous auriez aimé la guerre de Lionel pendant laquelle l'ennemi laissait tomber des bombes partout. Dès qu'elles touchaient le sol, elles explosaient et détruisaient tout en plus de tuer et de blesser des gens.

– Comment faisait-il pour les lancer à partir du ciel? demanda Thorfrid, qui n'avait pas compris que le musicien tentait de lui illustrer les horreurs du conflit mondial. Possédaient-ils des chevaux ou des loups ailés?

– Non, des avions. Ce sont des machines volantes. Ils y chargeaient leurs engins meurtriers.

– Des avions...

Une feuille apparut sur le banc près de Samuel. Il la souleva et y découvrit le dessin de lui-même au beau milieu de la piste tandis que les avions atterrissaient de chaque côté de lui. Il le retourna aussitôt vers la Valkyrie.

– Voilà à quoi ressemble un avion.

– Ah, c'est un oiseau, donc.

– Ce n'est pas un animal, mais plutôt un appareil de locomotion aérienne en métal qui ne bat pas des ailes, même s'il en a, et qui est propulsé par un moteur.

– Où sont les bombes?

– Sous le fuselage.

– Le quoi?

– Dans leurs pattes, répondit Samuel en utilisant une imagerie qu'elle pourrait comprendre.

– Ah... Les Vikings auraient aimé en avoir. Peux-tu m'en construire un?

– En papier, peut-être...

– Serait-il capable de transporter une bombe?

– Je suis un musicien, pas un ingénieur en aéronautique. Non seulement je n'ai jamais appris à fabriquer de tels appareils, mais il n'y a sur ce domaine aucune composante qui permettrait de le faire.

– Je sais qu'Esther réussit à sortir d'ici. Elle pourrait te rapporter tout ce qu'il te faut.

– C'est malheureusement un tour de force dont elle serait incapable, malgré toute sa bonne volonté. Mais je peux lui demander de me procurer un livre sur les avions de guerre.

– Je ne sais même pas lire.

– Vous pourriez en étudier les nombreuses illustrations, par contre. Il est bon de diversifier ses intérêts.

Thorfrid prit quelques secondes pour y penser.

– Tu pourrais m'en sculpter un, proposa-t-elle en dissimulant très mal un sourire moqueur.

– Ce serait certainement plus facile qu'un buste, soupira Samuel. Je verrai si mon mentor m'appuie dans cette démarche, car il n'a probablement aucune idée de ce qu'est un Spitfire.

– Un quoi?

Pendant un instant, Thorfrid lui fit penser à Emily quand elle avait quatre ans avec ses incessants «qu'est-ce que» et «pourquoi»...

– Les fabricants d'avions leur donnaient des noms différents.

– Ah, je comprends... Les Valkyries en donnent aussi à leurs loups.

– Exactement.

– Si tu veux un bon conseil, arrête d'être triste. Ce n'était pas ta guerre et elle est finie depuis longtemps. Prépare-toi pour la tienne.

Thorfrid disparut en lui servant un dernier regard féroce.

– Je ne suis pas triste... murmura Samuel. Je suis troublé...

Il resta assis sur le banc tout l'après-midi et étudia le dessin de Henry sous tous ses angles, de plus en plus étonné par le réalisme de celui-ci. «On dirait presque une photographie en noir et blanc», songea-t-il. Il abaissa finalement la feuille et promena son regard sur l'étang. Dans leur embarcation, Halvor et Svend continuaient de pêcher des poissons qu'ils ne pouvaient pas attraper.

– Difficile à croire qu'ils font ça depuis huit cents ans... laissa échapper Samuel.

Un peu plus loin, les trois dragons jouaient dans l'eau sans se préoccuper des fantômes.

– J'aime bien tous ces pauvres gens, mais je n'ai pas du tout envie de passer l'éternité avec eux dans cet endroit sans espoir.

Il revint sur la terrasse juste à temps pour voir le soleil se coucher, puis alla jouer un peu de piano dans le salon avant de s'attabler devant des fettucines au poulet et de la salade verte à l'huile d'olive et au vinaigre de cidre. Sous sa forme invisible, Esther l'observa pour tenter de comprendre ce qu'il ressentait et pourquoi il manquait d'entrain. C'était très important pour ce nouveau roman qu'elle avait commencé. Au bout d'un moment, elle comprit que ce n'était pas cet épisode précis de ses aventures qui le mettait dans un état pareil, mais tout ce qui se passait sur la planète. Samuel venait de se rendre compte que le monde dans lequel il vivait n'avait pas du tout évolué. Des despotes continuaient de s'élever qui étaient prêts à tout pour exercer leur autorité tyrannique sur leur propre peuple et sur ceux qui les entouraient. «C'était déjà commencé à mon époque», se dit la bonne. Sauf que les hommes n'avaient pas encore inventé ces horribles machines de guerre. Elle le laissa terminer son repas en paix et retourna à la bibliothèque.

Samuel eut de la difficulté à terminer ses pâtes et laissa les derniers morceaux de laitue dans son assiette. Il se demanda si le whisky se trouvait toujours au salon.

– Il serait préférable que j'arrête de me consoler avec l'alcool, tenta-t-il de se persuader.

Il quitta la salle à manger et fit quelques pas vers l'âtre majestueux, où brûlait toujours un bon feu. La bouteille trônait sur son guéridon. Samuel en fit le tour plusieurs fois, puis décida de se diriger plutôt vers le palace, duquel s'échappait déjà une musique enlevante. Il mit le nez dans la porte, sans savoir s'il voulait y entrer. Quelle ne fut pas sa surprise d'apercevoir Isabel en compagnie de Clara et des enfants. Sa longue robe marron remontée jusqu'à ses genoux, la potière tentait de son mieux de copier les mouvements de la New-Yorkaise et, apparemment, avec beaucoup de plaisir.

    – Ça te ferait du bien, fit une voix derrière lui.

Samuel fit volte-face et trouva Rose devant lui, sa poupée à la main.

    – Et à toi?

    – Je n'aime pas cette musique. Je préfère celle de mon père.

    – Ce n'est pas ce qui joue qui est important, Rose. C'est comment on se sent à l'intérieur quand on participe à une activité de groupe.

    – Je n'aime pas les groupes.

    – Si j'y vais, tu y vas aussi.

    – Pourquoi?

    – Parce que ça me ferait plaisir.

Rose étudia sa proposition pendant un instant.

    – Vois comment les autres enfants s'amusent.

    – Je ne suis pas comme eux. J'ai été noyée.

    – Daisy et Charlotte ont été brûlées vives. Je pense que ça s'équivaut, non? Pire encore, Elizabeth et Edward ont été assassinés sur un autel de sacrifices. Allez, un petit effort... pour moi...

Samuel savait bien qu'il ne pouvait pas lui prendre la main ni la forcer de quelque façon que ce soit. Il fallait que ce soit sa propre décision. La fillette se plaça à côté de lui pour regarder dans la grande pièce au plancher brillant, décorée de ballons, de plumes d'autruche et de cristaux.

    – Quelques minutes seulement, lâcha-t-elle.

    – Ça me va. Après vous, mademoiselle.

Elle s'avança prudemment vers les danseurs.

    – Rose! s'exclama Daisy en l'apercevant. Il était à peu près temps!

Les enfants se précipitèrent sur elle et, contrairement à Samuel, ils pouvaient la toucher. Ils lui agrippèrent les bras et l'entraînèrent au milieu de la salle.

– Je ne sais pas danser comme ça, protesta la fillette, renfrognée.

– On ne le savait pas non plus les premières fois, l'encouragea Elizabeth. Mais c'est facile!

– Samuel! l'appela alors Clara. Viens voir qui me rend visite, ce soir!

Isabel lui décocha un regard timide. Pour ne pas la mettre mal à l'aise, le musicien se joignit aux deux femmes en exécutant les mouvements de charleston de son mieux.

– Je vous avais dit que c'était défoulant, chuchota-t-il à l'oreille de la potière.

– Complètement fou, vous voulez dire, mais j'aime bien.

Finalement, Samuel oublia toutes ses pensées négatives pour se laisser emporter par la musique et la magie du palace de Clara. «Je vais encore le regretter demain matin», se dit-il. Mais Isabel avait tellement de plaisir qu'il ne pouvait pas partir tout de suite. «Au moins, ici, personne ne viendra troubler notre fête», se dit-il en se rappelant comment le mari d'une cliente de Clara avait bien failli faire un malheur à New York. Il se mit alors à exagérer ses mouvements, ce qui fit rire les enfants et surtout Clara, qui ne l'avait jamais vu d'aussi belle humeur.

CHAPITRE 16

Rose quitta le palace bien avant Samuel, qui, déchaîné, semblait ne plus vouloir partir. «Au moins, il est en sécurité, ici», se dit-elle. Isabel possédait des pouvoirs que les autres n'avaient pas. Elle pourrait le protéger, au besoin.

La fillette passa la nuit autour de la fontaine. Tant qu'elle coulait, la sorcière ne se trouvait pas dans les parages. C'était Rose qui avait compris la première que tout le domaine était la création de cette vilaine femme, une prison pour les âmes qu'elle voulait continuer de torturer. Mais personne n'avait voulu l'écouter, jusqu'à l'arrivée de Samuel... «Tout ça juste pour punir Ulrik», grommelait souvent la fillette.

Malgré son jeune âge, elle voyait bien que le châtiment était disproportionné. «Samuel va nous sortir d'ici.» C'était pour cette raison qu'elle le surveillait étroitement. Il devait rester en vie jusqu'à la fin. Rose était prête à tout pour sortir du château et libérer son père et son frère. Quant aux autres descendants, même si elle les croisait régulièrement, elle les ignorait pour la plupart. En fait, elle ne parlait vraiment qu'aux enfants et quelques fois à Esther. Jamais à Ulrik. «Je suis coincée ici à cause de lui...»

Comme chaque matin, Rose regardait le soleil se lever, sa poupée pressée contre sa poitrine, lorsque la fontaine émit un curieux son. Inquiète, elle se retourna et vit que le jet s'était transformé en un mince filet qui retombait d'un seul côté dans le bassin. «Elle ne devrait pas être ici», paniqua l'enfant. «Samuel vient à peine de rentrer de la porte de Lionel!»

La fillette laissa tomber la poupée et courut dans la forêt, en direction de la grotte. Elle allait s'élancer sur le sentier lorsque son instinct lui ordonna de s'arrêter. Rose ralentit sa course et s'immobilisa. Entre les arbres, elle vit marcher Sortiarie, vêtue de son éternelle tunique marron retenue à la taille par un gros cordon grossier. «Elle ne se dirige pas vers la grotte», constata Rose. Elle la suivit donc à distance pour savoir où elle allait et se rendit bientôt compte qu'elle marchait vers le château! Mais avant de sortir des bois, la sorcière changea complètement d'apparence et passa de vieille femme à séductrice en un clin d'œil. Elle portait désormais une belle robe noire et ses cheveux blond platine coulaient en grosses boucles dans son dos. «Samuel ne la reconnaîtra pas et il se fera prendre comme un rat!»

Rose se rendit magiquement sur la terrasse, car habituellement, à cette heure, le musicien venait de terminer son repas et sortait prendre l'air. Elle marcha jusqu'à la balustrade et promena le regard sur le domaine. Samuel marchait déjà autour de l'étang et, sans le savoir, il était sur une trajectoire qui allait le mener tout droit dans les bras de Sortiarie! Sans perdre une seconde, l'enfant se transporta devant le descendant numéro quarante-six, et ouvrit les bras en croix, le forçant à s'arrêter brusquement.

– Rose! Comment vas-tu?
– Si tu tiens à la vie, suis-moi et tais-toi.
– Que se passe-t-il?
– La sorcière est ici. Si elle te trouve, elle va te tuer.

Samuel n'eut pas besoin qu'elle lui en dise plus. Il courut derrière Rose, qui contourna l'étang le plus rapidement possible, puis s'arrêta devant la palissade de roseaux.

– Là-dedans, tout de suite! ordonna-t-elle au musicien.
– Quoi?
– Ne discute pas!

Samuel mit les pieds dans l'étang et écarta les longues tiges. Il avança jusqu'à ce que l'eau lui atteigne les genoux.

– Assis! le pressa Rose.

Le pauvre homme était trop effrayé pour même penser qu'il puisse s'agir d'une farce d'enfant. Il lui obéit en frissonnant tellement l'eau était froide. Entre les quenouilles, il aperçut alors, de l'autre côté du grand bassin, une dame inconnue qui marchait en direction du château.

– Ce n'est pas la vieille femme que j'ai vue dans la vie de Sidney, chuchota-t-il. Es-tu sûre que c'est la sorcière?

– Je t'ai dit de te taire.

Sortiarie s'arrêta brusquement et se tourna vers les roseaux. Samuel sentit son sang se glacer dans ses veines. Au moment où il allait se décider à fuir en direction opposée, les trois dragons se mirent à faire des sauts enjoués hors de l'eau au milieu de l'étang en poussant des cris aigus.

– Ils doivent beaucoup t'aimer pour te protéger comme ça, murmura Rose.

– Peut-elle leur faire du mal?

– Non. Ce sont les seules créatures du domaine sur lesquelles elle n'a aucun pouvoir.

Sortiarie observa les jeux des trois bêtes pendant un moment et conclut qu'elles n'auraient pas agi de la sorte si un intrus s'était trouvé dans les parages. Celui qu'elle cherchait se cachait donc dans son château. Elle poursuivit sa route sans se presser, persuadée que l'insolent ne pouvait pas lui échapper maintenant, puis gravit les marches de la terrasse. Sans la moindre difficulté, elle passa au travers de la porte et se rendit dans le vestibule, au pied du grand escalier. Elle grimpa jusqu'au milieu des marches et claqua des doigts pour forcer les fantômes à se rassembler devant elle.

– Qu'est-ce que je fais? demanda Samuel, toujours dans l'eau jusqu'à la taille.

– Reste ici jusqu'à ce qu'elle soit partie. Je vais...

L'enfant disparut d'un seul coup.

– Rose?

157

Sans l'avoir désiré, la fillette réapparut dans le vestibule au milieu de tous les descendants qui protestaient contre le fait d'être là. Elle ne comprit ce qui venait de se passer qu'en voyant la sorcière debout dans l'escalier, les mains croisées sur la poitrine, un sourire maléfique sur le visage.

– Pour ceux qui n'ont pas eu le bonheur de me rencontrer lors de leur mort, je suis votre exécutrice, commença-t-elle d'une voix suave.

Le silence tomba sur l'assemblée spectrale.

– Je me souviens fort bien des autres, poursuivit la sorcière. J'espère que vous vous plaisez ici en attendant que je décide enfin de votre sort.

Ulrik se fraya un chemin entre ses descendants pour aller se placer devant eux en se disant que si quelqu'un devait écoper d'une nouvelle punition, ce devrait être lui. À l'arrière du groupe, Thorfrid n'avait pas encore bougé le petit doigt, car cette femme dans l'escalier ne ressemblait pas du tout à celle qui l'avait fait imploser sur les côtes de l'Angleterre. Pouvait-il y avoir deux sorcières?

– Il y a sur mon domaine une énergie qui ne devrait pas y être, leur dit Sortiarie. Quelqu'un y est-il entré sans que je l'aie d'abord tué?

Les fantômes gardèrent le silence. Thorfrid dut en venir à l'évidence qu'elle avait adopté une apparence moins revêche pour s'adresser à eux mais que c'était bel et bien la vieille femme qui l'avait dupée.

– Si j'offrais de libérer l'âme de celui ou celle qui me fournira ce précieux renseignement, est-ce que cela suffirait à vous délier la langue?

– Nous savons tous ce que vaut votre parole, lâcha Ulrik.

– Tiens donc... Le responsable de votre cruel sort serait-il devenu votre chef?

– Je me contenterai de parler en leur nom.

Thorfrid serra les poings pour maîtriser sa colère car, contrairement à son père, elle n'aurait pas parlementé avec cette

harpie. Elle aurait foncé sur elle pour lui arracher le cœur...
mais en avait-elle un?

– Ça ira, j'imagine... soupira Sortiarie. Alors, si tu veux
enfin sortir d'ici, Viking, tu dois me dire où se cache celui ou
celle qui a osé pénétrer dans mon château.

– Le dernier arrivé, c'est Stuart, mon quarante-cinquième
descendant.

L'avocat, père de Samuel, le confirma d'un mouvement de
la tête.

– Ne joue pas au plus fin avec moi. Tu pourrais le regretter amèrement.

La sorcière regarda tous les visages un à un.

– J'ai doté deux d'entre vous de pouvoirs accrus pour
mieux me servir, siffla-t-elle entre ses dents.

Esther et Isabel lui bloquèrent aussitôt leurs pensées. Il
n'était pas question qu'elles dénoncent Samuel sous la con-
trainte magique.

– Je ne me souviens pas que tu aies été l'un des deux,
Viking, continua Sortiarie.

– Mais vous ne savez plus qui vous avez choisi, répliqua
Ulrik. On oublie tellement de choses en neuf cents ans.

La sorcière disparut et réapparut devant le Scandinave
avant qu'il ait pu battre des paupières, le saisissant à la gorge
d'une seule main, et se dématérialisa avec lui.

– Est-ce qu'elle va le jeter en enfer? s'effraya le jeune
Edward.

– Du calme, tout le monde! exigea Andrew en allant se
placer devant le groupe. Nous savons tous de quoi elle est
capable, mais si elle n'a pas encore dévoré notre âme depuis
que nous sommes ici, c'est fort probablement parce qu'elle ne
le peut pas.

– Bien dit, l'appuya Stuart.

– Est-ce qu'on reste ici jusqu'à ce qu'elle revienne nous
faire subir le même sort? grommela Lionel.

– Nous allons tous attendre pour voir la suite des choses, rectifia Andrew.

– Et surtout, ne lui parlez pas de qui vous savez, ajouta Esther. Notre salut en dépend.

– Sur ce sujet, nous sommes tous d'accord, intervint Rose.

Pendant ce temps, Sortiarie venait de réapparaître dans le couloir des portes avec son prisonnier. Elle le libéra et planta son regard dans le sien. Ulrik était étonné qu'elle ait pu se saisir de lui aussi facilement. Était-elle un fantôme elle-même?

– Quelqu'un a-t-il ouvert ces portes? demanda-t-elle sur un ton qui lui ressemblait davantage.

Pour qu'elle ne remarque pas les inscriptions gravées par Samuel sur quelques-unes d'entre elles, Ulrik se mit à arpenter le corridor pour retenir son regard sur lui.

– Tu ne peux pas m'échapper et tu le sais très bien.

– Aucun d'entre nous ne peut les ouvrir, car nos mains passent au travers des poignées, répondit-il le plus innocemment du monde. Nous avons essayé.

– Cachez-vous quelqu'un sur mon domaine?

– Comment serait-ce possible? Il faut être mort pour entrer ici et nous n'avons tué personne.

Sortiarie leva la main et une force brutale écrasa Ulrik sur le mur en pierre, entre deux portes. Il grimaça de douleur, étonné d'éprouver de la souffrance, car en principe, il n'avait plus de corps physique.

– Tu sais ce qu'il pourrait t'en coûter si tu me mens, Viking?

– Quand votre colère sera-t-elle enfin apaisée? réussit-il à articuler.

– Vous m'avez privée de ce que j'avais de plus précieux. Je vous rends la pareille.

– Ce n'était qu'une maison...

– Où dormaient mes enfants! Pour la dernière fois, où cachez-vous l'intrus?

– Nous ne cachons personne...

La sorcière poussa un terrible cri de rage et disparut. Ulrik fut aussitôt libéré de l'impressionnante pression qu'elle avait exercée sur son corps. Sans perdre une seconde, il courut jusqu'au bout du corridor et se posta devant la fenêtre juste à temps pour voir le filet d'eau redevenir un fort jet au milieu de la fontaine. «Odin soit loué, elle n'est plus là...» se rassura-t-il. Il s'empressa donc de redescendre le grand escalier sous les yeux de ses descendants, qui parurent surpris de le revoir.

– Est-elle partie? demanda Andrew.

– La fontaine a recommencé à couler, répondit Ulrik.

– Et moi, je le sais quand elle se trouve sur le domaine, intervint Rose. Je connais son énergie et je vous assure qu'elle nous a quittés.

– Pour aller où? demanda Anwen.

– Dans le monde des vivants.

– Où est Samuel? s'inquiéta Esther. Je ne sens plus sa présence.

– Il est dans l'étang où les dragons le protègent, la rassura l'enfant. Mais il ne pourra pas y rester toute la semaine.

– Que se passera-t-il si la sorcière lui met la main dessus? s'enquit Clara, qui avait perdu son sourire légendaire.

– Elle le tuera, c'est sûr, affirma Thorfrid.

– Et nous serons coincés ici pour toujours, déplora Ambrose.

– Nous devons donc faire en sorte que ça n'arrive jamais, recommanda Sidney.

– Comment pourrions-nous l'en empêcher? s'étonna William. Vous avez tous vu ce qu'elle est capable de faire?

– Andrew, Isabel et moi nous sommes longuement penchés sur la question et j'ai finalement trouvé une solution, les encouragea Esther. J'ai enchanté de gros coffres en bois que j'ai commencé à disperser partout sur le domaine. Je vous prierais donc de ne pas les déplacer, car ils serviront à masquer à la sorcière la présence de Samuel lorsqu'il se cachera à l'intérieur.

— Tu les as enchantés? s'étonna Jacob. Mais pourquoi suis-je incapable d'en faire autant?

— Sortiarie vient tout juste de nous l'apprendre, intervint Stuart. Elle n'a accordé qu'à deux d'entre nous des pouvoirs supplémentaires.

— À qui? demanda Gulbran en se grattant la tête.

Thorfrid lui administra une claque dans le dos.

— Même moi, j'ai compris que c'était à Esther.

— Et l'autre?

— C'est moi, leur apprit Isabel. Mais nous ignorons pourquoi elle nous a choisies.

Quelques-uns des spectres exprimèrent leur déception de n'avoir pas fait partie de ses préférences.

— C'est une excellente stratégie, déclara Lionel, pour qu'ils ne s'arrêtent pas à ce détail. Mais combien de temps fonctionnera-t-elle?

— Il faut que ce soit jusqu'à ce que Samuel nous libère, estima Anwen.

— Ce qui pourrait nécessiter encore des semaines, puisqu'il n'arrête pas d'ouvrir les mauvaises portes, soupira Andrew.

— Parce que personne ne sait ce qui est écrit sur chacune, lui rappela Rose.

Les fantômes se mirent à protester tous en même temps. Au milieu de l'escalier, Ulrik leva les bras pour réclamer leur attention et finit par rétablir le silence.

— La plupart d'entre vous êtes ici depuis des centaines d'années et vous ne pouvez pas attendre quelques jours de plus?

— Si tu avais appris à lire, nous serions déjà partis depuis longtemps, lui fit remarquer Thorfrid, mécontente.

— J'avais une terre à cultiver et une petite fille à élever, si tu te rappelles bien.

— Cessons de nous quereller, je vous en prie, les avertit Esther. C'est exactement ce que veut la sorcière. En nous montant les uns contre les autres, elle espère que l'un d'entre nous finira par vider son sac. Pensez à notre salut et restons unis.

– Esther a raison, l'appuya Isabel. Ne dénonçons pas Samuel. Il est notre seul espoir.

Le silence des fantômes fit croire aux deux femmes qu'ils avaient tous compris que si Sortiarie mettait la main sur Samuel, leur captivité ne prendrait jamais fin.

– Puis-je vous suggérer, si jamais Sortiarie vous isole sur le domaine, de chasser entièrement Samuel de vos pensées? fit alors Andrew.

– C'est une excellente idée, le soutint Ulrik.

– Maintenant, vaquez à vos occupations habituelles, leur recommanda Andrew.

– Et arrêtez de vous en faire, ajouta le Viking. Ne donnez pas à la sorcière plus de pouvoirs qu'elle n'en a.

Un par un, les spectres se dématérialisèrent jusqu'à ce qu'il ne reste plus qu'Ulrik, Andrew, Esther et Isabel.

– Nous l'avons échappé belle, laissa tomber la potière, soulagée.

– Votre idée des coffres est excellente, les félicita Ulrik. Expliquez-la à Samuel le plus rapidement possible. Sortiarie pourrait fort bien revenir.

– Ce sera fait, affirma Esther.

CHAPITRE 17

Toujours assis dans l'étang, Samuel n'osait plus bouger. Il balançait entre l'envie de fuir à toutes jambes pour sortir du domaine par où il y était entré et celle de rester dans l'eau pour toujours.

Quand la sorcière eut poursuivi sa route sur le sentier et que Rose fut disparue, les dragons cessèrent de jouer et se rapprochèrent de lui. «Rappelle-toi qu'ils t'aiment, Sam...» se répéta-t-il pendant qu'ils formaient un cercle autour de lui. Ils se couchèrent comme de bons chiens, chacun surveillant un côté de l'étang. «Pourquoi est-ce qu'ils détestent cette femme?» se demanda-t-il. «Les a-t-elle aussi tués?»

Le pauvre homme tremblait de tous ses membres, mais il n'osait pas bouger. Au bout d'un moment, quand il fut bien certain que les bêtes n'allaient pas lui faire de mal, il commença à se détendre. «Finalement, je me demande si c'est plus dangereux de franchir une des portes ou de rester ici», songea-t-il.

Soudain, entre les roseaux, Samuel vit passer Sortiarie en sens inverse. Elle semblait furieuse. Tandis qu'elle marchait, ses vêtements redevinrent ceux qu'elle portait à New York. Elle ne jeta même pas un œil vers lui, cette fois. Les dragons devaient posséder une magie qui le gardait des pouvoirs de la sorcière... ou était-ce l'étang lui-même? Dès qu'elle atteignit le bout du sentier, elle s'évanouit comme un mirage.

– Samuel?

Le musicien poussa un cri de terreur qui fit fuir les dragons.

Pendant qu'ils plongeaient dans la partie profonde de l'étang, Samuel fit volte-face et aperçut Esther et Rose sur la berge.

– Vous pouvez sortir de là, maintenant, l'invita la bonne.

– Où est allée la sorcière? demanda-t-il avant de se décider à bouger.

– Elle est retournée à Londres.

– Emily...

– Ne vous inquiétez pas pour elle. Elle est en sécurité. Dépêchez-vous. Nous avons beaucoup de choses à vous dire.

Samuel sortit de l'eau tant bien que mal. Ses vêtements lui collaient à la peau et ses souliers faisaient des bruits de ventouse à chaque pas lorsqu'il grimpa finalement sur la pelouse.

– Je vais d'abord vous donner le temps de vous changer, lui dit Esther en le prenant en pitié.

– C'est gentil, merci.

Stupéfait, Samuel se retrouva instantanément dans sa salle de bain, où il dut utiliser toute sa force musculaire pour sortir de son jean trempé. Il se réfugia sous la douche en réfléchissant à ce qui venait de se passer.

Il était désormais persuadé que Sortiarie l'avait bel et bien aperçu à New York et qu'elle avait immédiatement déduit qu'il avait utilisé la porte de Sidney à partir du château.

Il l'avait échappé belle, mais la vengeance de cette femme ne connaissant aucune limite, elle n'allait certainement pas abandonner la chasse avant de l'avoir retrouvé. Il se sécha, enfila de nouveaux vêtements et prit le temps de s'asseoir sur son lit pour faire quelques exercices de respiration afin de se calmer. Lorsqu'il se sentit enfin prêt, il traversa dans la salle à manger. Esther et Isabel l'attendaient près de sa place, où reposait un verre de whisky. «Je ne devrais pas, mais...» Samuel alla s'asseoir et avala l'alcool d'un seul trait.

– Maintenant, si vous m'expliquiez ce qui s'est passé? demanda-t-il.

– Nous craignions que cela finisse par arriver, soupira Esther.

– Je savais bien qu'elle m'avait vu à New York et, comme elle avait déjà essayé de me tuer à Londres, elle savait exactement qui j'étais.

– Elle est méchante, mais loin d'être folle, confirma Isabel.

– Que suis-je censé faire, maintenant?

– Nous pourrions vous laisser partir et tenter votre chance dans votre siècle, commença Esther, ou nous pourrions vous garder ici et vous protéger de notre mieux jusqu'à ce que vous ouvriez la porte d'Ulrik.

– Votre protection suffirait-elle à me garder en vie?

– Nous avons réussi, aujourd'hui, lui fit remarquer Isabel.

– Sortiarie n'arrivera pas à vous tuer, affirma Esther avec un air brave. À partir de maintenant, vous allez pouvoir lui échapper n'importe où sur le domaine. Sachez d'abord que votre chambre est l'endroit le plus sûr du château. Je l'ai créée avec ma magie dans une pure bulle de protection.

– Je ne vais pas y passer le reste de mon séjour, au moins?

– Certainement pas, puisque dans quelques heures, vous aurez repris votre courage et que vous refuserez de céder à la peur.

– Ah oui?

– La peur est l'émotion la plus facile à détecter par les créatures surnaturelles. Vous devez la maîtriser en tout temps.

– Je ferai de mon mieux.

– Quant au reste du château et même du domaine en entier, je suis en train d'installer des dispositifs magiques que vous pourrez utiliser vous-même.

– La sorcière est-elle partie à Londres pour s'en prendre à ma fille et ainsi me forcer à me livrer? osa demander Samuel.

– Même si elle ratisse toute la ville, elle ne la trouvera pas, car j'ai jeté un sort au bijou que vous lui avez offert pour son anniversaire afin qu'il la rende invisible aux yeux de

Sortiarie. Cessez de vous inquiéter pour elle et concentrez-vous sur votre propre survie, Samuel.

– Je sais que je peux vous faire confiance, mais j'avoue que mes craintes ne seront pas faciles à faire taire.

Le verre d'alcool se remplit de lui-même et Samuel le but à petites gorgées, cette fois.

– Je vais vous laisser en compagnie d'Isabel pendant que je termine mes dispositifs de protection et je reviendrai avec un bon repas chaud dans une heure ou deux.

– Merci, Esther.

Elle disparut et Samuel prit le temps de terminer son verre avant de se tourner vers sa deuxième protectrice.

– Pourquoi ne pas me procurer un bijou enchanté à moi aussi? demanda-t-il.

– J'étais justement en train de me demander la même chose, avoua Isabel. J'en discuterai avec Esther. Je vous en prie, détendez-vous, Samuel.

– Sortiarie est-elle entrée dans le château?

– Nous ne voulions pas vous en parler pour ne pas ajouter à votre terreur, mais oui, elle s'est présentée dans le vestibule et nous y a tous rassemblés, contre notre gré.

– C'est donc pour ça que Rose a disparu. En passant, pourquoi n'est-elle pas ici avec vous?

– Elle monte la garde dehors.

– La sorcière vous a-t-elle fait du mal?

– Seulement des menaces, mais personne ne vous a trahi.

– C'est rassurant d'apprendre que mes ancêtres me soutiennent ainsi.

– Elle a un peu plus secoué Ulrik, par contre, mais il n'a rien dit non plus.

– Il est malheureux que je ne puisse pas franchir une porte par jour...

– Physiquement, ce serait trop vous demander, Samuel, lui fit remarquer Isabel. Lorsque vous êtes revenu de la porte de Jacob, vous n'auriez pas pu en ouvrir une autre dès le lendemain.

– Vous avez raison. Mais le temps commence à vraiment presser.

– Je sais.

Samuel se perdit dans ses pensées pendant quelques minutes.

– Avez-vous fini par maîtriser le charleston, en fin de compte? demanda-t-il.

– Pas tout à fait, mais je continue de m'y entraîner, quand personne ne me regarde, plaisanta la potière.

– J'ai eu du mal à suivre le rythme, moi aussi, les premières fois, et pourtant, je suis musicien. Mais c'est un exercice très défoulant.

– Racontez-moi ce que vous avez vu à New York.

Samuel se lança dans le récit de ses vingt-quatre heures dans cette ville où personne ne semblait jamais dormir. Isabel l'écouta attentivement, même si Esther lui avait déjà tout raconté, car elle savait que cette activité finirait par l'apaiser.

Tel que promis, Esther revint avec une pointe de tourte à la morue, au saumon, à l'églefin et aux petits pois en crème pour le repas du midi. Samuel ne cacha pas sa surprise, car c'était exactement le plat que lui préparait sa mère quand il avait de la peine.

– J'ai vraiment de la chance de vous avoir dans ma vie, toutes les deux... s'étrangla-t-il, ému.

Il n'avait pas vraiment faim, mais cette nourriture lui rappelait tellement sa vie de famille qu'il finit par manger. Isabel échangea un regard complice avec Esther. Elles attendirent qu'il ait terminé son assiette, puis une brioche au caramel et aux pommes la remplaça.

– Vous avez extirpé ces vieux souvenirs très loin dans ma tête, cette fois.

– Ils n'y étaient pas enterrés aussi profondément que vous le croyez, répliqua Esther avec un sourire.

Cet après-midi-là, Samuel aurait eu envie de s'occuper de ses fleurs et de travailler à la sculpture du bloc d'argile que Simon était convaincu de voir se transformer en un buste du musicien. Mais la crainte de tomber sur Sortiarie l'incita plutôt à rester à l'intérieur. Les fantômes avaient reçu l'ordre de veiller sur lui, alors il s'y sentait davantage en sécurité.

Il erra donc dans toutes les pièces, les examinant comme s'il les voyait pour la première fois, jusqu'à ce qu'un spectre qu'il n'avait jamais rencontré jusqu'à présent vienne carrément à sa rencontre dans le salon. Il était grand, portait une simple chemise blanche et un pantalon noir, mais il transpirait l'élégance. La forme de son visage rappelait celle d'Ulrik, mais ses cheveux étaient bruns et s'arrêtaient sur ses épaules. Il les portait coiffés vers l'arrière, mais il s'en échappait plusieurs mèches rebelles. Son regard était intense, presque incisif.

– Bonjour, Samuel. Je suis Henry, le père d'Esther.

– C'est vous, les dessins! se réjouit Samuel.

– Eh oui.

– Votre talent est incroyable. Où avez-vous appris à dessiner avec autant de réalisme?

– Je possédais déjà ce talent, enfant, et je passais tout mon temps à faire des portraits de ma sœur Émeline, ce qui la rendait complètement folle. Heureusement, ce don m'a servi plus tard dans la vie, car dans mon travail d'inventeur et d'ingénieur, il faut bien souvent dessiner ce qu'on a imaginé avant de le fabriquer.

– J'avais si hâte de faire votre connaissance, Henry. Je vous en prie, pourriez-vous me raconter votre vie?

– On ne m'a jamais fait une pareille requête, mais pourquoi pas? Je vous en prie, assoyez-vous.

Samuel ne se fit pas prier. Il prit place sur le sofa.

– Alors, voilà. Je suis un des deux enfants de Jacob Thompson, un pirate, et d'Amy Jones, une serveuse dans une taverne quelque part dans les Caraïbes.

– J'ai fait la connaissance de votre père derrière la seconde porte que j'ai explorée à l'étage.

– Alors, vous avez plus de chance que moi, car je ne l'ai rencontré qu'ici même, après mon arrivée au château. Mais cela n'a plus d'importance. Sachez que mon illustre père était parti piller des bateaux sur l'océan quand ma mère a découvert qu'elle était enceinte de jumeaux. Lorsqu'il est finalement rentré à la maison, Émeline et moi avions déjà six ans.

– Au moins, il est rentré...

– Trois semaines, pas plus. Puisqu'il devait repartir en mer, il a remis une petite fortune à ma mère pour qu'elle nous élève convenablement en son absence. Comme elle aimait trop sa vie de débauche pour s'embarrasser de deux gamins, elle nous a expédiés dans une bonne famille en Angleterre avec l'aide d'un avocat plutôt rusé qui n'envoyait de l'argent à ces gens que deux fois par année pour notre éducation. Il craignait qu'en leur fournissant toute la somme d'un seul coup, ils l'empochent et se débarrassent de nous. Nous avons donc grandi chez les Bourne et nous n'avons jamais revu nos parents.

– Les Bourne ont-ils fini par vous adopter?

– Malheureusement, non, puisque le contrat qui leur donnait accès à la fortune de Jacob leur défendait de changer notre nom de famille. Mais cette restriction n'a jamais empêché nos nouveaux parents de nous aimer et de nous procurer tout ce dont nous avons eu besoin pour devenir des adultes responsables... contrairement à nos parents biologiques.

– Le fait d'avoir été conçus par des gens aux mœurs douteuses ne vous a jamais nui dans la vie?

– Ma sœur et moi avions trop honte de nos origines pour les révéler à qui que ce soit. Nous regrettions de ne pas pouvoir être des Bourne, une famille vraiment respectée dans la société, mais nous avons fini par nous habituer à être des Thompson.

– Comment êtes-vous devenu ingénieur, Henry?

– Mes idées aussi audacieuses que celles de Leonardo da Vinci ont rapidement attiré l'attention de mes professeurs, qui ont encouragé mon talent puis m'ont dirigé vers de riches investisseurs. Émeline, qui avait également un esprit scientifique, et moi avons reçu de l'argent pour créer les machines que nous avions imaginées. À l'époque, le pays était en pleine révolution industrielle, alors nous étions très en demande.

– Quand avez-vous trouvé le temps de vous marier?

– J'ai rencontré ma femme lors d'une entrevue avec un banquier. Lucy était sa fille unique. Je pense qu'elle a aimé mon style un peu snob.

Son air moqueur fit sourire Samuel.

– Nous nous sommes mariés peu de temps après et nous nous sommes installés dans une grande maison non loin de celle de ses parents. J'ai évidemment insisté pour que ma sœur vive chez nous et en quelques semaines, nous avons transformé la moitié de la résidence en laboratoire. Lucy et moi n'avons eu qu'une seule fille, Esther.

– Qui est devenue une femme vraiment exceptionnelle, laissez-moi vous dire.

– Grâce à sa mère, puisqu'elle n'avait que dix ans quand j'ai perdu la vie.

– De quelle façon?

– La machine à vapeur sur laquelle Émeline et moi étions en train de travailler nous a explosé au visage. Heureusement, ma femme et ma fille étaient absentes, ce matin-là. La maison a été en grande partie détruite.

– La sorcière était-elle responsable de cette tragédie?

– Je n'en doute pas une seule seconde, car cette invention était tout à fait au point. Elle n'aurait jamais dû éclater en mille morceaux au premier essai. Esther m'a raconté, quand elle s'est réveillée au château, qu'après notre mort, les Bourne ont cessé de recevoir l'argent de notre mère biologique. Le père de Lucy ayant fait faillite, il n'a pas pu l'aider à reconstruire la maison. Elle a donc dû vendre le terrain pour aller vivre dans un petit appartement avec notre fille, ce qui me brise le cœur encore aujourd'hui.

– Je suis vraiment désolé que les choses se soient passées ainsi. Mais, comme vous le savez maintenant, nous avons tous souffert de la méchanceté de la sorcière.

Tout en conservant son air de noblesse, Henry hocha doucement la tête.

– Vous y connaissez-vous en ingénierie? demanda-t-il en s'efforçant de sourire.

– Je suis musicien...

– Venez. Je veux vous montrer quelque chose.

Samuel le suivit à l'extérieur du salon.

CHAPITRE 18

Henry emmena Samuel dans le vestibule et ouvrit une porte entre deux grands tableaux, que le musicien n'avait jamais remarquée auparavant. Ils descendirent alors sous le château par un étroit escalier en pierre.

— Je ne savais même pas qu'il y avait une cave, s'étonna Samuel. Qu'est-ce qui s'y trouve ? Une salle de torture ?

Henri éclata d'un rire franc.

— Tout dépend pour qui.

La vaste salle s'éclaira par enchantement dès qu'ils y mirent les pieds.

— C'est un cadeau d'Esther, puisque je n'arrive toujours pas à allumer les flambeaux moi-même.

Samuel découvrit alors un grand laboratoire rempli de tables sur lesquelles s'alignaient un nombre incroyable de machines anciennes, certaines en bois, d'autres en métal.

— Il n'y a qu'Esther, ma sœur et moi qui connaissons l'existence de cet endroit, lui avoua Henry. Nous ne laissons entrer personne d'autre ici.

— Alors, je suis flatté.

Le musicien marcha lentement le long des tables en essayant de deviner à quoi pouvaient bien servir ces diverses inventions.

— Lorsque nous avons perdu la vie, ma sœur et moi, nous étions en train de travailler sur un prototype révolutionnaire de moteur à vapeur qui aurait pu déplacer des véhicules très lourds sans l'aide des chevaux. Nous l'avons évidemment recréé ici et, puisque nous ne sommes plus vivants, peu importe le nombre de fois qu'il explose, nous ne sommes plus en danger.

Il arrêta Samuel devant une sorte de chaudière reliée par des tiges en acier à deux roues qui rappelaient celles des locomotives, mais en modèle réduit.

– Voici notre fameuse machine à vapeur. C'est un moteur à combustion externe qui transforme l'énergie thermique de la vapeur d'eau dans les chaudières en énergie mécanique.

– Si vous le dites...

– C'était enfin la première source d'énergie mécanique que l'homme pouvait maîtriser, contrairement à celle de l'eau, des marées ou du vent, qui ne pouvait pas être actionnée sur demande. Vous voyez ici la boîte à feu, les tubes bouilleurs, la bouilloire elle-même, et l'eau à chauffer. Le mouvement de la biellette, qui relie le régulateur centrifuge au papillon d'admission de la vapeur, permet un mouvement en continu.

– Ah... fit Samuel, en réalisant qu'il avait la même réaction que Thorfrid quand il tentait de lui expliquer quelque chose de son propre monde.

– Désirez-vous que je vous en fasse une démonstration?

– Absolument pas! Moi, je suis encore vivant!

– Mais je blaguais tout à l'heure, mon cher. Tout comme je l'avais pressenti, sans l'intervention de la sorcière, cette invention fonctionne à merveille. Nous aurions fait fortune si nous n'avions pas péri. Je vous assure que vous n'avez rien à craindre.

– D'accord, si vous me permettez de reculer un peu.

Contrairement aux autres fantômes, qui manipulaient les objets autour d'eux avec leur esprit, Henry mit sa machine en marche avec ses propres mains.

– Vous pouvez y toucher? s'étonna Samuel.

– En fait, si j'ai bien compris cette étrange loi du monde des spectres, il semblerait que nous ayons le pouvoir de ne manier que les objets qui nous ont accompagnés lors de notre mort.

– Donc, cette machine.

– Et toutes les autres que nous avions déjà créées à cette époque. Nous pouvons donc les améliorer dans la mesure où c'est possible, mais pas en créer de nouvelles. De toute façon, nous n'en avons plus envie. J'ai monté ce laboratoire pour me prouver que nous ne sommes pas décédés à la suite d'une stupide erreur de calcul.

Henry fit donc chauffer l'eau jusqu'à ce que la vapeur actionne les tiges de métal qui, à leur tour, firent tourner les roues.

– Merveilleux, n'est-ce pas?

– C'est sûrement ce qu'on appelle avoir du génie.

Samuel n'eut pas le courage de lui dire que ces inventions se trouvaient dans des musées depuis bien des années déjà. Puisque rien n'avait éclaté, il accepta que le fantôme lui fasse la démonstration de toutes ces autres machines.

– Parlez-moi des machines volantes que j'ai dessinées de chaque côté de vous.

Le musicien lui en dit le peu qu'il savait, car il n'était pas ingénieur, mais ses informations parurent satisfaire Henry. Lorsque les deux hommes se séparèrent, à la fin de la journée, Samuel remonta dans la salle à manger. Esther lui avait trouvé des escalopes de poulet, accompagnées de haricots verts et de petites tomates bien rouges.

– Vous vous êtes bien amusé, on dirait, remarqua-t-elle.

– Henry m'a montré ses créations. Ça m'a ramené tout droit à mon enfance, quand mes professeurs nous emmenaient visiter des musées scientifiques. Je n'ai pas eu le cœur de lui avouer que son travail était désormais dépassé.

– Au fond, il le sait bien, mais il a cessé d'évoluer quand il est arrivé ici. En attendant, ses vieilleries le rassurent.

– Est-ce la même chose pour tous les fantômes?

– Jusqu'à un certain degré, oui. J'étais une bonne, même si je possédais bien d'autres talents, mais j'éprouve encore beaucoup de satisfaction à m'occuper de vous.

– Mais Isabel ne fait plus de poteries.

– Qu'en savez-vous?

– La petite cachottière...

– Vous ignorez encore beaucoup de choses au sujet des habitants du château, Samuel.

– Je vous en conjure, révélez-moi quelques secrets...

– Commençons par quelque chose que vous n'avez jamais soupçonné.

– Ça me plaît déjà.

– Ulrik cultive une petite terre à l'extérieur.

– Vraiment? Il ne m'a jamais parlé de ça.

– Anwen passe une grande partie de la journée à fabriquer de magnifiques tapisseries. Quant à son fils, William, il est toujours à la recherche de la panacée qui guérira tous les maux. Il a son propre petit laboratoire.

– Dans le château?

– Eh oui, Samuel. Cet endroit est truffé de petits coins secrets.

– C'est vraiment excitant. Dites-m'en plus!

– Anthony continue à peindre et Stephen écrit toujours des discours politiques qu'il ne prononcera jamais.

– Je ne le connais pas encore.

– Et Lionel passe une bonne partie de ses journées dans la forêt où il a caché son Spitfire.

– Vraiment? Peut-il le faire voler?

– Il y a bien longtemps que son réservoir d'essence est vide. Mais il aime s'y asseoir et s'imaginer dans les airs.

– Ce que vous me dites là ravive ma curiosité.

– C'était mon but. Maintenant, mangez.

– Attendez! Je n'ai pas vu Émeline dans le laboratoire et, pourtant, Henry ne cesse de parler d'elle. Je pensais qu'ils étaient inséparables.

– Ils ne sont pas toujours ensemble, confirma Esther.

– Se sont-ils brouillés?

– Pas du tout. Il est impossible de se fâcher contre mon père, qui possède le meilleur tempérament de tout le lot. Comme ils disposent de beaucoup de temps désormais, ils en profitent pour faire davantage de choses différentes. Ma tante, du moins. Elle s'est découvert d'autres passions qu'elle n'avait pas eu le temps d'explorer de son vivant. Quant à mon père, il se contente de son laboratoire. Toutefois, j'ai réussi à l'en extirper pour lui faire réaliser de très beaux dessins.

– Qui sont devenus mes biens les plus précieux. J'espère que je finirai par rencontrer Émeline avant que vous poursuiviez tous votre route vers le ciel.

– Moi aussi. C'est une femme formidable.

Elle salua Samuel de la tête et s'effaça devant lui pour lui permettre de goûter à la nourriture qu'elle venait discrètement de réchauffer. Samuel mangea lentement en réfléchissant à tout ce qu'il venait d'apprendre. Finalement, la vie des descendants était encore plus complexe qu'il l'avait imaginé. Ils ne passaient pas leurs journées à errer dans le château comme dans les films de fantômes. Ils avaient trouvé des façons plus ou moins constructives de s'occuper.

– Est-ce qu'Ulrik peut vraiment faire pousser des légumes sur sa terre depuis neuf cents ans? se demanda-t-il.

Des fruits poussaient dans les arbres d'Ambrose et ses massifs regorgeaient de véritables fleurs. «Si je n'avais pas si peur de la sorcière, je ratisserais la forêt pour retrouver les cultures du Viking et surtout le Spitfire de Lionel...» Aucun dessert ne suivit les escalopes. «C'est mieux pour mon poids», se dit-il. Il se rendit au salon pour jouer du piano et, comme tous les soirs, son public se mit à apparaître autour de lui. Tout en gardant le rythme, il y jetait un œil pour voir s'il n'y trouverait pas l'équivalent féminin de Henry. Émeline ne se manifesta pas.

Après le petit concert, il fila sous la douche, enfila un boxer et un t-shirt et se mit à lire dans son lit jusqu'à ce la fatigue l'oblige à refermer son livre. Malgré tout, une heure plus tard, il avait toujours les yeux ouverts. Il enfila donc son jean et ses espadrilles et décida d'explorer le château. Il n'y avait personne nulle part. Même le palace de Clara était silencieux, lui qui pensait qu'elle y faisait la fête toute la nuit. La salle de jeux était également déserte. Il tendit l'oreille pour voir s'il capterait le son d'un tour de potier, du fil glissant dans une tapisserie ou des coups de pinceau. Rien...

Samuel s'arrêta devant la porte par laquelle Henry l'avait fait descendre dans son laboratoire. Peut-être s'y trouvait-il encore? Il voulait entendre parler de sa sœur dont il ne savait pas grand-chose, sauf qu'elle était ingénieure comme lui. En oubliant de refermer la porte, il descendit au sous-sol, où il n'y avait aucune lumière. «Ce n'est pas très encourageant...» Les lampes s'allumèrent quand il arriva au pied de l'escalier. Il refit le tour des tables en tentant d'imaginer l'enthousiasme des deux inventeurs quand ils avaient créé leurs plans et fabriqué ces engins.

– À quoi ça sert, tout ça? fit une voix derrière lui.

Samuel ressentit un grand choc dans tout son corps, comme s'il faisait une crise cardiaque, mais il réussit tout de même à se retourner. Thorfrid se tenait devant lui, l'air inquisiteur.

– Quoi encore? grommela-t-elle. Tu ne m'as pas entendue descendre?

– Aucun de vous ne fait de bruit! Vous avez failli me faire mourir!

– Je n'ai rien à voir avec cette malédiction, alors calme-toi, par Odin.

Elle fit quelques pas en regardant les différentes inventions.

– Qu'est-ce que tu es venu faire ici? demanda-t-elle.

– Je pensais trouver Émeline dans le laboratoire.

– En pleine nuit?

– Les inventeurs sont généralement des gens étranges qui n'ont pas la même routine que tout le monde.

– Pourquoi est-ce qu'elle viendrait ici?

– Je ne sais pas, moi... Pour continuer d'améliorer ses machines?

– C'est avec ça qu'on fait des oursons en peluche?

– Non, pas avec celles-là. Et ne me demandez pas à quoi elles servent. Je n'ai pas tout compris des explications de Henry.

Samuel se raidit avec frayeur quand Thorfrid approcha la main du levier de la machine à vapeur qui avait tué les deux ingénieurs, puis éprouva un grand soulagement quand elle passa au travers.

– Il n'y a rien d'intéressant, ici.

Avant que Samuel puisse lui expliquer que tout dépendait des goûts de chacun, elle disparut. Il erra encore un peu dans le laboratoire, puis remonta et s'assura d'en refermer la porte. Il aurait bien aimé aller prendre un peu d'air frais sur la terrasse, mais la menace de la sorcière continuait de planer sur le domaine. Il se résolut donc à poursuivre son exploration du rez-de-chaussée pour voir s'il trouverait des portes qu'il n'avait pas encore vues.

Seuls deux flambeaux éclairaient le couloir. Samuel marcha jusqu'à l'entrée des cuisines, au fond à gauche. Il n'avait jamais prêté attention à ce qu'il y avait à droite. Il vit alors de la lumière qui fusait sous une porte. Délicatement, il tourna la poignée et la poussa au lieu de frapper, ce qui aurait pu faire fuir celui ou celle qui se trouvait derrière. Il retint son souffle et regarda à l'intérieur de la pièce. Pour son plus grand plaisir, il vit Isabel assise derrière son tour de potier, en train de façonner ce qui lui sembla être un cylindre dont elle voulait faire un bol. Autour d'elle, sur d'innombrables tablettes, s'alignaient des pièces de toutes les formes.

– Je ne pensais pas que vous finiriez par découvrir ma cachette, lui dit Isabel en levant les yeux de son travail.

– Ai-je fait preuve de manque de savoir-vivre en entrant ici?

– À vous, je le pardonne. Approchez.

Samuel prit place sur le petit banc de l'autre côté du tour.

– Que connaissez-vous à la poterie?

– J'ai vu le film *Mon fantôme d'amour*... mais vous ne pouvez évidemment pas savoir ce que c'est.

– C'est une passion qui exige beaucoup d'habileté.

– Donc, si je décidais de m'y mettre cette nuit, je ne réussirais probablement pas?

– Vous auriez besoin de faire plusieurs essais, c'est certain, mais ce n'est pas impossible.

– Est-ce que vous faites ça toutes les nuits?

– Non, mais je viens souvent me détendre dans mon atelier. L'argile est le seul matériau que je peux encore toucher. Il me donne l'impression d'être encore en vie.

– C'est quand je vous entends dire ça, vous et tous les autres fantômes, que je constate à quel point ceux qui n'ont pas encore rendu leur dernier souffle n'apprécient pas ce qu'ils sont et ce qu'ils peuvent encore faire. De n'avoir de contact qu'avec mon piano dans la mort me rendrait complètement fou, parce que j'adore marcher sous la pluie, me réchauffer auprès d'un feu, serrer ma fille dans mes bras et surtout manger.

– Je dois dire que cette dernière activité me manque beaucoup. J'aimais aussi préparer des petits plats et me régaler.

– On dirait bien que personne ne se sert des cuisines du château.

– Nous ne savons même pas qui les a créées, car aucun des descendants n'est un grand chef.

– Elles sont plutôt modernes, alors je suspecte quelqu'un qui a vécu au moins au vingtième siècle.

– Cela ne représente pas un énorme groupe de personnes. Ce ne peut être que Clara, Lionel, Ben ou Stuart, car ne je ne crois pas que les enfants aient pu y penser.

– Mon grand-père a déjà travaillé comme cuisinier dans un restaurant de Londres...

– Alors, c'est sans doute lui.

– Parce que mon père n'a jamais eu ce don. Tout ce qu'il tentait de cuisiner, quand j'étais enfant, était toujours trop cuit. Il faudra que je questionne Ben, si je finis par tomber sur lui. Je ne sais même pas où le trouver.

– Il est presque toujours à l'extérieur...

Son bol étant terminé, Isabel arrêta le tour et alla le porter dans ce qui ressemblait à un four.

– Vous parvenez à allumer un feu? s'étonna Samuel.

– Non. Je crée la chaleur dont j'ai besoin. Ce n'est pas la même chose.

Elle en referma la porte et se retourna vers le musicien.

– Je suis un spectre, jeune homme. Je n'ai pas besoin de dormir. Mais vous, par contre, avec tout ce qui se trame ici, je vous conseille d'aller vous reposer et de refaire vos forces.

– Vous avez raison, Isabel. Merci d'avoir partagé votre secret avec moi.

– Nous aurons certainement l'occasion d'en reparler. Allez, au lit, maintenant.

Samuel aurait tellement aimé étreindre ces femmes merveilleuses qui prenaient soin de lui et les embrasser sur la joue, mais c'était impossible.

– Bonne nuit, Isabel.

Il quitta l'atelier et referma la porte derrière lui.

CHAPITRE 19

E mily s'était soumise à la punition imposée par sa mère et son beau-père après sa fugue. En fait, même si son esprit continuait de se rebeller contre leur décision de quitter le pays, elle avait décidé de ne plus passer aux actes, surtout par crainte de tomber sur la sorcière. Esther lui avait dit que son pendentif était désormais ensorcelé. «Mais pour combien de temps?» se demandait-elle souvent. Il était donc préférable qu'elle ne se promène plus seule dans la ville. Elle ne rouspétait pas quand Madigan la conduisait et allait la chercher à l'école. Elle faisait ses leçons et ses devoirs enfermée dans sa chambre et ne regardait plus la télévision dans le salon. Emily respectait le couvre-feu, mais dès que la maison était endormie, elle lisait et relisait le premier livre de son père, car il lui donnait l'impression qu'il était là, tout près, et qu'elle pouvait vivre ses aventures avec lui.

Madigan savait que la promotion qu'on lui avait offerte représentait une nouvelle vie et surtout beaucoup d'argent. Il n'avait donc pas l'intention de la refuser juste parce que sa fille adoptive ne voulait pas quitter l'Angleterre. Il avait donc décidé de la faire céder à force d'insister. Chaque fois qu'il en parlait à table, pendant le repas du soir, la petite finissait par regimber et faire un discours sur les droits des enfants de choisir leur destin. Morton ne s'emportait jamais. Au contraire, il la félicitait pour ses dons d'oratrice. Puis, un soir, il déposa un guide touristique sur les Bermudes sur le bureau d'Emily pendant qu'elle dormait. Le lendemain matin, lorsqu'il fut prêt à partir pour le travail, il le retrouva sur la table de la cuisine avec un gros NON écrit au feutre noir sur la couverture.

– Je ne sais pas de qui elle tient son entêtement, soupira Kathryn, assise dans le fauteuil à bascule. Samuel n'était pas un homme difficile. Et je ne pense pas être aussi intraitable qu'elle.

– Je te confirme que tu es tout le contraire, la rassura Madigan.

– Peut-être devrions-nous faire appel à un psychologue?

– Nous savons déjà ce qu'il va nous dire. Emily est encore sous le choc de ton divorce parce que Samuel ne l'a jamais maltraitée et qu'elle l'aime encore profondément.

– Je te ferai remarquer qu'il ne m'a jamais rudoyée non plus, lui rappela Kathryn. Je l'ai quitté parce qu'il ne participait plus à notre couple et que son problème d'alcool risquait de donner un très mauvais exemple à notre fille.

– Elle était trop jeune pour comprendre tes raisons.

– Je le sais très bien. C'est pourquoi je lui ai dit que c'était le rôle d'une mère de protéger ses enfants de tous les dangers et que je ne voulais pas que nous coulions au fond du baril avec lui.

– Ce qu'elle n'a sans doute pas compris. Finalement, le psychologue n'est pas une si mauvaise idée, après tout. Il pourrait l'aider à démêler toutes ces émotions.

Il embrassa Kathryn.

– Tu envisages sérieusement ce transfert, n'est-ce pas? soupira-t-elle.

– C'est une possibilité d'avancement que je ne veux pas laisser passer. Ne me dis pas qu'Emily est en train de te faire changer d'idée.

– Je passe la journée à tenter de trouver une solution pour que tout le monde soit content, Morton, et c'est loin d'être facile.

– Moi aussi, ma chérie. Dès que j'aurai la preuve irré-futable que ton ancien mari a disparu pour de bon et qu'un imposteur utilise son nom pour écrire des romans, le problème se résorbera de lui-même.

Kathryn en doutait, surtout que Samuel lui avait écrit un mot dans son premier tome qui ne pouvait venir de personne d'autre. Madigan ramassa ses affaires.

– Emily! Je suis prêt à partir!

Ils entendirent la fillette descendre l'escalier. Elle s'arrêta devant sa mère, déposa un baiser plus ou moins affectueux sur sa joue et passa devant son beau-père sans même lui adresser un regard, encore frustrée d'avoir trouvé le guide touristique dans sa chambre.

– Tout ira très bien, fit-il à l'intention de Kathryn.

Il referma la porte derrière lui et descendit dans la ruelle, où était garée sa voiture. Dès qu'elle entendit le déclic du verrou de la porte arrière, Emily se glissa à l'intérieur du véhicule. Elle attacha sa ceinture de sécurité et baissa les yeux sur ses chaussures pour ne pas être obligée de regarder Madigan dans le rétroviseur.

– L'as-tu au moins feuilleté? demanda-t-il en s'installa derrière le volant.

– Je ne l'ai même pas ouvert.

– Ce guide est si complet que tu peux même y retrouver la liste des établissements scolaires et même des employeurs qui embauchent des étudiants durant l'été. Je sais que tu rêves d'atteindre ton indépendance financière.

– Rien ne m'empêche de faire la même chose par ici.

Morton fit démarrer le moteur.

– Quand nous devons prendre une importante décision dans la vie, la meilleure façon, c'est de faire la liste des pours et des contres.

– C'est déjà fait et il n'y a aucun pour.

– J'aimerais que tu fasses un petit effort.

Madigan n'avait pas connu les parents de Samuel, sinon il aurait tout de suite compris qu'elle était aussi têtue que son grand-père Stuart Andersen, qui tenait lui-même ce trait de caractère d'une lointaine aïeule du nom de Thorfrid. Il la déposa à l'école et n'eut même pas le temps de lui souhaiter une bonne journée: la petite avait déjà bondi hors de la voiture.

Les professeurs d'Emily avaient tous remarqué son état dépressif après la séparation de ses parents, mais ils ne comprenaient pas pourquoi celui-ci semblait soudain s'aggraver. Ils n'en avaient pas encore fait mention à Kathryn, puisque les travaux et les contrôles de la petite demeuraient largement au-dessus de la moyenne de sa classe. Mais elle ne participait jamais activement aux discussions en classe et, lorsqu'elle devait présenter un oral, elle le faisait à la manière d'un robot, avec une précision désarmante et un manque total d'émotions. Madame Rendell, son professeur d'anglais, l'avait retenue à deux reprises après son cours pour lui demander ce qui n'allait pas. Emily avait répondu que c'étaient sans doute des problèmes de croissance, car elle ne se sentait pas bien dans son corps. Elle n'avait aucune intention de lui parler de ce qui se tramait chez elle.

Ce jour-là, la brochure de Morton l'ayant particulièrement irritée, Emily resta maussade tout l'avant-midi, mais réussit tout de même son contrôle en mathématiques et celui en histoire. À l'heure du dîner, au lieu de suivre les autres à la cantine, elle obliqua plutôt dans le couloir qui menait au bureau de Celestina O'Neill, la directrice de l'école. Sa secrétaire n'était pas là et la porte était ouverte. L'enfant se risqua donc à frapper trois petits coups sur le chambranle.

– Emily? s'étonna-t-elle.

– Si vous aviez un petit moment, j'aimerais vous demander conseil.

– Entre, je t'en prie.

– Je sais que vous mangez en même temps que les élèves, alors je serai brève.

– Assieds-toi.

Emily s'installa sur une des bergères placées devant le gros pupitre chargé de documents.

– Est-ce que tu hésites déjà dans le choix de ton collège?

– Cela ne concerne pas ma formation scolaire, madame. Vous n'êtes sans doute pas au courant de ma situation familiale, puisque ma mère ne veut pas que nous en parlions.

– Nous savons déjà que tes parents sont séparés, Emily. Y a-t-il un autre problème à la maison que tu aimerais me confier?

– En fait, oui. Ma mère s'est remariée avec un homme très bien, mais qui projette de nous emmener vivre aux Bermudes. Est-ce que je peux refuser de les suivre afin de rester plus près de mon véritable père, qui habite toujours à Londres?

– C'est une question que tu devrais adresser aux services sociaux ou même à un avocat, pas à ta directrice d'école.

– Je n'en connais pas.

– Dans ce cas, laisse-moi voir ce que je peux faire de mon côté, d'accord?

– Même si c'est juste me donner un nom et un numéro de téléphone, je vous serai reconnaissante pour toujours. Je ne veux pas aller vivre à l'étranger.

– Je comprends exactement ce que tu ressens. N'y pense plus aujourd'hui, et va manger avec les autres.

– Merci, madame.

Le cœur plus léger, Emily rejoignit ses amies, qui lui avaient gardé une place à la table, et grignota son goûter en les écoutant parler d'une émission de télévision qu'elles avaient toutes regardée la veille. L'après-midi se passa plutôt bien, car elle adorait les sciences. Lorsque la cloche sonna, son visage s'assombrit. Elle rassembla ses effets dans son sac et alla attendre son beau-père sur les marches de l'entrée principale. Dès que sa voiture s'arrêta près du trottoir, elle y grimpa.

– As-tu passé une bonne journée? lui demanda Madigan.

– C'était génial, répondit-elle, comme elle le faisait tous les jours, peu importe ce qui s'était passé à l'école.

Dès qu'ils mirent le pied à la maison, Emily remarqua l'air mécontent de sa mère. Madigan ne le vit que lorsqu'il s'approcha pour l'embrasser.

– Que se passe-t-il? s'alarma-t-il.

– Je viens de discuter au téléphone avec une dame des services sociaux qui nous est référée par l'école.

La petite baissa aussitôt la tête, penaude.

– Emily, as-tu quelque chose à voir avec cet appel? lui demanda Madigan.

– J'ai seulement demandé conseil à la directrice, avoua-t-elle. J'ai besoin de connaître mes droits.

– Nous t'avons toujours bien traitée, il me semble, sanglota Kathryn.

– Oui, jusqu'à présent, mais vous refusez de comprendre que je veux rester à Londres, alors il faut bien que je trouve quelqu'un qui m'écoutera.

La mère sanglota de plus belle, ce qui obligea Madigan à remettre cette discussion à plus tard. Il envoya Emily dans sa chambre et attira Kathryn dans ses bras.

– Je sais que tu es tendue, mon amour, mais essayons d'être patients avec elle, d'accord?

– Les services sociaux pourraient nous déclarer inaptes à prendre soin d'elle...

– Parce que nous projetons de l'emmener vivre dans une magnifique villa aux Bermudes, où elle recevra le même type d'éducation qu'ici? Je pense que c'est notre devoir de recevoir cette dame à la maison et de lui prouver que nous sommes des parents fantastiques aux prises avec une préadolescente dont le père a disparu. Au mieux, elle l'obligera à consulter ce psychologue dont nous avons parlé, toi et moi.

– Emily pourrait-elle aller jusqu'à nous traîner en justice?

– Ce sont tes hormones en folie qui te font dire des sottises. Il n'y aura pas de procès, ni de juge, ni de jugement. Il s'agit d'une professionnelle qui saura comment lui faire comprendre que tant qu'elle sera mineure, elle devra faire ce qu'on lui dit. Pour l'instant, laissons-la réfléchir à ce qu'elle a fait. Je vais te préparer ton thé préféré et c'est même moi qui cuisinerai, ce soir.

Pendant que son beau-père consolait sa mère, Emily faisait les cent pas dans sa chambre en fulminant. Comment la directrice avait-elle osé mettre ses parents en communication avec cette femme qui était censée l'aider, elle? Pour passer sa colère, elle fit ses devoirs et ses leçons en grommelant et faillit sortir par la fenêtre lorsque Madigan l'appela pour le repas. «Non, tu dois être brave», se répéta plusieurs fois l'enfant. «Fais-le pour ton père.» Elle descendit à la salle à manger et avala tout le contenu de son assiette sans dire un mot. Elle pouvait sentir les regards inquiets de ses parents sur elle, mais ne s'en préoccupa pas.

– Puis-je être excusée de table? demanda-t-elle.

Madigan la laissa partir et ne se décida à aller lui parler qu'une fois que la vaisselle fut lavée et rangée et que Kathryn fut installée dans le salon, enveloppée dans un châle bien chaud. Il commença par frapper à la porte et crut l'entendre lui dire d'entrer. Il l'entrebâilla pour en être bien certain.

– Puis-je entrer?

– Je ne changerai pas d'idée.

Il alla s'asseoir sur le lit pendant qu'elle continuait à faire ses devoirs à sa table de travail.

– Je sais que tu aimes profondément Samuel, mais il a disparu et même le détective privé que j'ai embauché n'arrive pas à le retrouver. Si tu restais toute seule ici, cela n'y changerait rien.

– Il a commencé à publier des livres, alors il est forcément quelque part. Moi, je sais qu'il finira par sortir de l'ombre, car c'est sûrement un coup de publicité.

– Nous ne partirons qu'après la naissance du bébé.

– Pas moi.

– Et si nous faisions un compromis? Tu pourrais nous suivre aux Bermudes le temps que ton père se décide à se manifester, auquel moment je te mettrai dans le premier avion à destination de Londres.

Emily garda le silence.

– Nous ne voulons que ton bonheur, ma chérie, et la loi nous oblige à prendre soin de toi jusqu'à ta majorité. Tu n'aurais pas d'autre choix que de nous accompagner, alors faisons en sorte que ce séjour soit agréable, même s'il doit être très court.

– Je ne vous laisserai pas me séparer de mon père.

– Prends le temps de réfléchir à ma proposition.

Madigan quitta la chambre pour ne pas la perturber davantage. Dès qu'il fut parti, Emily se mit à arpenter la pièce.

– Ils ne tiendront jamais cette promesse et je n'aurai jamais assez d'argent pour prendre un avion jusqu'en Angleterre, maugréa-t-elle. Il faut que je trouve un avocat qui acceptera de m'écouter. Je pourrais aussi m'adresser à la police! Écrire au premier ministre!

Elle se retourna vers le miroir suspendu au-dessus de sa commode. Un frisson glacé courut dans son dos quand elle constata que son reflet ne faisait pas les mêmes mouvements qu'elle!

– Est-ce que ma colère est en train de me faire perdre la raison? s'effraya-t-elle.

– *Mais non, c'est moi, la voix dans la ruelle,* se vit-elle répondre.

– Pourquoi me ressembles-tu autant?

– *Je n'ai pas de corps, alors j'ai emprunté le tien.*

– Oh...

– *Je voulais juste te dire que je serai toujours là pour te rassurer.*

Emily tendit la main pour toucher la surface du miroir, mais son reflet ne bougea pas.

– Mes parents sont-ils en train de me rendre folle? murmura-t-elle, ébranlée.

– *Ils essaient seulement de te protéger... à leur façon. Je t'en conjure, sois patiente. Tout va bientôt s'arranger. Je te le promets.*

Son image disparut dans la glace pendant une fraction de seconde, puis revint. Et cette fois, c'était bien elle. Emily fit plusieurs singeries pour s'en convaincre.

– C'est sûrement de l'épuisement...

Elle alla prendre son bain, enfila sa robe de nuit et se coucha. Mais, incapable de dormir, elle s'empara de son ordinateur et s'assura qu'elle pouvait utiliser la fonction Messenger sans que ses parents s'en aperçoivent.

K.M. *Madame d'Arabie, êtes-vous là?*

F.d'A. *Tu as de la chance, Emily. Je ne suis pas encore couchée.*

K.M. *Je voulais seulement savoir si vous aviez des nouvelles de mon père.*

F.d'A. *Pas encore, mais il continue d'écrire, alors c'est bon signe. D'ailleurs, ses romans sont vraiment excellents.*

K.M. *Je sais. J'ai déjà lu* Anwen, la délaissée, *deux fois déjà. Mais j'ignorais que mon père croyait aux fantômes.*

F.d'A. *C'est une œuvre de fiction, Emily, mais je dois avouer qu'il a le don de nous y faire croire.*

K.M. *Vous avez raison. Madame d'Arabie, j'aimerais vous demander une très grande faveur.*

F.d'A. *Oui, bien sûr.*

K.M. *Pourriez-vous me cacher chez vous jusqu'à ce que mon père soit retrouvé et qu'il me prenne avec lui?*

F.d'A. *Si j'acceptais de faire ça, je serais accusée d'enlèvement et jetée en prison pendant de très longues années.*

K.M. *Mais personne ne me trouverait dans votre placard!*

F.d'A. *Pour quelle raison voudrais-tu t'y cacher?*

K.M. *Mon père adoptif veut nous emmener vivre aux Bermudes, ma mère et moi. C'est au milieu de l'océan Atlantique! Bien trop loin de Londres!*

F.d'A. *Surtout, ne panique pas. Même s'il devait t'y emmener de force, je suis certaine que Samuel t'y rejoindrait, car j'ai le pressentiment qu'il est sur le point de refaire surface.*

K.M. *Vraiment?*

F.d'A. *Il est très rare que mon intuition me trompe. Il est tard, Emily. Essaie de dormir et dis-toi que ton père ne te laissera jamais tomber. Jamais.*

K.M. *Vous avez raison.*

F.d'A. *Bonne nuit et fais de beaux rêves.*

Emily mit fin à la conversation, le cœur plus léger. Elle savait que son père l'aimait plus que tout au monde et que peu importe ce qui allait se passer après la naissance du bébé de Madigan, il parviendrait à la retrouver et à la ramener à la maison. «C'est avec lui que je veux vivre, pas avec ma mère. Nous irons le dire à un juge.» Elle ferma l'ordinateur et déposa la tête sur son oreiller, enfin apaisée.

CHAPITRE 20

L e détective, Maynard Bennett, avait passé les derniers jours à examiner toutes les pièces du casse-tête qu'il avait réussi à rassembler depuis le début de l'enquête sur la disparition de Samuel Andersen. Il était de plus en plus obsédé par les bizarreries qu'il avait découvertes et, puisqu'il ne comprenait pas la moitié de ce qu'il voyait, il était de plus en plus décidé à aller jusqu'au fond de ce mystère.

Pour l'instant, sa théorie, c'était que le musicien était derrière toute cette mise en scène destinée à attirer l'attention de son nouveau public. Il ne lui restait plus qu'un seul endroit à explorer: les usines de l'autre côté des voies ferrées. Il était impossible que quelqu'un là-bas n'ait pas été témoin du phénomène surnaturel qui se produisait sporadiquement sur les rails. Il fit quelques appels et finit par obtenir un rendez-vous avec la directrice du service à la clientèle en lui faisant croire qu'il était un journaliste et qu'il souhaitait faire un article sur ses installations.

Le détective gara sa voiture dans la section réservée aux visiteurs et commença par étudier les vieux bâtiments qui continuaient de fournir de l'électricité à une partie de la ville. Était-ce leur présence près de ces rails qui menaient au centre de triage et de maintenance qui provoquait l'apparition d'un curieux château au milieu de nulle part?

Phyllis Abercrombie vint le chercher à la réception de la section administrative de l'usine. C'était une femme dans la quarantaine, en tailleur vert et talons hauts. Elle portait ses cheveux blonds attachés sur sa nuque et, comme uniques bijoux, des pendants d'oreille qui semblaient être des émeraudes.

— C'est un plaisir de vous rencontrer, monsieur Bennett, lui dit-elle avec un sourire hésitant.

— Merci de m'accorder un peu de votre temps. Vous devez être très occupée.

Elle lui fit faire le tour des installations en lui expliquant la fonction de chaque machine à la façon d'un guide touristique professionnel.

— Nous avons longtemps été une centrale thermique à flamme alimentée par le charbon, mais dans la foulée de la diminution des émissions de gaz à effet de serre sur toute la planète, nous sommes graduellement en train de transformer nos installations en centrale solaire thermodynamique.

Le détective l'écoutait poliment, mais ne prenait aucune note.

— Pourquoi êtes-vous réellement ici, monsieur Bennett? lui demanda finalement Phyllis.

— J'enquête sur une disparition.

— Une disparition ou l'apparition d'étranges immeubles sur les rails?

— Vous êtes au courant?

— Beaucoup de gens sont venus nous questionner à leur sujet, au fil des ans: des journalistes, des scientifiques, des enquêteurs de l'étrange, des illuminés et j'en passe. Vous êtes notre premier détective privé, par contre.

— Vous saviez qui j'étais quand vous m'avez donné rendez-vous?

— Nous ne laissons pas entrer n'importe qui dans une centrale thermique, surtout par les temps qui courent. Que voulez-vous savoir au juste?

— Est-ce votre usine qui se transforme au moins une fois par année en un étrange château sous l'influence d'un mauvais sort?

– Non, répondit-elle très sérieusement. Le phénomène ne se produit pas ici, mais sur les voies ferrées.

– En avez-vous déjà capté des images sur vos caméras de surveillance?

– Oui, mais nous n'y voyons que du brouillard.

– L'avez-vous observé de vos propres yeux?

Phyllis hésita à répondre.

– C'est uniquement aux fins de mon enquête, je vous assure. Je ne suis pas journaliste, rappelez-vous. Ce que j'écrirai sur cette affaire restera dans le dossier confidentiel que je remettrai à mon client.

– À ma première année ici, j'ai en effet vu les contours d'un gros bâtiment qui n'aurait pas dû se trouver là.

Bennett sortit son téléphone de la poche intérieure de son veston et lui montra les photos qu'il avait prises à partir de la ruelle.

– C'est ce que j'ai vu, mais de plus près. Je ne peux pas vous dire ce que c'est et le tout ne dure jamais plus de deux ou trois minutes. Suivez-moi.

Elle l'emmena à son bureau, dont elle referma la porte.

– En vous montrant ces vidéos, je mets mon poste en péril.

– Ne vous inquiétez pas. Je ne mentionnerai votre nom nulle part et si le nom de votre entreprise apparaît sur ces images, je le ferai disparaître. Et si cette promesse ne vous suffit pas, je suis prêt à signer un affidavit.

– Je suis aussi une personne très rancunière.

La menace fit sourire le détective. Elle l'invita à s'asseoir devant le grand écran de son ordinateur, où elle rappela assez facilement les trois vidéos. Bennett en déduisit qu'elle les avait gardées dans un fichier personnel. Mais pour quelle raison? Tout comme elle l'avait annoncé, les enregistrements ne duraient que quelques minutes chacun et on y voyait à peine le contour d'un bâtiment dans un épais brouillard. Toutefois, dans le troisième, il crut apercevoir une silhouette. Il ne le mentionna pas à la directrice, de crainte qu'elle refuse de lui faire une copie de ces images. Il sortit une clé USB de la poche de sa veste.

— Je nierai vous avoir fourni ces vidéos si jamais vous les présentez au public, l'avertit Phyllis.

— Je sais.

Elle s'empressa de les copier et de lui remettre sa clé, puis fit disparaître le tout de son ordinateur.

— Qui cherchez-vous, exactement? Un de nos employés?

— Non. C'est un musicien que sa famille m'a chargé de retrouver. La dernière fois qu'il a été vu, il traversait les voies ferrées.

— Et vous pensez qu'il serait entré dans ces structures qui, pourtant, n'existent pas?

— À ce stade-ci de mon enquête, j'explore toutes les pistes.

— Si c'est vraiment là qu'il est allé, alors, armez-vous de patience, car ce phénomène ne se produit qu'une ou deux fois par année.

— Peu importe le temps que cela nécessitera, j'obtiendrai des réponses. Merci pour votre aide précieuse, mademoiselle Abercrombie.

Phyllis le reconduisit à l'entrée, où il rendit son badge de visiteur, et le regarda sortir du bâtiment. Elle n'était pas complètement fermée à l'idée qu'il puisse exister des choses difficiles à expliquer, mais elle pouvait bien voir, de la fenêtre de son bureau, qu'il n'y avait aucune structure solide sur les rails... «Peut-être trouvera-t-il tous les autres qui se sont perdus par là au fil des ans», se dit-elle en tournant les talons.

Bennett retourna chez lui pour étudier plus attentivement les vidéos sur son propre ordinateur. Il se prépara un thé et prit place devant l'écran. Il fit jouer le premier enregistrement et remarqua tout de suite, grâce aux fonctions plus sophisti-quées de son appareil, que le brouillard n'était pas naturel. D'une part, il était uniquement circonscrit à une section des voies ferrées et, d'autre part, il contenait de petites paillettes argentées en suspension dans l'air.

– Pas un autre truc surnaturel, grommela-t-il.

Il visionna la troisième vidéo et gela l'image dès qu'il aperçut la silhouette qu'il avait distinguée dans le bureau de l'usine. Il utilisa alors toutes les fonctions de ses logiciels pour la rendre la plus nette possible.

– Nom de Dieu, s'étrangla-t-il.

L'image était encore floue, mais il reconnut facilement l'homme qu'il cherchait depuis plusieurs semaines.

– Pourquoi es-tu entré là-dedans, Andersen? murmura-t-il en s'adossant dans son fauteuil. Qu'est-ce qui a bien pu t'attirer au beau milieu des voies ferrées? S'il était passé un train, tu aurais pu te faire tuer.

Il poursuivit le visionnement et s'étonna de voir disparaître le brouillard d'un seul coup, ce qu'il n'avait pas vu sur l'écran de la directrice du service à la clientèle. On aurait dit que le sol l'avait aspiré! «Y a-t-il des installations secrètes sous les rails?» se demanda-t-il. Il releva les coordonnées de ce lieu sur son GPS en se disant qu'il n'arriverait jamais à convaincre l'entreprise de chemin de fer de le laisser creuser sur sa propriété juste pour vérifier une hypothèse aussi farfelue. Mais peut-être y avait-il une autre façon de se renseigner... Il consulta d'abord les archives météorologiques. Il y avait bel et bien eu du brouillard le jour de la disparition de Samuel, mais surtout près de la Tamise.

– Est-ce parce que tu n'y voyais plus rien que tu es entré dans cette ruelle sans issue ou est-ce que quelqu'un t'appelait? Était-ce la Faucheuse en personne? Où t'a-t-elle emmené et pourquoi?

Le détective regarda l'enregistrement une bonne dizaine de fois sans déceler d'autres indices. Il fouilla ensuite dans son carnet d'adresses et trouva celui à qui il pensait: Dale Dankworth, le chercheur de trésors qu'il avait interviewé quelques années plus tôt dans un cas de vol de diamants que le propriétaire n'avait pas voulu rapporter à la police. Cet homme possédait un arsenal inouï d'outils et de machines qui lui permettaient de découvrir des richesses incroyables, tant dans le sol que dans l'eau. Bennett ne voulait certes pas le mêler à cette nouvelle affaire, mais peut-être accepterait-il de lui prêter de l'équipement pour sonder les rails là où Andersen avait disparu.

Il commença donc par lui donner un coup de fil. Par chance, le vieil excentrique était chez lui plutôt que sur la trace d'un trésor quelque part sur la planète. Intrigué par la demande plutôt vague du détective, il accepta sur-le-champ de le recevoir chez lui. Bennett termina son thé et se remit en route. Dankworth habitait à la campagne, sur le domaine que lui avaient légué ses parents. C'était un véritable manoir construit au dix-neuvième siècle, puis modernisé par la suite. Afin de protéger les millions de livres que lui avaient coûté toutes ses machines, le vieil homme avait fait installer un système de protection complexe. Lorsque le détective privé arrêta sa voiture devant les grilles qui représentaient la seule entrée dans une muraille digne de celle de la Chine, un œil électronique émergea de la colonne de pierre à sa droite et scruta le véhicule et son passager.

— Vous pouvez entrer, monsieur Bennett, fit une voix électronique.

Les grilles s'ouvrirent. Le détective roula lentement jusqu'à la fontaine italienne devant l'entrée principale de la résidence, qui était sans doute truffée elle aussi de gadgets de reconnaissance, voire même de défense. Un valet en livrée noire et blanche sortit du manoir et vint ouvrir la portière du visiteur.

— Monsieur Dankworth vous attend au salon. Veuillez me suivre, je vous prie.

Bennett abandonna sa voiture près de la fontaine et pénétra dans ce musée, où il n'avait mis les pieds qu'une seule fois. Absolument tout était au même endroit que dans ses souvenirs. Il entra au salon. Dankworth se tenait devant la cheminée, un verre de scotch à la main.

– Monsieur Bennett! Êtes-vous toujours à la recherche de vos diamants?

– Non, monsieur. Nous les avons retrouvés. Si je viens vers vous, aujourd'hui, c'est pour vous emprunter un appareil qui me permettrait de déterminer si des installations pourraient se situer sous terre.

– Vous vous lancez en archéologie?

– En quelque sorte. Je cherche un homme qui a disparu et qui pourrait être tombé dans une galerie ou un conduit quelconque.

– Vous avez de la chance, car je viens d'inventer un nouveau détecteur qui décèle non seulement les cavités dans le sol, mais aussi la présence d'objets insolites et d'êtres vivants.

– C'est exactement ce qu'il me faut et je n'en aurai besoin que pendant un jour ou deux.

– Si vous me promettez d'en prendre le plus grand soin, alors, je vous le prête volontiers.

Dankworth le conduisit dans la grande salle où il gardait tous ses dispositifs et lui expliqua le fonctionnement de son nouveau détecteur. Bennett s'y connaissait assez bien en mécanique et en informatique, alors il comprit rapidement comment s'en servir. Il remercia le vieil excentrique et retourna dans la rue où il s'était garé la première fois qu'il avait examiné les voies ferrées. Le gardien le connaissait déjà, alors il le laisserait sans doute procéder à cet exercice en paix. De toute façon, le détective n'avait pas l'intention de rester longtemps au beau milieu des rails. Il tenait à la vie.

Heureusement, le détecteur n'était pas trop lourd. Il ressemblait à un petit aspirateur portatif, soit un long tuyau reliant un disque qu'il fallait tenir à deux centimètres du sol et deux poignées installées de chaque côté d'un écran couleur. Celui-ci indiquait la profondeur de possibles cavités et la présence d'objets, de squelettes ou même d'entités vivantes sous forme d'icônes.

À l'aide de son GPS, Bennett se rendit directement à l'endroit où il avait aperçu la silhouette d'Andersen. Il mit l'appareil en marche et ratissa les alentours.

Soudainement, le détecteur se mit à émettre des bips sonores, ce dont Dankworth n'avait pas parlé, puis une forme mince et allongée apparut sur l'écran. Il déposa le détecteur et creusa le gravier avec ses mains jusqu'à ce qu'il découvre un cylindre en bois abîmé, autour duquel était enroulé un vieux document. Il le sortit de là avec précaution et découvrit que c'était un testament! Il en parcourut rapidement les premières lignes. Le nom de Samuel y apparaissait en plus de celui d'un certain Ulrik Dragensblöt...

– Je tiens enfin quelque chose, se réjouit Bennett.

Quant au reste de l'information que lui avait donné l'appareil, il ne savait pas trop quoi en faire, alors il retourna chez Dankworth.

– Vous n'avez certainement pas perdu votre temps, commenta le vieil homme en le voyant entrer dans son salon.

– J'ai besoin de votre expertise pour interpréter les données que j'ai recueillies.

– Avec grand plaisir.

Il se mit à pianoter sur l'écran tactile et arqua les sourcils.

– On dirait bien que vous avez mis le doigt sur un des plus grands réservoirs souterrains de Londres, monsieur Bennett.

– Un réservoir?

– Cependant, il semble être complètement à sec. Sans doute remonte-t-il à l'époque où les Romains vivaient ici.

Le détective ne voulut pas lui parler de l'élusif château.

– Y voyez-vous aussi des maisons ou des édifices qu'ils auraient laissés derrière eux?

– Non, mais cela ne veut pas dire qu'il n'y en a pas. Ils sont peut-être enfouis sous des tonnes de débris. Quand commencerez-vous les fouilles? Et pourrais-je y participer?

– Je n'en sais rien. Il s'agit d'un terrain commercial et je doute qu'on me laissera y creuser un seul trou, peu importe sa dimension. Mais je vous en tiendrai informé, je vous le promets.

– Que c'est excitant!

Bennett prit congé de son hôte, car il avait hâte d'étudier davantage le vieux testament qui l'attendait, enfermé dans un sac de plastique, au fond du coffre de sa voiture.

CHAPITRE 21

En rentrant au travail, Oliver Jarsdel trouva sur son bureau le troisième tome des aventures de Samuel Andersen. Il commença par sautiller sur place comme un enfant en poussant des cris de joie, puis se décida à le déballer. Alertée par ses exclamations, Abigail s'immobilisa sur le seuil et l'observa. Elle était aussi enthousiaste que lui, mais parvint à se contenir. L'éditeur lut d'abord la lettre d'introduction, puis souleva la couverture représentant Sidney debout sur une poutre tout en haut d'un gratte-ciel en construction.

– J'ai toujours rêvé de visiter New York! s'écria-t-il, excité. Mais regardez-moi cette couverture extraordinaire, Abigail!

– Elle est vraiment spectaculaire, mais puis-je aussi vous rappeler que vous avez d'autres manuscrits à lire, monsieur Jarsdel?

– Eh bien, qu'attendez-vous pour trouver des évaluateurs compétents qui le feront à ma place? Vous voyez bien que ma priorité, c'est cette série!

– Oui, je le vois très bien. Alors, je m'en occupe tout de suite.

– À la vitesse avec laquelle monsieur Andersen pond des romans, il faudra que j'en publie un par mois pour le suivre.

– Les lecteurs de la série ne s'en plaindraient pas, en tout cas.

– Je vais y réfléchir... dès que j'aurai lu celui-ci.

Amusée par les réactions enfantines de son patron qui avait presque le double de son âge, Abigail retourna à son bureau pour éplucher son carnet de téléphone. Elle œuvrait dans l'édition depuis longtemps, alors elle avait accumulé les coordonnées de collaborateurs qui avaient fait du bon travail pour Jarsdel & Raynott par le passé. Elle commença par contacter Samantha Hunter, une amie de longue date.

— Abigail! C'est si bon d'entendre ta voix! s'exclama la jeune femme. Mais qu'est-ce que tu deviens?

— Je travaille toujours pour monsieur Jarsdel. Pour être honnête avec toi, je ne t'appelle pas pour socialiser, ce matin. Je voulais savoir si tu cherches du travail.

— Tu sais bien que je n'en ai jamais assez, ma belle amie.

— J'ai toute une boîte de manuscrits à te faire lire pour évaluation. Tu pourras en prendre autant que tu voudras.

— Merveilleux. Je viendrai les chercher durant la journée et je tâcherai d'en traiter au moins deux par semaine. Est-ce que cela t'irait?

— C'est exactement ce que je voulais t'entendre dire. Merci mille fois, Samantha. J'ai bien hâte de te revoir.

— Pas autant que moi. Et nous irons prendre le thé quand tu auras un moment pour nous mettre à jour sur nos vies trépidantes.

— Promis.

«Comme s'il se passait quelque chose d'excitant dans la mienne...» s'amusa intérieurement Abigail. Elle continua de tourner les pages de son petit livre et tomba sur Julia Miller, dont la réputation était excellente, puis Daphnie Smith, une amie des Jarsdel. Les deux femmes affirmèrent avoir du temps à lui consacrer.

— Je ne m'attendais pas à ce que ce soit aussi facile, se réjouit Abigail.

Elle divisa ensuite tous les manuscrits qu'avait reçus la maison d'édition dans trois boîtes séparées, qu'elle remettrait au hasard aux évaluatrices. Satisfaite de son travail, elle se pencha ensuite sur les épreuves que venait de leur transmettre par courriel leur publiciste, Blake Allerton. Se doutant que son patron la chasserait d'un geste de la main si elle tentait de lui en parler tandis qu'il lisait les nouvelles aventures de Samuel Andersen, Abigail décida de les étudier elle-même. Il reprenait surtout les éléments de la couverture du premier tome dans ses diverses épreuves, ce qui ne rendait pas tout à fait justice à l'auteur. Elle se rappela alors que son patron avait comparé le musicien à un phénix renaissant de ses cendres.

– Voilà exactement ce qu'il nous faut.

Elle s'octroya donc le droit de l'appeler au nom de la maison d'édition.

– Monsieur Allerton, ici Abigail Josephson, l'adjointe de monsieur Oliver Jarsdel, se présenta-t-elle.

– Mademoiselle Josephson, est-ce à dire que vous avez bien reçu mes propositions?

– Oui et nous les avons étudiées une à une. Elles sont magnifiques, mais elles ne s'éloignent pas vraiment du visuel que nous possédons déjà. Alors, si c'était possible, nous aimerions que vous retravailliez le concept en y ajoutant un phénix comme symbole de la résurrection de Samuel Andersen, car il est passé de musicien en difficulté à auteur à succès.

– C'est une idée absolument géniale! Je m'y mets sur-le-champ et je vous promets de vous envoyer d'autres épreuves avant la fin de la semaine.

– Je suis très heureuse de vous l'entendre dire, monsieur Allerton. À bientôt.

Plutôt satisfaite de son intervention, Abigail répondit ensuite aux courriels qui étaient arrivés depuis la veille, puis alla voir dans la boîte aux lettres s'il y avait du courrier. Elle n'y trouva que des factures. Elle les déposa dans son panier de choses à faire, puis alla jeter un œil dans le bureau de son patron. Jarsdel avait déjà lu deux chapitres, alors, silencieuse comme une souris, elle s'approcha et les lui subtilisa sans qu'il s'en rende compte.

Aussi curieuse que l'éditeur, elle s'installa à son bureau et commença à mettre le texte manuscrit à l'ordinateur. Daphnie Smith arriva une heure plus tard. C'était une jolie brunette dans la vingtaine, en jean et pull blanc, aussi pétillante qu'un verre de champagne. Abigail lui ouvrit.

— Vous verrouillez votre porte, maintenant? s'étonna l'évaluatrice.

— Seulement depuis tous ces attentats meurtriers partout dans le monde. Lorsqu'on sonne, je commence par regarder qui est là sur mon ordinateur et si c'est quelqu'un que je connais ou que j'attends, je vais répondre. Sinon, je fais une capture d'écran et je demande à l'étranger ce qu'il veut.

— Il est vraiment dommage que nous en soyons rendus là...

— J'ai encore espoir qu'un jour, le monde deviendra meilleur. Merci d'avoir accepté de nous aider, mademoiselle Smith.

Abigail la conduisit à son bureau.

— J'espère que vous n'êtes pas à pied.

Elle souleva la grosse boîte et la déposa sur sa table de travail.

— Je suis en scooter, mais j'ai un solide compartiment de transport derrière mon siège. Quel délai m'accordez-vous?

— Au moins deux rapports de manuscrit par semaine, si vous ne voulez pas y passer toute l'année. Dès que vous en avez terminé un, vous pouvez me le retourner avec vos commentaires et votre note d'honoraires.

— Ça me convient parfaitement. Encore merci de me faire confiance.

Abigail l'accompagna jusqu'à son petit véhicule garé plus loin et fut surprise de tout ce que pouvait contenir le coffre en question.

— C'est le grand luxe, plaisanta-t-elle.

Il y avait même un couvercle qui pouvait se verrouiller! Elle la regarda partir et retourna à l'intérieur pour ouvrir le courrier. Jusqu'à présent, sa journée se déroulait merveilleusement bien. Elle remplit les réquisitions de chèques à l'intention de la comptable et termina la dernière juste au moment où on sonnait encore une fois à la porte. Elle reconnut le beau visage de Julia Miller sur son écran et alla lui ouvrir. Abigail s'était toujours demandé pourquoi cette grande femme rousse, mince comme un fil, n'avait pas choisi de devenir mannequin. Elle portait un costume émeraude seyant et des bijoux en or.

– Heureuse de vous revoir, Julia. On dirait que vous arrivez d'un défilé de mode.

– Ce n'est qu'un coup de foudre dans une boutique chic, ma chérie.

Elle lui fit la bise et passa devant elle, car elle connaissait le chemin jusqu'à son bureau.

– En tout cas, cela vous va à merveille. Vous devriez toujours porter du vert. Êtes-vous à pied?

– Pas aujourd'hui. Mon taxi m'attend dans la rue.

– Alors tant mieux, parce que j'ai une quarantaine de manuscrits à vous confier.

Abigail lui tendit la deuxième boîte et lui offrit les mêmes conditions qu'à Daphnie.

– Merveilleux. J'avais justement plusieurs semaines creuses devant moi, alors je vais commencer dès aujourd'hui.

Elle embrassa l'adjointe sur les joues et quitta la maison d'édition avec sa boîte, en faisant bien attention de ne pas abîmer son beau costume. Samantha Hunter arriva la dernière. Elle serra son amie dans ses bras à lui rompre les os et la suivit dans son bureau. C'était une petite blonde aux cheveux coupés au carré et aux grands yeux bleus, vêtue d'un ensemble de jogging noir avec des rayures verticales rose fluo le long des jambes et des manches.

– Je t'ai gardé tous les manuscrits qui parlent d'amour, lui dit Abigail.

– Mille mercis. Tu sais ce que je pense de la science-fiction et des polars, même si le roman fantastique de monsieur Andersen semble connaître un succès impressionnant.

– C'est le récit le plus passionnant qu'il m'a été donné de lire depuis bien des années, Samantha. Et de toute façon, monsieur Jarsdel tient à évaluer ses manuscrits lui-même. Es-tu en voiture?

— Oh que oui. Quand tu m'as dit au téléphone que tu en avais toute une boîte, je me suis enfin décidée à la sortir du garage.

L'adjointe lui tendit la dernière boîte.

— C'est un fier service que tu nous rends.

— Et en plus, c'est ce que j'aime le plus faire au monde.

Abigail marcha avec elle jusqu'à sa Volkswagen Polo.

— Je viendrai te les porter au fur et à mesure et nous irons prendre le thé, l'avertit Samantha.

— Promis.

Elles s'étreignirent et l'évaluatrice remonta dans sa voiture. Abigail alla terminer ses tâches quotidiennes, puis s'arrêta à la porte du bureau de son patron, toujours concentré sur sa lecture.

— Est-ce que cela vaut vraiment la peine que je vous dise de ne pas rentrer trop tard à la maison? soupira-t-elle.

— Quoi? demanda Jarsdel en levant la tête.

— Ma journée de travail est terminée.

Il jeta un œil à sa montre.

— Vous avez tout à fait raison, ma foi!

— Gardez-vous quelques pages pour demain.

— Mais Samuel est en grand danger à New York.

— Je me doutais bien que je n'arriverais pas à vous décrocher de ce manuscrit, mais j'aurai au moins essayé. Avez-vous mangé ce midi le goûter que votre femme vous a préparé?

— Je crains qu'il soit resté au réfrigérateur...

Abigail alla donc le lui chercher, persuadée qu'il lui servirait de repas du soir.

— Tâchez d'aller dormir chez vous.

— Oui, oui... fit-il comme les enfants qui veulent que leurs parents les laissent tranquilles.

Elle secoua la tête et referma la porte à clé derrière elle en quittant l'immeuble. Elle marcha jusqu'au grand boulevard et reluqua les vitrines jusqu'à son quartier. Abigail monta chez elle et trouva ses deux meilleurs amis en entrant dans l'appartement. Elle s'agenouilla pour caresser Télémaque et Calypso aussi longtemps qu'ils en eurent envie, puis les précéda dans la cuisine, où elle s'empressa de les nourrir.

– Ouf, il va falloir que je change votre litière, constata-t-elle en grimaçant.

Elle déposa leur bol de pâté sur le sol et entreprit de vider le gravier absorbant dans un sac poubelle qu'elle sortit tout de suite sur la galerie de la cour. Elle désinfecta ensuite le bac et y versa de la litière toute neuve. Les chats, qui avaient avalé toute leur nourriture, vinrent inspecter son travail.

– Ça vous plaît, les garçons?

Calypso, son matou noir et blanc, se fit un plaisir d'en faire tout de suite l'essai.

Abigail s'occupa alors de ses propres besoins. Elle se prépara un petit plat en faisant jouer la musique de Samuel dans le salon et alla s'asseoir dans son fauteuil préféré pour manger. Elle ne comprenait pas l'attachement qu'elle ressentait pour cet homme qu'elle n'avait jamais rencontré et dont elle avait ignoré l'existence avant de tomber sur son manuscrit. «On dirait que c'est un ami que j'ai perdu de vue depuis des lustres et que j'ai hâte de retrouver», conclut-elle. Son seul lien avec lui, c'était sa fille Emily. Elle se remémora alors sa dernière conversation avec elle.

– Qu'est-ce que je pourrais faire pour l'aider à patienter? se demanda-t-elle. Ses parents verraient-ils d'un mauvais œil que l'adjointe de l'éditeur de son père s'occupe un peu d'elle?

Les chats grimpèrent sur les bras du fauteuil.

– Qu'en pensez-vous, les garçons?

Télémaque, son Toyger, qui ressemblait à un petit tigre miniature, se mit à ronronner comme une locomotive.

– Je savais que tu serais d'accord.

Calypso se contentait de la regarder avec un air tout à fait désintéressé.

– Et si je la conviais à visiter la maison d'édition de son père? Évidemment, il faudra que j'invite aussi ses parents, mais cela me donnerait l'occasion de les rencontrer et de voir si la détresse d'Emily est bien réelle.

Elle se rappela que la petite utilisait le compte Facebook de sa mère pour communiquer avec elle. Alors, dès qu'elle eut terminé son repas et lavé sa vaisselle, Abigail ouvrit son ordinateur et alla voir ce qu'elle pourrait apprendre sur elle.

Kathryn Clifford était traductrice et elle n'avait rien affiché sur sa page depuis au moins un an. Elle fit donc une recherche sur Internet et trouva facilement ses coordonnées. Afin qu'elle ne reconnaisse pas la musique de son ex-mari en arrière-plan, Abigail éteignit le système de son, puis s'empara de son téléphone. «Advienne que pourra», se dit-elle. Elle composa le numéro et laissa sonner.

– Allô, fit une voix fatiguée.

– J'aimerais parler à madame Kathryn Clifford, se risqua Abigail, même si pendant un instant, elle eut envie de raccrocher.

– C'est moi. Qui m'appelle?

– Abigail Josephson, de la maison d'édition Jarsdel & Raynott.

– Avez-vous trouvé Samuel?

– Pas encore, mais il continue d'écrire. En fait, je vous appelais pour vous demander si votre fille et vous aimeriez visiter nos installations et jeter un œil à la future production de votre ex-mari.

Il y eut un moment de silence au bout du fil.

– Je suis certaine que cela plairait beaucoup à Emily. Puis-je vous rappeler avec notre réponse?

– Bien sûr.

Abigail lui donna son numéro et lui souhaita une bonne soirée. Elle allait enfin pouvoir redonner un peu d'espoir à la fille de Samuel...

CHAPITRE 22

Gfin de ne pas être surpris par la sorcière, Samuel était resté à l'intérieur du château pendant plusieurs jours. Puis, poussé par un impérieux besoin de prendre l'air, il se décida enfin à se risquer dehors. Toutefois, il n'alla pas très loin. Craintif comme un lapin, il se limita au jardin et s'assura de garder un œil sur la fontaine en tout temps. Rose ne s'y trouvait pas, ce qu'il considéra être un bon signe. Il ne voulait pas céder à la peur, mais s'il devait trouver la mort aux mains de cette méchante femme, il ne pourrait plus libérer les descendants ni sauver sa fille. Il erra donc entre les massifs de fleurs en réfléchissant à sa fâcheuse position. Même Ambrose ne l'importuna pas: il comprenait ce qu'il ressentait.

Samuel fit plusieurs fois le tour des mêmes allées. À la dixième, il sursauta en apercevant une femme assise sur un des bancs, alors qu'elle ne s'y trouvait pas les neuf fois précédentes. Elle portait une robe chasuble bordeaux par-dessus un chemisier blanc à manches longues et à col haut. Ses longs cheveux bruns ondulés lui descendaient presque à la taille. Elle était absorbée par le livre qu'elle tenait dans les mains. Samuel ne l'avait jamais rencontrée depuis son arrivée sur le domaine et ne l'avait pas vue non plus parmi les fantômes qui assistaient régulièrement à ses concerts. Il allait faire un pas vers elle lorsqu'il songea que c'était peut-être un des déguisements de Sortiarie. Il se mit plutôt à reculer.

– Je vous en prie, ne partez pas, Samuel, l'implora l'inconnue en levant ses yeux bleus sur lui. Henry m'a tellement parlé de vous que ce matin que j'ai eu envie de faire votre connaissance.

– Vous êtes Émeline? bafouilla le musicien.

– Oui, sa sœur jumelle.

Il lui trouva en effet une ressemblance frappante avec l'ingénieur.

– Je vous en prie, venez vous asseoir avec moi.

Samuel hésita.

– Vous craignez que je sois la sorcière?

– Je me méfie de tout le monde maintenant, madame.

– Il est en effet préférable d'être prudent, mais je suis bel et bien la fille de l'infâme Jacob Thompson et la tante d'Esther.

Cette information, qu'il connaissait déjà, sembla apaiser le musicien, qui se décida enfin à prendre place près de la jumelle de Henry.

– Ni votre frère ni vous ne ressemblez à votre père, en tout cas, laissa-t-il tomber.

– Et nous ne saurons jamais si nous avons hérité des traits de notre mère, puisque nous n'avons aucun souvenir d'elle. Mais est-ce vraiment important? Ce qui compte, c'est que nous avons reçu une solide éducation et acquis de bonnes manières grâce au couple qui a pris soin de nous en Angleterre. J'ai des frissons d'horreur à la pensée que j'aurais pu devenir une femme aux mœurs légères dans une colonie de pirates.

Samuel songea aussitôt à Alice, mais se retint de commenter qu'elle aurait fini par s'en sortir.

– Vous avez raison, dit-il plutôt.

– Henry ne sait finalement pas grand-chose de votre vie présente, mais il se passionne pour chacune de vos aventures derrière les portes de l'étage. Il m'a même avoué avoir réalisé quelques dessins grâce à Esther.

– C'est exact. Votre frère a un talent fou. Ces illustrations sont de précieux souvenirs que je chérirai jusqu'à mon dernier souffle, en espérant que ce ne soit pas sur ce domaine.

– Sortiarie se doute en effet de quelque chose. Pour la première fois depuis que je suis ici, elle est entrée dans le château et elle nous a tous réunis. Nous ne lui avons rien dit.

– Quelqu'un finira-t-il par parler?

– Je ne crois pas, non. Nous voulons sortir de cette cage dorée. Et je puis vous assurer que certains d'entre nous sont vos fiers défenseurs.

– C'est rassurant à entendre.

– Cessez de vous inquiéter. Nous veillons sur vous.

Samuel se détendit à moitié.

– Henry m'a dit qu'il vous avait montré nos inventions.

– Oui, et elles sont vraiment fantastiques, mais si j'en crois mes leçons d'histoire, à cette époque, il était hautement improbable qu'une femme soit ingénieure.

– Je trouve très amusant que vous référiez à ma vie comme faisant partie du passé, car même dans la mort, elle continue de faire partie de mon présent.

– Ce qui est tout à fait naturel.

– En réalité, j'ai fait en cachette les mêmes études que mon jumeau et je possédais les mêmes connaissances que lui, mais je n'ai jamais pu obtenir de diplôme. Cela a été la plus grande frustration de toute ma vie. J'ai travaillé fort et j'ai sacrifié ma vie sociale pour avoir une profession, moi aussi. C'est Henry qui m'a empêchée d'aller crier à l'injustice aux portes du gouvernement. Il m'a offert de travailler avec lui dans son laboratoire comme collaboratrice à part entière et il me versait un salaire. Nous nous complétions à merveille, jusqu'au jour où la sorcière a décidé de nous éliminer nous aussi pour continuer de punir Ulrik. Quelle injustice... Elle a assassiné quarante-quatre de ses descendants pour une seule maison incendiée.

– Vous avez raison: il faut que ça cesse.

Le beau visage d'Émeline s'était attristé. Sans doute songeait-elle à toutes les occasions qu'elle avait manquées par la suite de faire reconnaître la valeur de son travail.

215

– Accepteriez-vous de me raconter toute votre vie? demanda Samuel pour lui changer les idées.

– Ma courte vie, vous voulez dire... J'imagine que Henry a dû vous en toucher un mot.

– Il m'a parlé de votre père, et aussi de votre mère, qui vous a envoyés vivre dans une bonne famille de Londres quand vous aviez six ans, je crois.

– Qui s'est débarrassée de nous, vous voulez dire. Sinon, comment appelez-vous le fait de remettre ses enfants à un autre couple et de le payer pour qu'il les élève? Certaines personnes ne devraient pas avoir d'enfants. Ni Jacob ni Amy ne nous ont redonné signe de vie par la suite.

– Ils ont fait un bon choix, au moins.

– C'est tout ce qu'ils ont fait de bon de toute leur vie. Les Bourne étaient des gens absolument fantastiques qui, eux, remerciaient le ciel tous les jours de leur avoir confié deux magnifiques enfants. Je n'aurais jamais pu m'épanouir autrement. J'ai appris les belles manières et les meilleurs précepteurs de la région nous ont enseigné à lire, à écrire et à compter. Ils nous ont également initiés à la science.

– Henry m'a raconté que vous ne cessiez d'inventer des machines tout à fait géniales.

– Mon frère avait un cerveau différent de celui des autres hommes. La nuit, non seulement il voyait en rêve toutes sortes d'inventions, mais il pouvait même en étudier toutes les composantes, si bien que le matin, il me les décrivait en détail et allait jusqu'à les dessiner. Il ne me restait plus qu'à imaginer avec lui la façon de les créer.

– Vous réussissiez à les vendre?

– Sans difficulté, car elles avaient toutes des applications pratiques. La plupart ont connu un franc succès, mais la dernière, qui aurait dû nous apporter la gloire, nous a tués.

– Mais ce n'était pas votre faute, car la sorcière l'a très certainement sabotée. Vous n'êtes nullement responsables de cet accident.

– Vous avez sans doute raison, mais mon véritable regret, c'est que ma contribution dans la fabrication de toutes ces machines n'a jamais été reconnue. J'ai dû travailler dans l'ombre de Henry, car les femmes n'avaient aucun statut... Elles n'avaient même pas d'âme.

– Il est vraiment regrettable qu'elles ne se soient émancipées que deux cents plus tard. Vous auriez été une de leurs fières représentantes.

– J'aurais certainement aimé être à la tête de cet important mouvement de libération.

Samuel ne doutait pas un instant qu'elle aurait été une redoutable porte-parole pour les suffragettes.

– Henry a oublié de me dire si vous avez été mariée, poursuivit-il.

– Je ne l'ai jamais été, car je préférais de loin la science aux hommes. Les calculs et les rouages me passionnaient davantage que les cravates et les cigares, si vous voyez ce que je veux dire.

– Il y a beaucoup de musiciens qui font le même choix que vous. Esther m'a laissé entendre que vous aviez désormais d'autres passions.

Un sourire illumina le visage d'Émeline, lui faisant oublier toutes les injustices dont elle avait été victime.

– Elle a dit vrai. Anthony, le descendant numéro trente-deux, m'a fait découvrit la peinture et Thorfrid, la descendante numéro deux, le tir à la hache.

Samuel arqua les sourcils avec étonnement, car il avait beaucoup de difficulté à imaginer Émeline en train de s'adonner à ce sport barbare.

– En passant, je suis la descendante numéro trente.

– Moi, c'est le quarante-six.

– Nous sommes tous au courant, affirma-t-elle avec amusement. Mais revenons à mes nouveaux passe-temps. Ce sont des activités si libératrices.

– Vous arrivez à tenir une hache?

– Avec mon esprit, tout comme pour le pinceau. Au début, c'était très difficile, parce que je refusais de croire à la magie, mais avec le temps, je suis devenue très habile.

– Vous vous exercez dans le château?

– Non, dans la forêt, loin des regards. Mais pour la peinture, j'ai un petit coin à moi dans une tour.

– Quels sont les sujets de vos tableaux?

– Surtout des fleurs et, très souvent, l'étang.

– Anthony peint-il avec vous?

– Non. Il m'a seulement enseigné différentes techniques. C'est un professeur très patient, car je ne m'y connaissais pas du tout.

– Savez-vous s'il a continué de s'adonner à la peinture de son côté?

– Oui, mais il ne veut montrer ses œuvres à personne. Vous me faites beaucoup penser à lui, vous savez.

– Ah oui? s'étonna Samuel, qui ne s'était jamais comparé à un vampire.

– La forme du visage, les yeux, les cheveux... On voit que vous êtes bel et bien un des descendants d'Ulrik.

– Je ne crois pas qu'on m'aurait laissé venir jusqu'ici si je ne l'avais pas été, plaisanta-t-il.

– Et vous êtes aussi curieux que Henry.

Ce compliment lui plut davantage.

– Avez-vous repris contact avec Jacob depuis votre arrivée au château, Émeline?

– Nous nous sommes croisés à quelques reprises et je suis demeurée très polie avec lui. Après tout, ce n'était pas sa décision de nous exiler, mais celle de sa compagne du moment. Heureusement, celle-ci ne nous a pas rejoints ici. Celui avec qui je n'ai nulle envie de passer du temps, par contre, c'est Ulrik. Car, à cause de lui, tous mes rêves ont été anéantis.

– Il en éprouve beaucoup de remords, vous savez.

– Si tel est le cas, il ne le manifeste certes pas. Avez-vous aussi été touché par cette terrible malédiction, Samuel?

– Je suis désormais persuadé que c'est à cause d'elle que j'ai joué de malchance toute ma vie. Mais la sorcière n'a pas réussi à me pousser dans la Tamise comme c'était son intention. Andrew, Esther, Isabel et Ulrik sont venus à mon secours, à leur façon.

– Je vous envie beaucoup d'être toujours en vie. Cette existence peut vous paraître douce et sereine, mais dans notre cœur, tout ce que nous ressentons, c'est surtout du chagrin et des regrets. Merci d'avoir accepté de nous tirer de là.

– Je ferai mon possible.

– Merci aussi d'avoir pris le temps de bavarder avec moi. J'espère que nous nous reverrons plus souvent.

Émeline le salua avec un sourire et disparut. «Au début, ça me traumatisait de les voir partir ainsi, mais quand je retournerai dans le vrai monde, je pense que ça me manquera», songea Samuel.

Il refit une dernière fois le tour du jardin, puis rentra. Le calme régnait à l'intérieur, mais il savait désormais que ce n'était qu'une illusion. À tout moment, Sortiarie pouvait surgir pour le mettre à mort. Il se rendit à la salle à manger. Fidèle à son poste, Esther l'attendait, les mains jointes sur son tablier. Elle lui avait déniché un hamburger aux crevettes et à l'avocat, des frites et de la bière.

– Encore une fois, c'est exactement ce que j'avais envie de manger, se réjouit-il.

«J'aurai du mal à me réhabituer à ma pauvreté quand je sortirai enfin d'ici», songea-t-il.

– Commencez-vous à retrouver un peu de quiétude d'esprit? demanda Esther.

– Superficiellement, mais j'imagine que ça fait partie de l'apprentissage du courage.

Il mordit dans le sandwich chaud et ferma les yeux avec délice.

– Ce que c'est bon... ronronna-t-il après avoir avalé une première bouchée.

– Il provient d'un des meilleurs restaurants de malbouffe de Londres, lui dit fièrement Esther.

«Elle ne doit pas savoir ce que ça veut dire», s'amusa intérieurement Samuel. Et il n'allait certainement pas lui enlever ses illusions.

– J'ai finalement rencontré votre tante Émeline et j'avoue que ses nouvelles passions m'ont pris de court. La peinture et le lancer de la hache?

– Il y a forcément un peu de sang viking dans chacun de nous, Samuel.

– Mais moi, je n'ai jamais eu envie de faire une chose pareille.

– Je suis certaine que si vous prenez le temps de chercher un peu dans vos habitudes, vous trouverez quelque chose qui vous a été légué par vos ancêtres.

– Je n'en suis pas convaincu, mais je vais essayer.

Elle le laissa manger, puis déposa devant lui les derniers dessins de Henry.

– Vous n'avez pas idée à quel point ces images me sont précieuses, s'étrangla-t-il.

Il regarda le premier, sur lequel il marchait vers le mess en compagnie de Lionel.

– Je n'arrive pas à croire que j'ai vécu tout ça...

Sur le second, il était en train de faire le plein d'un Spitfire.

– Merci mille fois, Esther.

– Je sais que vous aimez beaucoup ces images, mais personnellement, je les trouve plutôt dérangeantes. On y ressent tellement de violence.

– Lionel a vécu durant une terrible guerre et il a décidé de prendre les armes pour protéger son pays.

– Il est donc mort comme il a vécu.

– Si vous voulez mon avis, vous êtes tous morts comme la sorcière l'a voulu.

– Finalement, oui. Tâchez de ne pas vous éloigner, ce soir.

– Ce n'était pas mon intention, je vous assure.

Esther s'inclina devant lui et se dématérialisa. Samuel alla glisser les nouveaux dessins dans les pochettes en plastique transparent. Après avoir joué du piano pendant un moment dans le grand salon, il se retira dans sa chambre. Assis sur son lit, il tourna encore une fois les pages de son album de souvenirs. «Ce qui m'arrive est complètement fou», conclut-il. «En quelques semaines à peine, j'ai évolué dans cinq périodes de l'histoire à part la mienne et ce n'est pas encore fini.» Il rangea son trésor dans le premier tiroir de sa commode et s'allongea sur la couette. «Il est temps que je dresse un plan avant d'arriver en Scandinavie. Je dois trouver une façon de gagner la confiance d'Ulrik... en vingt-quatre heures à peine... C'est vraiment décourageant.»

Le mieux c'était sans doute d'empêcher le Viking de partir par tous les moyens à sa disposition, à condition qu'il n'arrive pas dans sa vie des années avant cette expédition. Ulrik lui avait suggéré lui-même d'enlever sa fille de neuf ans, ce qui l'obligerait à le poursuivre dans la forêt au lieu de suivre ses amis sur la mer. Mais maintenant que Samuel connaissait bien Thorfrid, il ne savait pas comment il arriverait à la maîtriser, même à cet âge. Jusqu'à présent, le vieux guerrier lui avait semblé raisonnable et facile d'approche. Mais l'était-il aussi au moment de sa mort? Samuel finit par s'endormir au milieu de tous les scénarios qui se succédaient sans arrêt dans sa tête.

CHAPITRE 23

Gprès la visite inopinée de Sortiarie sur le domaine, la première depuis l'arrivée d'Ulrik, neuf cents ans plus tôt, Rose avait redoublé de vigilance. Afin d'éviter qu'elle mette Samuel à mort, elle parcourait tous les sentiers sans arrêt, surtout celui qui menait à la grotte de la vieille femme. Elle n'avait cessé de penser aux objets qui s'y trouvaient. Était-ce grâce à eux que la sorcière retenait les descendants au château? Elle n'osait pas en subtiliser un pour vérifier son hypothèse, car elle ignorait ce qui arriverait au fantôme à qui il appartenait. Le ferait-elle disparaître pour l'éternité ou lui permettrait-elle de monter au ciel? Personne ne pouvait la renseigner à ce sujet. «Sauf la sorcière...» grommela intérieurement Rose. Il était doublement important que Samuel lève cette terrible malédiction une fois pour toutes. «Sinon je demeurerai une petite fille pour toujours et je ne reverrai jamais ma mère...»

Rose fit encore une fois le tour du château, des jardins, de l'étang, des forêts et observa aussi le comportement des dragons, qui détestaient Sortiarie. Elle ignorait pourquoi et ne savait pas non plus quand ils étaient arrivés sur le domaine, mais leur haine pour leur bourreau avait réussi à protéger le musicien. Ils pourraient donc recommencer si jamais Samuel ne trouvait pas un coffre enchanté à temps.

Elle contourna une sapinière et s'arrêta net. Sortiarie se tenait devant elle, dans une belle robe noire et dorée. Elle avait encore une fois adopté une apparence plus amicale. Avec ses beaux cheveux blonds bouclés, elle ressemblait davantage à une fée marraine qu'à une vilaine sorcière. Toutefois, son expression demeurait glaciale, malgré tous ses efforts.

– Bonjour, Rose.

La petite était trop saisie pour prononcer un seul mot.

– Tu n'as aucune raison d'avoir peur de moi.

– Vous avez tué tous les membres de ma famille! explosa l'enfant. Vous avez même forcé mon frère à me noyer!

– Essaie de voir le beau côté de ta situation, chère enfant. Maintenant que tu es morte, plus personne ne peut te faire de mal.

– À part vous.

– Quand les gens sont honnêtes avec moi, je sais être gentille.

Rose garda un silence prudent, car elle savait bien qu'elle mentait.

– Comme je l'ai dit hier à tous les enfants du Viking, il y a sur mon domaine quelqu'un qui ne devrait pas y être. Dis-moi de qui il s'agit et je me ferai un plaisir de te remettre moi-même dans les bras de ta douce maman.

– Comment le saurais-je? Je ne connais pas encore tous les descendants.

– Celui ou celle qui m'intéresse est vivant.

– Mais personne ne l'est, ici. Vous devriez pourtant le savoir.

– Ce n'est pas une bonne idée de protéger cette personne, Rose, parce que si je découvre que vous l'avez aidée à se cacher chez moi, il y aura de terribles conséquences pour tout le monde.

La petite ne voyait pas ce qu'elle pouvait leur faire de plus.

– Ce n'est pas parce que vous êtes des âmes qui s'accrochent désespérément à leur dernière apparence physique qu'il ne peut plus rien vous arriver, ajouta Sortiarie, comme si elle avait lu les pensées de l'enfant.

Rose se rappela alors les conseils de ses aînés et évoqua aussitôt dans sa tête le souvenir d'un autre temps, alors qu'elle dansait avec sa poupée dans le salon de ses parents. L'air de Sortiarie devint carrément menaçant, mais sa victime n'eut pas le temps de fuir. Celle-ci sentit une terrible douleur dans sa gorge. «C'est impossible!» paniqua-t-elle. L'emprise de la sorcière ne l'empêchait pas de respirer, ce qu'elle ne faisait plus depuis bien longtemps. Mais sa souffrance était bien réelle!

– Dis-moi où se trouve cette personne, ma petite chérie.

L'enfant se sentit aspirée vers Sortiarie. Elle tenta de se débattre, mais cette force d'attraction était trop puissante. C'est alors que son frère Jonas apparut entre la sorcière et elle, brisant le mauvais sort sur-le-champ.

– Mais qu'avons-nous là? ricana Sortiarie. Ma marionnette préférée.

– Laissez-la tranquille, l'avertit Jonas. Vous lui avez fait assez de mal.

– Ce n'est pas moi qui l'ai noyée, mais toi.

– Nous savons très bien que vous avez brisé ma volonté pour vous débarrasser d'elle sans vous salir les mains. C'est d'ailleurs ainsi que vous nous avez tous privés de notre repos éternel. Cela ne vous satisfait-il pas?

Jonas la fixait droit dans les yeux avec défi.

– Tu étais beaucoup plus amusant quand tu te cachais dans un coin pour pleurer.

– Cette époque est révolue, madame.

– Sache, jeune arrogant, que même les âmes désincarnées peuvent encore souffrir. Ne me provoque pas.

– Je ne vous provoque d'aucune façon. Je vous demande de partir et de nous laisser tranquilles.

La dernière chose que voulait Sortiarie, c'était de faire un martyr du tueur en série. Jusqu'à présent, les descendants s'étaient comportés comme des brebis qui acceptaient leur sort en silence. Ce qu'elle captait dans l'âme de cet homme, c'était une étrange volonté de ne pas quitter sa prison. Elle releva fièrement la tête et disparut. Jonas se retourna aussitôt vers sa petite sœur.

– Est-ce que ça va?

– Maintenant, oui. Ce n'est pas une bonne idée de la faire fâcher, Jonas.

– Je n'ai plus peur d'elle.

– Mais elle pourrait encore te faire du mal.

– L'important, c'est qu'elle ne t'en fasse pas à toi. Mon âme est déjà damnée. Je n'irai pas au ciel comme tous les descendants quand Samuel les fera sortir d'ici.

– Tu n'en sais rien.

– Je suis un meurtrier, Rose.

– Tu es la victime d'une sorcière démente et ça, je suis certaine que Dieu le sait déjà.

Rose passa les bras autour de la taille de son frère et le serra très fort.

– Tu es une bonne personne, que ça te plaise ou pas.

Sur la terrasse du château, Andrew avait assisté à l'échange de loin. Il avait cru, pendant un moment, que Jonas allait mettre Sortiarie en pièces, même si théoriquement, c'était impossible. Lorsqu'elle était disparue sans rien lui faire, il avait compris tout de suite qu'elle s'était mise à la recherche d'un autre descendant pour lui faire vider son sac. Andrew savait pertinemment que ce n'étaient pas tous les fantômes qui tenaient à quitter les lieux. Ceux qui ne voulaient pas aller en enfer finiraient-ils par trahir Samuel?

Il vit réapparaître la sorcière à proximité de la fontaine, qui coulait toujours, puisqu'elle ne s'arrêtait que lorsqu'elle se retirait dans sa grotte. Sortiarie se dirigeait vers l'escalier qui menait à la terrasse. Andrew tourna les talons et fonça dans la grande demeure. Il trouva Samuel au salon, assis devant le feu.

– Votre vie est en danger! s'exclama-t-il.

– Elle est ici? paniqua le musicien.

– Dans le coffre, tout de suite!

Samuel avait remarqué qu'il y en avait désormais un appuyé contre le mur, derrière le piano.

– Cachez-vous à l'intérieur! exigea Andrew.

Sans vraiment savoir comment un tel meuble pourrait le protéger de la femme qui avait précipité Sidney du haut d'un gratte-ciel sans même le toucher, Samuel s'exécuta en vitesse. Il s'allongea dans la grosse boîte et en referma le couvercle. «Il ne faut pas que j'éternue ou que je tousse», se dit-il, alarmé. Andrew prit la place du musicien devant la cheminée en rappelant à son esprit des images plus sereines. Il se vit en train de marcher dans le jardin de sa maison de Londres avec sa femme alors qu'elle était sur le point de lui apprendre qu'elle attendait un enfant.

– Que de sentimentalisme...

Il fit volte-face et vit Sortiarie à l'entrée du salon.

– Je croyais vous trouver en compagnie de la personne que je cherche.

– Désolé, mais je préfère la solitude.

– Si tu me dis où elle se trouve, l'avocat, je t'enverrai au ciel rejoindre ta belle.

Si le coffre masquait physiquement sa présence, il n'empêchait pas Samuel de savoir ce qui se passait à l'extérieur. «C'est la première fois que j'entends la voix de celle qui a tenté de m'envoyer au fond de la Tamise», se rendit-il compte.

– C'est une offre bien tentante, mais, malheureusement, je n'en sais rien, mentit Andrew.

– Je te souhaite de m'avoir dit la vérité.

Sortiarie parcourut tout le rez-de-chaussée. Elle captait des traces d'une énergie qui lui était familière, mais puisqu'elle était partout, elle ne pouvait pas en suivre la piste.

En dernier lieu, elle se dirigea vers la salle à manger. Heureusement, Esther venait de faire disparaître les portes doubles qui donnaient accès à la chambre de Samuel. La sorcière demeura un long moment au bout de la table, où la présence étrangère était la plus forte. «Et si ces spectres étaient tout à fait incapables de voir les vivants?» se demanda-t-elle. L'intrus pourrait en effet se trouver ici sans qu'aucun d'eux le sache.

– Que ceux à qui j'ai accordé une sensibilité accrue viennent immédiatement à moi, ordonna-t-elle.

Esther et Isabel apparurent à quelques pas de la sorcière.

– C'est donc vous deux. Puisque vos pouvoirs sont plus grands que ceux des autres, dites-moi qui est entré ici et où il se trouve en ce moment.

– Nous ne savons pas de qui vous parlez, répondit Esther. La vie au château n'a pas changé depuis que j'y suis, même après l'arrivée des autres.

– Je cherche une personne que je n'ai pas encore tuée, sans doute le quarante-sixième descendant.

– Comment pourrait-il entrer ici autrement que mort? fit mine de s'étonner Isabel.

– C'est bien ce que j'aimerais savoir. Je veux que vous le trouviez pour moi et que vous me le livriez. Le plus tôt sera le mieux pour vous tous.

Ni l'une ni l'autre des deux femmes n'eut le temps de répondre. Sortiarie se dématérialisa.

– Où est-elle allée? chuchota Isabel.

– Elle est dans le vestibule...

Avant de quitter son domaine, la sorcière avait levé les yeux vers le grand escalier en haut duquel se trouvaient les portes de chacun des descendants.

– J'ai fait en sorte que personne ne puisse les ouvrir, se rappela-t-elle. Alors, pourquoi ai-je cru voir dans le passé de New York un homme qui n'était pas censé y être?

– Peut-être que les sorciers aussi peuvent voyager dans le temps, laissa tomber Ulrik en s'approchant d'elle.

La sorcière garda le silence, profondément irritée par cette possibilité.

– Croyez-vous vraiment être la seule créature magique à le faire? J'ai connu une Valkyrie jadis qui avait d'aussi grands pouvoirs que vous. En seriez-vous une, par hasard?

– Je n'appartiens à aucun groupe de déesses.

– Oui, bien sûr, vous êtes une sorcière. Mais n'y a-t-il pas aussi des hommes dans votre communauté?

– Livre-le-moi et je te dirai tout ce que je sais.

– Je ne pourrai malheureusement pas vous obéir, puisque je ne sais pas de qui il s'agit. Mais je vous rappellerai notre marché si je le capture un jour.

Sortiarie lui décocha un regard cruel et disparut. Esther en profita pour rejoindre le Scandinave.

– Nous avons laissé Samuel errer partout, alors elle est capable de le flairer, déplora-t-elle. Je vous en prie, gardez un œil sur la sorcière pendant que je vais lui chercher un bijou à Londres pour masquer dorénavant sa présence sur le domaine.

– Ne perdez pas de temps, Esther. Sortiarie est à la chasse.

Pendant ce temps, Samuel était toujours au fond du coffre, à se demander quand il pourrait en sortir et, surtout, à penser qu'il n'avait pas envie de passer le reste de la semaine de cette façon. Lorsque le couvercle s'ouvrit brusquement sans qu'il l'ait poussé lui-même, il étouffa un cri de terreur. L'homme qui l'examinait ne lui était pas familier. Il avait de longs cheveux noirs et son visage lui rappela celui de Jonas. Au moins, ce n'était pas Sortiarie!

– Que faites-vous là-dedans?

– Si vous ne le savez pas, alors c'est franchement inquiétant. Qui êtes-vous?

– Je m'appelle Anthony Andersen.

– Le fils d'Esther!

– C'est exact.

– La sorcière est-elle dans les parages?

Anthony secoua la tête. Rassuré, le musicien sortit de sa cachette.

– Je suis Samuel.

– Je sais.

– Mais comment avez-vous su que j'étais dans le coffre? s'inquiéta-t-il.

– Andrew me l'a dit, mais il ne m'a pas expliqué ce que vous faisiez là. Il voulait que je vous avertisse qu'elle est partie.

– Dans ce cas, merci. Il commençait à faire chaud.

Le vampire recula de quelques pas.

– Je vous en prie, ne partez pas, l'implora Samuel.

– Je n'aime pas la compagnie des étrangers.

– Mais je n'en suis pas un. Je suis votre descendant, le numéro quarante-six, en fait. Esther m'a tellement parlé de vous.

– Et pourtant, elle ne m'a pas vraiment connu, puisqu'elle est morte quand j'avais onze ans.

– Elle sait tout ce qui vous est arrivé et elle vous aime plus que la vie elle-même.

Anthony baissa la tête, honteux.

– Alors que j'ai pris celle de centaines de personnes...

– Parce que vous n'aviez pas le choix. Et comment êtes-vous devenu un vampire, selon vous? C'est certainement la sorcière qui a mis sur votre chemin celui qui vous a mordu et qui vous a transformé en créature de la nuit.

– J'aurais pu me laisser mourir de faim au lieu de tuer.

– Elle ne vous aurait jamais laissé faire.

Le jeune homme demeura silencieux quelques instants.

– Vous avez sans doute raison, dit-il enfin. Est-il vrai que vous lui avez échappé quand elle a voulu vous éliminer, vous aussi?

– J'ai survécu grâce à Ulrik, Andrew, Isabel et votre mère, qui ont pensé que ce serait une bonne idée qu'un descendant vivant vienne à leur secours.

– Pardonnez-moi si je trouve cela difficile à croire, surtout après vous avoir trouvé au fond d'une boîte destinée à masquer votre présence à la sorcière.

– Ce n'est pas à elle que je dois m'en prendre, Anthony. Je ne le pourrais jamais.

– Je vois...

Samuel n'eut pas le temps de lui parler davantage. Sans avertissement, le vampire disparut. «Esther m'avait prévenu qu'il était devenu antisocial», soupira intérieurement le musicien. Il retourna s'asseoir devant le feu pour décompresser. Il venait de traverser un si grand nombre d'événements traumatisants qu'il ne savait plus quel jour c'était. Il les compta sur ses doigts et écarquilla les yeux.

– Je pars demain!

Au même moment, Anthony se matérialisait à l'entrée d'une minuscule chapelle à l'autre bout du château. Une jeune femme aux longs cheveux blond miel était agenouillée sur un prie-Dieu, les mains jointes, et regardait avec dévotion le crucifix accroché au-dessus de l'autel.

– Que nous arrivera-t-il s'il nous sauve? laissa tomber le vampire.

Phoebe sursauta et se retourna en mettant les mains sur son cœur.

– Depuis quand peux-tu entrer ici? bafouilla-t-elle.

– Je vais où je veux depuis mon premier jour au château.

– Je parle de cette pièce dédiée à Dieu.

– Ce n'est qu'une croix avec une statue collée dessus.

– Il s'agit de notre Créateur à tous, Anthony.

– Tu as commis de graves péchés tout comme moi, alors si Samuel réussit à briser la malédiction, dis-moi ce qui nous arrivera.

– J'ai bien peur que nous ne puissions pas suivre les autres au ciel, ni Jonas, d'ailleurs, et peut-être pas non plus ceux qui ont été des soldats. Nous serons condamnés aux tourments de l'enfer.

– Moi, j'ai assez souffert. Je vis enfin en paix depuis que je suis arrivé ici.

— Tout comme moi... admit Phoebe d'une voix faible.

— Samuel pourrait-il ne libérer que ceux qui veulent vraiment l'être?

— S'il nous débarrasse de la malédiction, nous serons tous touchés.

— Alors, je trouverai une façon de l'en empêcher.

Il disparut avant qu'elle puisse lui recommander de ne pas souiller davantage son âme.

CHAPITRE 24

Assis devant la cheminée, Samuel laissa son regard se perdre dans les flammes en réfléchissant aux dangers qu'il courait. Il lui fallait faire vite s'il ne voulait pas devenir la prochaine victime de Sortiarie. «Il est dommage que ma future fille ne puisse pas m'aider à choisir la bonne porte...»

— Préférerais-tu attendre un peu avant de poursuivre tes recherches? fit la voix familière d'Ulrik.

Le musicien se retourna et trouva Andrew et Esther en compagnie du Scandinave.

— Certainement pas, répondit-il. Le temps presse et, sincèrement, j'aimerais mieux que la sorcière ne me trouve pas ici.

— La fontaine devrait s'arrêter demain, à moins que la présence de Sortiarie sur le domaine ait tout changé, commenta Andrew.

— Je dois mettre fin à cette folie.

— Et je t'y encourage, lui dit Ulrik, mais nous comprenons que tu puisses céder à la peur.

— En attendant d'ouvrir la bonne porte, n'oubliez pas qu'il y a des coffres partout où vous aimez passer du temps, tenta de le rassurer Esther.

— Mais comment peuvent-ils me protéger?

— Je les ai ensorcelés pour qu'elle ne capte pas votre énergie.

— Où est la sorcière, en ce moment? demanda Samuel.

— Aux confins du domaine, répondit-elle. Nous la surveillons tous étroitement. Si elle ose revenir par ici, quelqu'un sonnera discrètement l'alarme.

— Je n'ai pas du tout envie de passer le reste de mon séjour parmi vous dans une boîte, alors je vais redoubler d'efforts pour arriver enfin en Scandinavie.

— On commence à voir surgir tes origines vikings, le félicita Ulrik.

— Espérons que ça suffira à me garder en vie.

Samuel passa les heures suivantes à localiser les coffres du rez-de-chaussée, puisqu'en cas d'urgence, il savait très bien que ce serait son instinct qui lui dicterait ses gestes. Il en aperçut même un dans la salle à manger, alors qu'en théorie, cette pièce était protégée par la magie d'Esther. Il prit place à table et se cacha le visage dans les mains, découragé.

— Je vous en prie, calmez-vous, Samuel, lui recommanda la bonne.

Il abaissa les bras pour la regarder.

— Nous avons tous votre survie à cœur, alors faites-nous confiance.

— Je ne suis pas aussi courageux que tout le monde semble le croire.

— J'ai aussi placé un coffre dans votre chambre à coucher, au cas où.

— Dans cette pièce dont la sorcière ne peut pas capter l'existence? Ce n'est pas très encourageant.

— Et c'est pour cette raison que je suis allée à Londres afin de vous procurer un bijou que vous pourrez porter en tout temps pour échapper à la sorcière.

— Comme celui que vous avez offert à Emily de ma part?

— Pas tout à fait. J'ai appris que les hommes ne portent que très rarement des cœurs en argent dans leur cou. Il m'a donc fallu faire des recherches. En écoutant parler les clients dans différentes bijouteries, j'ai découvert qu'ils aiment plutôt porter de petite croix en or sur une chaînette ou la médaille d'un saint dont ils réclament la protection.

— Vous avez réussi à trouver un saint Samuel?

– Assez facilement, je dois dire. Il fut le dernier des juges qui prépara le royaume d'Israël. C'est lui qui donna l'onction à Saül qui devint roi, puis quand Dieu eut rejeté Saül, il donna l'onction à David, qui fut l'ancêtre du Christ.

– C'est trop d'informations pour moi, avoua le musicien. Tout ce que je veux, c'est un objet magique.

Esther fit apparaître un écrin en velours à côté de son assiette. Samuel l'ouvrit sur-le-champ.

– Je vous conseille de commencer à porter cette médaille dès que possible.

– J'étais justement en train de me dire la même chose.

Il attacha la chaînette autour de son cou.

– Elle est bien enchantée, n'est-ce pas?

– Oui, tout comme celle d'Emily. Mais ne le faites pas exprès de parader devant Sortiarie juste pour la mettre à l'épreuve.

– Promis.

Samuel mangea l'omelette aux poireaux et au fromage de chèvre avec un peu plus d'appétit.

– J'ai disposé des coffres absolument partout, même autour de l'étang, afin que vous puissiez prendre un peu d'air.

– Je verrai si j'ai envie de sortir. De toute façon, je dois repartir demain matin.

– Vous êtes beaucoup plus brave que vous le croyez.

– Et vous êtes un ange.

– Si vous avez besoin de quoi que ce soit, appelez-moi.

Le musicien termina son repas, puis se rendit jusqu'à la porte qui donnait sur la terrasse. Il hésita un long moment avant de la franchir. Inquiet, il n'alla pas plus loin que la balustrade et se contenta de contempler les jardins d'en haut au lieu d'y descendre. «C'est un premier pas», se dit-il pour s'encourager.

Il revint à l'intérieur et joua du piano une grande partie de l'après-midi. Après le repas du soir, composé de bœuf braisé et de légumes, suivis de profiteroles au chocolat, il s'enferma dans sa chambre pour lire et se préparer mentalement à l'expédition du lendemain. Les paupières lourdes, il finit par s'endormir et rêva que la sorcière le poursuivait autour de l'étang en poussant des hurlements inhumains, un peu comme Arvid, le mannequin en bois, l'avait fait. Il se réveilla en sursaut un peu avant le lever du soleil, le cœur battant la chamade. Pour se calmer, il fila sous la douche, où il resta un long moment, puis s'habilla. Les premiers rayons commençaient à s'infiltrer dans sa chambre: c'était presque l'heure de partir.

Il alla manger son bagel et but lentement son café. «Où vais-je me retrouver, cette fois?» Sans oser se l'avouer, il craignait désormais de se retrouver nez à nez avec Sortiarie derrière chaque porte. «Ce qui est statistiquement improbable», se dit-il pour chasser sa peur.

— Quand j'étais sagement assis au bar de Ray Sikes, à Londres, en train de boire un verre de whisky après l'autre, jamais je n'ai imaginé une seule seconde que j'aboutirais ici... murmura-t-il.

Esther apparut près de lui.

— Vous ne changez pas d'idée?

— Je n'ai pas le choix, Esther. Si je commence à reculer, Sortiarie finira par tomber sur moi, et tout sera perdu.

— Soyez prudent, surtout si vous vous retrouvez chez Ulrik.

— Ça fait partie de ma stratégie.

Dès qu'il eut avalé la dernière goutte de café, Samuel commença par sortir sur la terrasse pour remplir ses poumons d'air frais. Tout était très calme sur le domaine et la fontaine coulait encore. Rose était plantée devant comme un bon petit soldat. Andrew se matérialisa à la gauche du musicien.

— Rien à signaler, lui apprit-il.

— Ça fait du bien à entendre, avoua Samuel.

— Comment vous sentez-vous quand vous devez franchir une porte?

– Les premières fois, j'étais mort de peur, mais maintenant je sais à quoi m'attendre quand j'avance dans la noirceur la plus totale. Je finis toujours par tomber de plusieurs étages, mais jusqu'à présent, je ne me suis rien cassé. Je suis ensuite assailli par la lumière du lieu où je viens d'atterrir et quand je finis par ouvrir les yeux et voir quelque chose, c'est là que je découvre où je suis.

– J'ai beaucoup de difficulté à comprendre que tout ceci se trouve derrière de simples portes.

– Elles cachent toutes un vortex différent, qui plonge dans le passé à la façon d'un tunnel. Mais je n'avais jamais de ma vie entendu parler d'un phénomène semblable. Même la science actuelle commence à peine à reconnaître leur existence dans l'espace, mais pas encore sur notre planète.

– Vous avez donc fait une importante découverte.

– Que je ne pourrai jamais prouver, puisque cet endroit cessera d'exister quand j'aurai accompli ma mission. Ce ne sera plus qu'un souvenir pour moi.

– Croyez-vous qu'il y ait d'autres vortex dans d'autres châteaux?

– Rien n'est impossible, Andrew. C'est ce que j'ai appris depuis que je suis ici.

– Au cas où vous franchiriez enfin la porte d'Ulrik, merci pour tout ce que vous avez fait pour nous jusqu'à présent.

– Et merci à vous de m'avoir attiré jusqu'ici avec ce faux testament.

Un sourire se dessina sur les lèvres de l'avocat.

– Ce n'était pas ma spécialité du droit, mais je me suis bien débrouillé.

Andrew s'évanouit comme un mirage. Samuel inspira profondément, puis tourna les talons. «À ton tour de foncer, descendant de Viking», se dit-il. Il pénétra dans le château et se rendit dans le vestibule. Il leva les yeux sur le grand escalier, hésitant. «Ne perds pas ta motivation, Sam», s'encouragea-t-il.

Il grimpa lentement les marches, à l'affût du moindre bruit suspect, puis inspecta le couloir. Il marcha jusqu'au coffre sous l'unique fenêtre et l'ouvrit par curiosité. Il était plus étroit que celui du salon, mais il n'allait certes pas s'en plaindre.

Samuel regarda ensuite dehors. Rose était toujours debout devant le bassin. Quelques minutes plus tard, l'eau arrêta de couler. L'enfant se retourna vers le château, leva les yeux vers la fenêtre devant laquelle se tenait le musicien et lui fit signe d'y aller en relevant le pouce de sa main droite. Samuel lui fit savoir d'un mouvement de la tête qu'il était prêt. «On dirait une opération militaire», songea-t-il, amusé. Il se retourna vers les portes. Heureusement, la sorcière n'avait pas effacé les marques qu'il y avait gravées, sinon tout aurait été à recommencer.

– Laquelle choisir? soupira-t-il.

Il fit quelques pas et entendit un craquement. Saisi d'effroi, il s'élança sur la poignée la plus proche, tira et fonça dans le noir.

Anthony se matérialisa alors à quelques pas de la porte qui se refermait. La meilleure façon de s'assurer que le descendant numéro quarante-six ne puisse jamais briser la malédiction et l'expédier en enfer, c'était de l'empêcher de revenir de cette nouvelle expédition. Il leva la main. Une lance se détacha du mur de la salle de jeu. Volant dans les airs, elle traversa le rez-de-chaussée, grimpa à l'étage et s'arrêta finalement entre les doigts du vampire. Avec sa magie, il l'étira jusqu'à ce qu'elle atteigne trois fois sa longueur, puis la coinça dans la poignée des portes à droite et à gauche de celle où avait disparu Samuel. Au retour du musicien, elle l'empêcherait d'ouvrir celle du milieu et il resterait coincé dans le passé pour toujours. Satisfait de son travail, Anthony s'évapora.

Inconscient de ce qui venait de se passer derrière lui, Samuel avança bravement dans le noir jusqu'à ce qu'il perde pied et tombe dans la spirale du temps. Il sentit un sol plutôt gluant sous ses semelles et battit des paupières pour ajuster sa vue. Il constata qu'il se trouvait au beau milieu d'une rue boueuse dans ce qui lui sembla être une petite ville médiévale, et qu'il portait une vieille valise à la main. Les maisons comptaient deux ou trois étages. La plupart étaient construites en bois recouvert de crépi, mais il y en avait aussi en briques rouges. Plusieurs toits étaient recouverts de bardeaux de cèdre, mais d'autres étaient en chaume. «On dirait que je suis encore une fois en Angleterre», se désola Samuel. Cet endroit ne ressemblait d'aucune façon aux illustrations des villages scandinaves qu'il avait étudiées dans ses livres sur les Vikings.

Avant d'entreprendre une étude plus approfondie des lieux, Samuel commença par se situer, de façon à pouvoir revenir au même endroit lors du retour du vortex. Il se trouvait devant la boutique d'un barbier. Il en mémorisa tous les détails. Puis il promena son regard au loin et aperçut ce qui lui sembla être un monastère ou une cathédrale. «J'aurais dû étudier l'architecture, aussi», songea-t-il, incapable de faire la différence entre les deux. «Mais peu importe ce que c'est, je ne suis vraiment pas à l'époque d'Ulrik. Encore une semaine de perdue...»

Il se mit à avancer dans la rue. Il avait dû pleuvoir, car il ne voyait aucun endroit sec où il pouvait mettre les pieds. Il se résolut donc à marcher dans la boue en examinant les devantures des maisons. Un grand nombre étaient des commerces, mais il y avait aussi des habitations privées coincées entre eux. Sans exception, tous ces bâtiments lui semblèrent vieux et fatigués.

Samuel tourna ensuite son attention sur les gens qui circulaient de chaque côté de lui. Il vit des hommes en pourpoint, hauts-de-chausses serrés, bas et chaussures suffisamment hautes pour être des bottes, ainsi que des femmes qui portaient des paniers, vêtues de jupes longues et amples froncées à la taille sous des robes noires au collet carré. Il y avait aussi des artisans dont les vêtements étaient recouverts de tabliers tachés

selon leur art. Des poules couraient sur les trottoirs et des cochons cherchaient de la nourriture. Mais ce qui frappa le plus
le musicien, ce fut la puanteur des lieux. «Si je reste ici trop
longtemps, je vais m'évanouir», comprit-il.

— Bonjour, mon père, lui dit alors une jeune femme, qui le
croisa en compagnie d'un homme de son âge.

«Mon père?» s'étonna Samuel. Il baissa les yeux sur ses
vêtements et vit qu'il portait une soutane noire! «Alors, là, je
suis vraiment dans le pétrin...» S'il avait prêté suffisamment
attention à ses cours d'histoire pour s'orienter de façon géné-
rale, il ne s'était jamais intéressé à la vie du clergé au fil des
âges.

— Que Dieu vous bénisse... trouva-t-il à dire.

Il salua ces gens de la tête et poursuivit sa route pour éviter
d'avoir à discuter avec eux. Toutefois, il ne savait toujours pas
où il était et encore moins où il devait aller. Tout le monde
continuait de lui adresser des marques de civilité, jusqu'à ce
qu'une dame d'un certain âge s'arrête précipitamment devant
lui.

— Cela fait presque une heure que je vous cherche!
s'exclama-t-elle.

«Suis-je censé connaître cette personne?» s'inquiéta Samuel.

— Le père Easton avait bien raison de dire que même dans
une ville aussi petite que la nôtre, vous seriez capable de vous
perdre, puisque vous arrivez d'un petit village de rien du tout.

«Donc, j'étais attendu? Où es-tu, petit génie? J'ai besoin
d'aide...»

— Je m'appelle Norma et c'est moi qui m'occupe du père
Easton.

— Je suis le père Andersen, se présenta Samuel, incertain.

— Oui, je sais. Venez vite. Il y a une urgence au presbytère.

«Comme si j'avais besoin de ça...» paniqua le musicien.

Norma prit les devants. Samuel la suivit de son mieux, car
son vêtement n'était pas aussi ample que le sien.

CHAPITRE 25

Tout en marchant d'un bon pas près de Norma, Samuel faisait semblant de se sentir à l'aise alors qu'il ne l'était pas du tout. Il crut que le pasteur qui allait l'accueillir vivait dans un meilleur quartier de la ville, mais il ne vit aucun changement encourageant en cours de route, même si la servante passait son temps à obliquer dans une rue, puis dans une autre. «Je ne serai jamais capable de revenir sur mes pas par moi-même», s'inquiéta le musicien.

– Vous avez fait un bon voyage? lui demanda Norma.

– Ce n'était pas si mal.

– J'espère que votre village ne vous manquera pas trop. La vie est bien différente, ici.

Ils arrivèrent finalement devant une maison en briques de deux étages. Elle avait l'air en meilleur état que les autres constructions du village. Construisait-on les presbytères pour qu'ils durent plus longtemps que le reste des chaumières? Norma lui demanda d'essuyer ses chaussures sur le paillasson avant de le laisser entrer. De toute façon, Samuel l'aurait fait instinctivement, car ses parents l'avaient élevé ainsi.

Il pénétra dans ce qui lui sembla être un grand salon, qui servait aussi de bureau au pasteur. Un bon feu brûlait dans l'âtre, qui réchauffa aussitôt Samuel.

– Faites comme chez vous. Je dois retourner travailler. Le père Easton sera bientôt là.

– Merci, madame.

– Appelez-moi Norma.

Elle passa la porte tout au fond à gauche. Ne voulant surtout pas offenser le maître des lieux en fouillant dans ses affaires, Samuel alla se planter devant les flammes pour continuer de profiter de la chaleur et déposa sa valise.

— Vous voilà enfin! explosa une voix autoritaire derrière lui.

Le musicien sursauta et fit volte-face. L'homme qui se trouvait devant lui portait également une soutane, mais beaucoup plus serrée sur son gros ventre. Il était évident que la vie ne l'avait pas maltraité. Il était certainement dans la quarantaine. Ses cheveux noirs grisonnaient sur ses tempes et son visage rond était celui d'un homme qui mangeait toujours à sa faim. Ce qui frappa le plus Samuel, ce furent les yeux bleus très pâles d'Easton, qui lui firent penser à ceux de Brynjulf.

— Nous avons vraiment eu peur que vous vous égariez dans la ville à votre premier jour.

— J'avoue ne pas avoir un très bon sens de l'orientation.

— Je suis le père Easton. Soyez le bienvenu chez moi, père Andersen.

«Il y a donc vraiment eu un autre Andersen qui a prêché dans cette ville?» s'étonna Samuel. «À moins que j'aie changé le cours de l'histoire en venant ici?»

— L'évêque vous aime beaucoup, alors je vais garder l'œil sur vous pour qu'il ne vous arrive rien.

«On verra bien ce que vaudra cette promesse si jamais je croise la sorcière.»

— Avez-vous faim?

— J'ai déjà mangé, merci, répondit-il poliment.

— Alors tant mieux. Nous allons pouvoir nous mettre en route tout de suite pour le couvent. Il se situe à l'autre bout de la ville, mais la promenade vous permettra de vous familiariser davantage avec votre nouvel environnement.

— Oui, bien sûr.

Samuel le suivit donc à l'extérieur en essayant encore une fois de s'orienter. Easton marchait beaucoup plus lentement que Norma, alors il eut le temps d'examiner davantage ce qui l'entourait.

Le pasteur le présenta à tous ceux qu'ils rencontraient en ajoutant qu'il serait son successeur. Samuel s'efforçait de sourire, mais cette idée ne lui plaisait pas du tout. «Il ne faut vraiment pas que je manque la porte de retour», se promit-il. Il ne se voyait pas poursuivre une carrière ecclésiastique trois cent cinquante ans avant sa naissance.

– J'ai des affaires à mettre au point avec l'abbesse, ce matin, lui dit soudain Easton. Ce sera donc vous qui célébrerez la messe au monastère à ma place.

– Moi? s'étrangla Samuel.

– Vous ne pourrez pas vous cacher derrière votre statut de novice toute votre vie, jeune homme. Il arrive un moment où il faut sauter dans la rivière et nager. L'évêque s'attend à ce que vous grimpiez les échelons rapidement, alors nous ne devons pas le décevoir.

Samuel ne trouva pas les mots pour lui expliquer qu'il n'avait jamais fréquenté l'église de toute sa vie! Jusqu'à présent, il n'avait jamais eu à avouer à qui que ce soit dans le passé qu'il n'était qu'un imposteur. Quel sort réservait-on à cette époque aux hommes qui tentaient de se faire passer pour d'autres? La prison à perpétuité? La pendaison? Easton se rendit compte que son apprenti était devenu livide.

– Tout se passera très bien. Les sœurs sont indulgentes.

Ils arrivèrent devant la porte massive entre les murs qui entouraient l'abbaye des bénédictines. Une sœur leur ouvrit en tirant de toutes ses forces sur l'anneau en métal.

– Sœur Adeline, voici le père Andersen. Il me remplacera de plus en plus souvent, alors n'hésitez jamais à le laisser entrer chez vous.

– Bien compris, père Easton.

Les deux hommes poursuivirent leur route sur l'allée de petits cailloux jusqu'au bâtiment principal. Le pasteur savait très bien où il allait et il conduisit Samuel directement au bureau de l'abbesse. Celle-ci se leva en les voyant entrer. C'était une femme de forte constitution, dont l'air sévère mit le jeune homme en garde.

– Mère Régina, voici le père Andersen, celui que je dois entraîner pour me succéder, à la demande de l'évêque. Pendant que vous et moi discuterons de nos affaires, c'est lui qui dira la messe, ce matin.

– Excellente idée, père Easton. Soyez le bienvenu chez les bénédictines, père Andersen.

Le pasteur indiqua rapidement à Samuel comment se rendre à la chapelle du monastère, puis le poussa dans le couloir avant de refermer la porte. Laissé à lui-même, le pauvre homme se répéta mentalement les directives en tentant de retrouver le lieu en question, jusqu'à ce qu'elles s'emmêlent complètement dans sa tête dès qu'il eut pénétré dans le cloître. Il n'y vit aucune salle qui réponde à l'image qu'il se faisait d'un lieu de culte. «J'ai dû tourner du mauvais côté», conclut Samuel. Il revint sur ses pas et se rendit compte qu'il était perdu. «Peut-être que je devrais passer par l'extérieur au lieu d'essayer de m'y retrouver dans ces centaines de couloirs», s'encouragea-t-il.

Il sortit dehors et longea le gros immeuble pour finalement aboutir dans un grand jardin où les sœurs cultivaient autant les légumes que les fruits et les fleurs. Désorienté, il continua de marcher et se retrouva dans un cimetière.

– Je ne crois pas que je trouverai de chapelle par ici, murmura-t-il.

Il pivota et constata qu'il y avait des bâtiments tout autour de lui, mais aucun ne correspondait à la description que lui avait fournie Easton.

– Il avait peur que je me perde en arrivant dans la ville et il m'a laissé me débrouiller seul dans ce labyrinthe?

Découragé, il finit par s'asseoir sur le bord d'une stèle surmontée d'un ange jouant de la trompette, et se prit la tête dans les mains. «Comment vais-je me sortir de là?»

Au même moment, dans la chapelle, les religieuses étaient toutes rassemblées, sauf l'abbesse, et attendaient l'arrivée du pasteur afin que puisse commencer le service.

– Il n'est jamais en retard, d'habitude, fit remarquer l'une d'entre elles, à voix basse.

– Mes sœurs, si vous voulez bien, je vais aller voir ce qui le retient, offrit sœur Phoebe.

Comme toutes les autres, elle portait un surcot gris par-dessus une aube crème. Sa guimpe cachait habilement ses longs cheveux blonds.

– Dépêchez-vous.

Phoebe refit donc le chemin inverse vers le bâtiment principal par où le père Easton avait l'habitude d'arriver, mais elle ne croisa personne. Son intuition lui recommanda de revenir vers la chapelle en empruntant le sentier à l'extérieur. Elle allait abandonner ses recherches quand elle aperçut un jeune homme dans le cimetière.

– Mais qu'est-ce qu'il fait là? s'étonna la religieuse.

Elle s'approcha prudemment de lui et s'immobilisa en conservant une distance respectueuse.

– Savez-vous où est le père Easton? lui demanda-t-elle.

Samuel sursauta.

– Il est avec l'abbesse, répondit-il.

– Je suis désolée de vous avoir effrayé, mais j'ai besoin de savoir quand il viendra célébrer la messe dans la chapelle.

– Il m'a demandé de le faire à sa place, mais je n'ai jamais fait ça de toute ma vie.

– Mais votre soutane indique pourtant que vous êtes un pasteur.

– Qui sort à peine du séminaire et qu'on vient de jeter dans la rivière...

– La rivière?

– C'est l'expression qu'a utilisée le père Easton pour me faire comprendre que je devrai me débrouiller seul.

– Ils ne vous enseignent pas à dire la messe quand ils vous préparent à servir Dieu?

– Sans doute, mais dans mon cas, il semble y avoir eu des lacunes.

– Je vois. Ne paniquons pas. Ce n'est pas aussi difficile que vous le croyez et, heureusement pour vous, il existe une version courte de cette célébration. Je pense que pour une première fois, cela devrait suffire. Sœur Agnès et sœur Olivia agissent comme enfants de chœur pour le père Easton. Elles seront certainement en mesure de vous aider.

– Vous m'en croyez vraiment capable? s'étonna Samuel.

– Ce n'est pas sorcier. Oh pardon... mauvais choix de mots. Et même si vous deviez faire quelques erreurs, Dieu vous le pardonnera.

Encouragé, Samuel se leva.

– Je suis le père Andersen, se présenta-t-il. Comment vous appelez-vous?

– Sœur Phoebe.

«La fille d'Ambrose?» Ce n'était pas le moment de le lui demander.

– Venez et, surtout, détendez-vous. Tout ira très bien, je vous le promets.

Samuel suivit la religieuse dans le bâtiment. Il ne comprit pas où il s'était trompé de chemin, car il lui sembla qu'elle empruntait exactement le même que lui quelques minutes plus tôt. Lorsqu'ils arrivèrent enfin dans la chapelle, les sœurs poussèrent un soupir de soulagement. Mais quand Phoebe fit monter l'inconnu sur l'estrade où se trouvait le petit autel, Agnès et Olivia échangèrent un regard étonné. Dans le but de calmer les esprits, Phoebe prit sur elle d'expliquer à la communauté ce qui s'était passé.

– Le père Easton a demandé au père Andersen de célébrer la messe à sa place, ce matin. Comme vous vous en doutez déjà, le père Andersen est nouveau ici, alors il s'est perdu dans le monastère. Je l'ai finalement retrouvé, mais il y a aussi un autre problème. Il a été expédié dans la région avant d'avoir terminé sa formation et on ne lui a jamais enseigné à dire la messe.

Les religieuses murmurèrent leur indignation.

– Mes sœurs, je vous demanderais donc de faire preuve de patience envers lui, car il a quand même accepté d'essayer.

Elles acquiescèrent toutes de la tête. Phoebe se retourna donc vers les enfants de chœur.

– Pouvez-vous le guider?

– Sans le moindre problème, la rassura Agnès.

Satisfaite, Phoebe retourna s'asseoir à sa place avec les autres. Olivia poussa doucement Samuel jusqu'à l'autel et lui montra le livre à partir duquel il pourrait travailler. Il était en latin!

– Je mettrai l'index sur les courts textes que vous devrez lire, chuchota-t-elle. L'important, c'est de le faire avec conviction.

«Sans savoir ce que je dirai?» paniqua le musicien.

– Commençons, si vous le voulez bien, sinon toutes nos corvées seront en retard.

– Je suis prêt, affirma-t-il d'une voix tremblante.

Elle plaça le doigt sur une première phrase. Samuel fit de son mieux pour prononcer les mots dans cette langue qu'il ne connaissait pas.

– *In nomine Patris et Filii et Spiritus Sancti. Dominus vobiscum.*

– *Et cum spiritu tuo,* claironnèrent les religieuses d'une seule voix.

Leur réponse retentissante fit sursauter Samuel, qui recula de quelques pas. Agnès lui prit doucement le bras et le ramena devant le grand livre.

– Votre latin est excellent, le félicita-t-elle. Allez, poursuivons.

Le front perlé de sueur, Samuel réussit à traverser la version courte de la liturgie sans trop de bévues grâce aux deux religieuses qui lui firent lire la prière d'ouverture, mais qui se chargèrent des textes de l'Ancien et du Nouveau Testament, ainsi que de la plus grande partie de l'Évangile. Il ne lui resta plus qu'à lire la profession de foi. À sa grande surprise, celle-ci mit fin à la célébration. «Pas d'eucharistie?» s'étonna-t-il. Il n'osa pas le mentionner à ses sauveteuses, de peur qu'elles l'obligent à procéder à cet important sacrement. Toute la congrégation vint le féliciter pour ses efforts et lui promit une longue et belle carrière.

– Vous partagerez bien notre déjeuner? le convia Agnès.

– Avec plaisir, répondit-il, soulagé.

«N'importe quoi sauf une autre messe...»

– Je vais vous accompagner pour que vous ne vous perdiez pas une seconde fois.

– Je vous promets de finir par m'y retrouver dans tous ces couloirs.

– Peut-être que oui, peut-être que non. Certaines de nos sœurs n'y arrivent pas encore et elles sont ici depuis dix ans.

Samuel essaya discrètement de localiser Phoebe, à qui il voulait poser mille questions, mais ne la vit nulle part dans cet océan de guimpes. Il marcha donc près d'Agnès.

– Vous ferez un excellent pasteur, une fois que vous aurez surmonté votre nervosité, chuchota-t-elle tandis qu'ils marchaient dans le couloir qui menait au réfectoire.

– Vous croyez?

– Il est évident à vous regarder que vous possédez une belle prestance et qu'une fois à l'aise, vous saurez captiver même un auditoire de vieilles religieuses.

Son commentaire le fit sourire.

– D'où venez-vous?

– D'un petit village au nord de Londres, répondit-il en se rappelant ce que lui avait dit Norma.

– Avez-vous ressenti l'appel de Dieu dès votre enfance?

– Non, c'est plutôt récent.

Ils traversèrent le cloître.

– Cet endroit est vraiment magnifique, laissa-t-il tomber.

– Il n'y a donc aucun monastère dans votre région natale.

– Non, aucun.

– En principe, je n'ai pas le droit de vous parler, mais puisque vous êtes nouveau ici, mes sœurs et l'abbesse me le pardonneront. Toutefois, quand nous serons au réfectoire, il faudra garder le silence. Cela fait partie de nos règles.

– Merci de me le rappeler.

– Si vous avez d'autres questions, nous pourrons sans doute y répondre après nos corvées, avant les prières du soir.

– Auxquelles je devrai participer? s'inquiéta Samuel.

– Seulement si vous en avez envie. Le père Easton trouve toujours une bonne excuse pour les éviter. Peut-être serez-vous un pasteur différent.

Il n'eut pas le cœur de lui dire que dans vingt-quatre heures, il serait de retour dans son propre siècle.

– Depuis combien de temps êtes-vous ici, sœur Agnès? demanda-t-il plutôt.

– Cela fera bientôt treize ans que je suis au service de notre Seigneur. Tout comme vous, j'ai reçu l'appel plus tard dans la vie.

– Êtes-vous heureuse?

– Plus que je l'ai été quand j'habitais chez mon mari. À sa mort, quand j'ai été dépouillée de tous mes biens par sa famille, Dieu m'a ouvert les portes de sa maison. Et vous?

– Je n'ai pas toujours été un bon garçon avant de perdre mes parents. J'ai reçu un peu d'argent en héritage, mais je l'ai utilisé pour alimenter ma carrière d'amuseur, ce qui ne m'a mené nulle part.

– Alors, Dieu a eu aussi pitié de vous...

– J'ai mis un long moment avant de le reconnaître, mais me voilà.

«Et dire que je n'ai jamais voulu faire de théâtre quand j'étudiais à l'académie de musique», se rappela Samuel. «J'ai un talent naturel pour l'improvisation!»

Les religieuses s'immobilisèrent à l'entrée du réfectoire.

– Nous y voici, annonça Agnès. Rappelez-vous de manger en silence, car vous n'êtes pas au presbytère, où vous avez la liberté de vous exprimer.

– Bien compris.

– Je vais vous conduire à la place que nous réservons habituellement au père Easton.

– Merci, sœur Agnès.

Il suivit le troupeau dans l'immense salle, où s'alignaient de nombreuses tables en bois.

CHAPITRE 26

Samuel prit place à l'endroit que lui indiqua sœur Agnès et observa ce que faisait les autres pour ne pas commettre d'erreurs. En attendant que toutes fussent assises, il étudia la sobre architecture de la salle commune. Les tables étaient alignées bout à bout dans le sens de la longueur et les bancs ne se trouvaient pas des deux côtés. Ils faisaient tous face au centre de la pièce. Ainsi, les religieuses ne pouvaient voir les visages que de celles qui se trouvaient de l'autre côté de la salle et non ceux des sœurs qui se trouvaient directement devant elles. «Sans doute pour ne pas être tentées de bavarder pendant les repas», devina Samuel. Tout au bout se trouvait une tribune surmontée d'une grosse cloche suspendue au plafond. Derrière, sur le mur, un crucifix avait été peint.

Les cuisinières se mirent à faire le service. Samuel reçut une grosse miche de pain encore toute chaude, puis une assiette qui contenait des œufs, du fromage, des légumes bouillis, un poisson grillé ainsi qu'un gobelet de vin rouge.

Il attendit que tout le monde soit servi avant de commencer à manger. C'est alors qu'il repéra Phoebe, assise beaucoup plus loin. Elle ne se préoccupait plus de lui et gardait les yeux baissés sur son assiette. Une des plus vieilles religieuses prononça alors le bénédicité, puis toutes se mirent à manger en silence. Samuel en fit autant. La nourriture était vraiment délicieuse, Samuel en était même étonné, lui qui avait toujours pensé que les moines ne se nourrissaient que d'eau et de pain sec. Il trouva bien curieux de ne pas entendre de conversations enjouées pendant le repas. Chez lui, jadis, c'était le seul moment où il pouvait vraiment échanger avec ses parents.

Une heure plus tard, les religieuses commencèrent à aller porter leur vaisselle à l'autre bout de la pièce, où d'autres sœurs avaient pour tâche de la laver et de la ranger. Samuel les suivit avec son assiette et ses couverts et imita leurs gestes. Il vit alors Phoebe à quelques pas de lui et se tourna vers elle.

– Êtes-vous la fille d'Ambrose Bradley? lui demanda-t-il.

– Nous n'avons pas le droit de parler ici, chuchota-t-elle sur un ton de reproche.

– Mais nous avons fini de manger.

– Chut!

Elle s'éloigna prestement pour ne pas être réprimandée par les plus âgées. Samuel se demanda s'il y avait un parloir dans le monastère, mais il ne pouvait poser la question à personne. Les religieuses se séparèrent en sortant de la salle pour aller vaquer à leurs occupations quotidiennes. Le pauvre musicien resta planté sur place, ne sachant plus ce qu'il devait faire.

– Le bâtiment principal est par là, lui indiqua Agnès en lui pointant un long couloir.

– Oh, merci.

Samuel s'y engagea, mais, en réalité, il n'avait pas du tout envie de tomber sur Easton, pour qu'il se débarrasse encore une fois de son travail en le lui confiant. Dès qu'il vit une porte qui donnait sur l'extérieur, il s'éclipsa. Il avait vu de nombreux bancs dans les jardins et décida qu'il avait besoin d'un peu de solitude pour réfléchir à sa situation. Il choisit de s'asseoir à l'ombre, car il faisait chaud dans son accoutrement.

«C'est complètement fou ce qui m'arrive depuis quelques semaines...» songea-t-il. «En plus de vivre l'histoire en direct, je me retrouve dans des situations que la plupart des hommes ne connaîtront jamais. Et le pire, c'est que quand je raconterai tout ça à Emily, elle ne me croira jamais.»

La quiétude du jardin lui fit le plus grand bien. Pendant un instant, il se demanda où était passé son petit génie, qui lui fournissait tout ce dont il avait besoin derrière chaque porte. Il était vrai, cependant, qu'en tant que pasteur, tout lui était fourni gratuitement... «Mais pourquoi la soutane?» Il n'aurait sans doute pas pu rencontrer Phoebe autrement. «Mais comment Felicity fait-elle pour savoir tout ça à l'avance? Et avant de naître, est-ce que nous sommes tous capables d'en faire autant?» Samuel commençait à peine à croire qu'il avait eu une vie avant celle-ci. Il ignorait tout à fait ce qui avait pu se passer entre les deux.

Il se mit alors à penser à Phoebe, dont Ambrose lui avait parlé durant la semaine. Il lui avait dit qu'elle était belle et douce comme le miel, ce que Samuel avait été en mesure de constater lorsqu'elle s'était portée à son secours pour la messe. Il avait aussi ajouté que ses manières étaient exquises et qu'elle possédait un cœur grand comme le monde. Elle était entrée au couvent à la mort de sa mère, car elle n'avait pas été capable de se débrouiller seule.

Comme si elle avait deviné qu'il songeait à elle, Phoebe s'approcha de lui, un seau en bois dans chaque main. Au lieu de s'asseoir près de lui, elle choisit de prendre place sur le banc opposé, de l'autre côté de l'allée, et déposa son fardeau sur le sol.

— Je serai punie si on me surprend à bavarder avec vous au lieu de faire mes corvées, lâcha-t-elle, mais votre question m'a trop obsédée pour que je n'y réponde pas.

— Je veux seulement savoir si vous êtes la fille d'Ambrose, le jardinier.

— Oui, c'était bien mon père, et je l'adorais plus que tout au monde. Sa mort m'a plongée dans un grand désespoir. Ma mère lui a survécu deux ans, mais elle était aussi détruite que moi. Quand elle m'a quittée, elle aussi, je me suis réfugiée chez les religieuses.

— Parce que vous n'étiez pas mariée?

— C'était une des raisons, en effet. J'ai été surprotégée par mes parents, père Andersen. Je ne savais absolument rien faire.

Les religieuses m'ont montré à coudre, à cuisiner, à jardiner... Elles m'ont redonné une raison de vivre. Avez-vous connu mon père?

– Oui, et je dois dire que c'était un homme exceptionnel. Je suis vraiment fier de rencontrer son unique héritière. C'est un hasard inespéré.

– Étiez-vous au séminaire quand vous avez fait sa connaissance?

– Non, c'était bien avant cet épisode de ma vie.

– Alors il est dommage que vous n'en ayez pas profité pour lui demander ma main.

Samuel ne sut pas quoi répliquer. De toute façon, il n'en eut pas le temps. La jeune femme jeta un regard vers le bâtiment principal et sembla paniquer. Elle agrippa ses seaux et fonça vers le fond du jardin. Le musicien crut qu'elle avait passé trop de temps avec lui et que son absence allait être remarquée par les autres religieuses. Il ne comprit pas tout de suite qu'elle venait d'apercevoir Easton qui venait vers eux. «Elle est donc entrée au couvent parce qu'elle ne pouvait faire autrement», conclut le musicien. «Au fond, elle aurait aimé avoir sa propre famille...»

– Je vous cherchais encore! s'exclama Easton en s'arrêtant devant Samuel.

Il était visiblement en très mauvaise forme physique, car il haletait comme un bœuf et était couvert de sueur. Il se laissa tomber sur le banc près de son futur successeur.

– Vous avez fait bonne impression, à ce qu'on me dit, continua-t-il. Sœur Lilian ne parle que de vous.

Samuel ne savait même pas qui c'était.

– Avez-vous réussi à surmonter votre trac?

– Sans la moindre difficulté. Vous avez raison de dire que ces femmes sont indulgentes.

– Et la nourriture?

– J'ai été surpris de constater qu'elles mangent très bien.

– Ça n'a pas toujours été ainsi, mais avec le temps, la communauté s'est mise à leur faire don de tout ce qu'elle avait en trop en échange de leurs prières.

– Je suis en faveur du troc.

– Dans ce cas, vous survivrez, ici. J'ai réglé tous mes comptes avec l'abbesse, alors que diriez-vous d'une petite visite de la ville?

– Avec plaisir.

– J'en profiterai pour vous donner les informations essentielles à votre ministère.

Samuel savait bien qu'il partirait le lendemain matin, mais rien ne l'empêchait d'ajouter à sa culture. Il quitta donc le monastère avec le père Easton. Ils empruntèrent le chemin qui menait à la petite rivière, qui n'était pas très propre puisque les habitants de la ville y jetaient tous leurs déchets. Il avait aussi remarqué qu'ils en laissaient une partie au bord des maisons et que les cochons s'en délectaient sans la moindre gêne. «Je n'aurais pas aimé vivre à cette époque», conclut-il au bout d'un moment.

– Comme vous vous en doutez, nous ne buvons pas cette eau, lui expliqua Easton. Le monastère a son propre puits, tout comme la ville, et j'en possède aussi un au milieu de mon jardin.

Samuel aperçut plusieurs ponts en pierre qui traversaient la rivière. Ils menaient à des terres cultivées, à l'extérieur de la ville. Le pasteur invita Samuel à le suivre dans une rue où s'entassaient surtout des chaumières en bois à deux étages et qui les conduisit jusqu'à l'avenue principale. Le musicien eut soudain envie de se pincer le nez tellement les odeurs étaient répugnantes. Il baissa les yeux sur ses chaussures qui s'enfonçaient de plus en plus dans la boue.

– Il a plu toute la semaine dernière, lui raconta Easton. D'ordinaire, les rues ne sont pas dans un état aussi déplorable.

Samuel poussa un cri d'effroi quand deux rats lui passèrent sur les pieds.

– Vous allez devoir vous y habituer, père Andersen. Ils sont partout, dans cette ville.

– Où sont les chats qui les chassent?

– Ils font ce qu'ils peuvent. Nous traversons actuellement le quartier résidentiel de la ville. Il y a bien sûr des maisons partout ailleurs, mais je dirais que les trois quarts se trouvent ici. La plupart des fidèles se débrouillent bien financièrement, mais nous avons aussi des pauvres, comme partout ailleurs, et nous faisons tout ce que nous pouvons pour leur venir en aide.

Ils arrivèrent à l'intersection avec la rue où se situaient les commerces.

– Si vous tournez à gauche, vous retournerez au monastère, et si vous tournez à droite, tout au bout, vous reviendrez au presbytère. Les deux sont situés sur le même axe.

– Je m'en souviendrai.

– Si vous poursuivez droit devant, vous atteindrez le marché public. C'est un grand espace où les marchands vont vendre leurs produits une fois par semaine. Vous avez de la chance, car ce sera demain. Ils ont déjà commencé à ériger leurs étals. Allons plutôt à droite. Je veux que vous vous familiarisiez avec les commerces.

Dans la rue commerciale, cette fois, Samuel prit le temps de regarder autour de lui. Il découvrit donc les boutiques du mercier, du cordonnier, du couturier, du drapier, de l'épicier, du quincaillier, du boucher, du poissonnier, du boulanger, du coutelier, du potier, de l'apothicaire et mémorisa encore une fois l'emplacement de celle du barbier. Le musicien n'avait jamais imaginé qu'il y avait autant de métiers à cette époque. Il avait toujours cru qu'il s'agissait d'une période de l'histoire où l'intelligence n'avait pas occupé une place prépondérante dans la vie des hommes.

– Ne vous fiez pas trop à vos yeux, père Andersen. C'est une belle communauté qui croit en Dieu. Il y a très peu de vols et, depuis que je suis arrivé ici, personne n'a jamais été assassiné.

– J'imagine que c'est très rassurant.

– Compte tenu de ce qui se passe ailleurs dans le pays, je dirais que oui. Ces gens veulent vivre en paix et exercer leur métier sans subir d'extorsion ou d'intimidation.

Samuel se rappela qu'au temps d'Anwen, le pays était divisé en territoires gérés par des seigneurs qui se faisaient la guerre. Apparemment, la situation avait bien changé en deux cents ans. «Ou bien ils se sont tous entretués», conclut-il. Tous les marchands les saluaient avec de larges sourires. Il ne ressentait aucune animosité nulle part.

– Ça fait des années que je demande à l'évêque de me trouver un remplaçant, laissa alors tomber Easton, alors qu'ils poursuivaient leur route vers le presbytère.

– Vous ne vous plaisez plus dans cette ville pourtant si sereine?

– J'y suis depuis très longtemps et j'ai vu tout ce que je pouvais voir. Je ne peux pas en faire plus pour ces braves gens. Ils ont besoin d'un vent de modernité, que vous pouvez leur apporter vu votre âge et la façon différente dont on forme les pasteurs désormais. Quant à moi, j'ai besoin de changer d'horizons et d'aller porter la bonne nouvelle ailleurs.

– Je vois...

Samuel ne comprenait pas de quoi il parlait, mais il était sur le point de le découvrir. Il aperçut l'église au loin, ce qui lui avait complètement échappé lorsque Norma l'avait presque fait courir jusqu'à la maison d'Easton. En fait, elle se trouvait à une trentaine de mètres en face du presbytère. Ce n'était pas une grosse cathédrale comme il en avait souvent vu à Londres, mais un bâtiment plus modeste. En captant l'intérêt du jeune homme, le pasteur décida de l'y faire entrer.

– Ce sera à vous de décider combien de fois par semaine vous y direz la messe et y administrerez les sacrements.

Easton poussa la porte et laissa passer Samuel. Il se retrouva dans la nef, dont les murs étaient recouverts de marbre blanc et percés de fenêtres plus hautes que larges. Elles étaient recouvertes de vitraux tout simples. Entre les fenêtres étaient suspendus des tableaux de personnages que le musicien était incapable d'identifier. De chaque côté de l'allée centrale s'alignaient une vingtaine de longs bancs en bois. Tout au bout, dans le chœur, se dressait l'autel, qui ressemblait surtout à une table recouverte d'une nappe blanche. À sa gauche se trouvait l'ambon, une tribune surélevée où le pasteur s'adressait aux fidèles, et à sa droite, le siège du célébrant. Derrière s'élevait le tabernacle, encastré dans un magnifique meuble en bois ouvré. Et, au-dessus, une grande croix sans ornements.

– Voici votre nouveau lieu de travail.

Samuel tenta d'imprimer autant de détails qu'il le put dans sa mémoire avant qu'Easton le fasse revenir sur ses pas.

– Je vais vous montrer votre chambre, lui dit-il en franchissant la distance entre l'église et le presbytère avec lui. Vous pourrez vous reposer pendant que je vais nous chercher du vin ou explorer ma fantastique bibliothèque, si le cœur vous en dit. Cela donnera suffisamment de temps à Norma pour nous préparer un festin digne d'un roi.

– C'est trop aimable.

Le musicien espéra avoir fini de digérer le repas du monastère avant de s'attabler encore une fois.

Il essuya ses chaussures en entrant, ce qui fit sourire Easton, qui l'imita. Samuel récupéra sa valise près du feu, puis suivit le père Easton dans l'escalier dont le bois craquait de façon vraiment inquiétante.

Le pasteur lui montra où se trouvait sa chambre.

– La mienne est de l'autre côté du couloir, alors si vous deviez avoir besoin de quoi que ce soit, la nuit, vous pourrez frapper à ma porte. Mais j'en doute, car Norma a sûrement tout prévu pour votre confort.

– Merci, père Easton.

Le pasteur redescendit l'escalier en soufflant. «Maintenant, comment vais-je faire pour m'échapper demain matin?» se demanda Samuel en entrant dans la pièce qui sentait le renfermé.

CHAPITRE 27

S amuel s'immobilisa au milieu de sa chambre. Ce n'était pas un endroit très accueillant, mais il était content de pouvoir avoir un peu de temps à lui après cette journée éprouvante. Son petit sanctuaire contenait une longue commode très usée, rehaussée d'un miroir ovale, sur laquelle se trouvait une bassine d'eau propre. Il y avait aussi un placard, un secrétaire et un lit simple. Il déposa sa valise sur la commode et alla ouvrir la fenêtre pour faire entrer l'air. Heureusement, elle ne donnait ni sur la rivière ni sur la ville, ce qui lui évita les odeurs douteuses qui y circulaient. En fait, elle était du côté du jardin privé du pasteur. «Merci, mon Dieu», se surprit-il à penser.

Il ne prit pas le temps de vérifier le contenu des tiroirs et du placard, mais ouvrit sa valise, qui contenait des soutanes propres. Il avait surtout besoin de se reposer, alors il s'allongea sur le lit, qu'il jugea tout de suite trop mou pour lui offrir même une courte sieste. Il décida donc de faire le point sur sa situation. «Au moins, derrière la porte de Phoebe, je n'ai pas eu à me battre contre qui que ce soit, mais j'ai encore manqué la Scandinavie de quelques centaines d'années. Il reste que la sorcière m'a bel et bien vu à New York et qu'elle est à mes trousses. Il faut que je trouve la satanée porte d'Ulrik avant qu'elle me tue, moi aussi.»

Il s'efforça de penser à des choses plus plaisantes, mais n'y parvint pas. Incapable de fermer les yeux, il finit par se lever. «Je dormirai cette nuit», décida-t-il. Il descendit les marches.

Easton n'était pas encore revenu et il pouvait entendre chanter la servante dans la cuisine, d'où s'échappaient des arômes alléchants. Il profita donc du manque de surveillance pour visiter la maison.

Il savait déjà qu'il n'y avait que deux chambres à l'étage. Au rez-de-chaussée, au bas de l'escalier, le salon occupait presque tout l'espace. Il y avait là des bergères disposées devant le foyer, un secrétaire près de la fenêtre et d'innombrables étagères adossées aux murs, sur lesquelles s'alignaient des centaines de livres. Samuel en dégagea quelques-uns. Ils étaient tous reliés en cuir et écrits à la main dans une calligraphie exquise, mais en latin. Stuart, son père, lui avait déjà dit qu'il était important d'apprendre les langues anciennes, qui étaient à la base de tous les mots qu'il utilisait quotidiennement. Mais son fils musicien avait préféré y substituer un cours de solfège. «Je ne vais certainement pas lui dire qu'il avait raison...»

Il jeta un œil à la cuisine, où s'affairait Norma, mais ne la dérangea pas. Sur la table de travail en plein centre de la pièce, elle avait commencé à éplucher et hacher les légumes. Pour l'instant, elle se tenait debout devant le fourneau en fonte et remuait le contenu d'une marmite. Samuel découvrit ensuite une dernière grande pièce derrière le salon, de l'autre côté de l'escalier, où une longue table pouvait recevoir huit convives. À sa gauche, deux grandes portes s'ouvraient sur le jardin. Il ne se fit pas prier pour aller l'explorer. Tout l'espace était occupé par des rangs de légumes différents. Au centre, il vit un puits en pierres et, tout au fond, entre les arbres fruitiers, un poulailler. Easton ne vivait pas dans la pauvreté, au contraire. Il y avait absolument de tout dans son potager, y compris des fines herbes et des plantes aromatiques. Samuel déambula entre les rangées en laissant errer ses pensées. «J'espère qu'il ne me demandera pas de dire la messe demain matin à l'église devant toute la population», songea-t-il. «Ce serait vraiment désastreux.»

– Père Andersen! le rappela Easton de la porte.

Le musicien se tourna vers lui.

– Êtes-vous botaniste?

– Non, répondit Samuel en riant, mais j'adore les parfums des jardins.

– Venez boire avec moi.

Le jeune homme retourna dans la maison et vit que la table avait été mise. Easton était déjà en train de verser le vin dans des coupes.

– Avez-vous trouvé quelque chose à lire? demanda-t-il au novice.

– Rien qui m'intéressait, mentit Samuel.

– Allez, goûtons ce vin avant l'arrivée de nos assiettes.

Samuel accepta volontiers la coupe qu'il lui tendait en se disant que l'alcool l'aiderait à se détendre. Il fut surpris par l'onctuosité du vin.

– Vraiment excellent, laissa-t-il échapper.

– C'est un ami qui le produit. Il met toujours de bonnes bouteilles de côté pour moi. Je suis content que vous l'aimiez.

Quelques minutes plus tard, Norma leur servit une assiette de ragoût de bœuf et de légumes ainsi que du pain bien frais.

Samuel commença par manger avec prudence, puis dévora son repas comme un louveteau affamé. Il comprit après avoir avalé la dernière bouchée qu'il était victime d'une petite séduction destinée à le convaincre d'accepter le poste que le départ du pasteur laisserait vacant. Mais il ne fit rien paraître.

– Bravo à votre cuisinière, dit-il plutôt.

– Elle s'est beaucoup améliorée, au fil des ans.

– J'imagine que vous l'emmènerez avec vous dans la prochaine région où vous prêcherez?

– Pas du tout. Je vous la laisse, père Andersen. Ce serait un péché de la déraciner après tout ce temps.

Il lui parla ensuite de façon plus spécifique des problèmes de la communauté et de la façon de les régler lentement, mais sûrement. Il lui mentionna également l'excellente collaboration des religieuses de l'abbaye.

– Je vous prédis une brillante carrière, mon jeune ami, et je suis certain que vous aiderez cette ville à passer à l'ère nouvelle.

Les hommes discutèrent ensuite d'éducation et de politique jusqu'au coucher du soleil, auquel moment Norma alluma quelques lampes à l'huile.

– J'ai encore beaucoup de choses à vous montrer demain, père Andersen, alors je pense que nous devrions nous mettre au lit.

– C'est une excellente idée, acquiesça Samuel. Je tombe de fatigue.

Il monta à sa chambre et fouilla dans les tiroirs pour voir s'il y avait un pyjama. Il ne trouva que des robes de nuit.

– Il y a un début à tout, se dit-il.

Il se dévêtit et se lava sommairement avec l'eau un peu trop froide de la bassine. Après avoir enfilé l'ample vêtement blanc, il plaça une soutane propre sur la commode pour le lendemain, et enleva ses souliers. Il s'allongea sur le lit, mais n'arriva pas à dormir. Au bout d'un moment, il entendit craquer le plancher et se redressa d'un seul coup. «Il n'y a aucun coffre magique, ici», se rappela-t-il. Il marcha jusqu'à la porte et l'entrouvrit. Il vit Easton descendre l'escalier sur la pointe des pieds et il n'était pas en robe de nuit. Il n'allait donc pas se chercher un goûter à la cuisine.

Curieux et n'ayant pas sommeil de toute façon, Samuel se rhabilla en vitesse et le suivit. Il ne fut même pas surpris de le voir sortir de la maison. Il marcha à une bonne distance derrière lui en faisant bien attention de rester dans l'ombre, car la lune éclairait les rues désertes d'une belle lumière blanchâtre. «Pourquoi retourne-t-il au monastère?» s'étonna le musicien. Encore plus surprenant, la porte toujours verrouillée de l'enceinte était ouverte! Samuel s'y faufila quelques secondes après le pasteur. Heureusement, les nombreux arbres et arbustes le long de l'allée lui permirent d'échapper aux fréquents regards qu'Easton jetait par-dessus son épaule. Au lieu de se diriger vers le bâtiment principal, où il y avait encore de la lumière à certaines fenêtres, l'homme poursuivit sa route jusqu'à la maison de jardin, où les religieuses conservaient tous les instruments aratoires et les brouettes. Il y entra et referma la porte derrière lui.

À pas de loup, Samuel s'approcha de l'unique fenêtre, dont les volets étaient fermés. Mais les planches dont ils étaient faits étaient suffisamment espacées pour qu'il puisse risquer un œil à l'intérieur. Il entendit d'abord une voix de femme, puis celle du pasteur. Il vit l'unique bougie qui brillait sur le dessus d'un tonneau, puis Easton debout devant Phoebe, qui ne portait qu'une chemise de nuit. Ses longs cheveux ondulés retombaient dans son dos.

– Tu es encore plus ravissante que d'habitude, on dirait, lui dit le pasteur.

En un tour de main, Easton lui ôta son vêtement blanc. Samuel se retourna d'un seul coup pour ne pas voir ce qu'il allait lui faire. «Le salaud...» gronda-t-il intérieurement. Les gémissements de plaisir de la jeune femme le firent hésiter entre se mêler de ses affaires et retourner au presbytère ou attendre la sortie du pasteur pour lui casser la figure. Finalement, incapable de rester là plus longtemps, Samuel décida de partir, mais les propos de Phoebe arrêtèrent son geste.

– Je suis enceinte, annonça-t-elle. Si mère Régina l'apprend, elle me jettera dehors. Je n'ai plus de famille, père Easton. Je ne possède plus rien. Malgré mes vêtements amples, mes sœurs finiront par se rendre compte que je porte un enfant. Pire encore, j'irai en enfer...

Elle éclata en sanglots amers. «Pas étonnant que le pasteur veuille quitter la région», conclut Samuel. «Cette pauvre femme ne doit pas être la seule à avoir succombé à ses avances.»

– Surtout ne paniquons pas, répliqua Easton sans empathie. Je vais informer mère Régina que ma sœur est très malade et qu'elle a besoin de soins immédiats. Je la convaincrai de me laisser vous emmener dans mon village natal pour que vous vous occupiez d'elle pendant une période de temps indéterminée. Ainsi, vous pourrez terminer votre grossesse en paix.

– Vous me rendrez régulièrement visite?

– Je ne mettrai certainement pas ma carrière et ma réputation en péril pour une petite erreur de parcours.

– Une erreur de parcours?

– Vous laisserez ensuite l'enfant à ma sœur, qui l'élèvera comme s'il était le sien.

– Mais ce sera le vôtre...

– Personne ne le saura jamais. Vous reviendrez ensuite ici et vous poursuivrez votre vie comme si jamais rien ne s'était passé.

– Vous êtes prêt à mentir uniquement pour sauver votre honneur?

– Ce que je vous propose nous protégera tous les deux, mon bel ange.

– Ce qui m'arrive est de votre faute.

– Dois-je vous rappeler que vous étiez tout à fait libre de refuser mes baisers?

– Comment osez-vous dire une chose pareille?

– Je ne veux pas de cet enfant et vous non plus. Ce que je vous propose, c'est la meilleure façon de vous en sortir.

– Vous m'avez dit que vous m'aimiez...

– Si belle et si naïve... Vous partirez demain, et s'il vous prenait l'envie de révéler notre petit secret à l'abbesse, je nierai tout et je vous accuserai d'avoir fréquenté un des jeunes gens de la ville en cachette la nuit.

– Dieu nous défend de mentir et de faire du mal à notre prochain.

– Et de briser nos vœux également.

– Vous ne pouvez pas m'abandonner ainsi après que je vous ai laissé contenter tous vos sens... J'ai péché pour vous...

Samuel était si scandalisé par le comportement du pasteur qu'il décida de prendre la fuite et de l'éviter jusqu'à son départ. En s'éloignant, il marcha sur un tas de brindilles qui craquèrent bruyamment. Il s'immobilisa, espérant que personne ne l'avait entendu. La porte de la maison de jardin s'ouvrit brusquement.

– Père Andersen? s'étonna Easton. Vous m'avez suivi jusqu'ici?

Le musicien ne sut pas quoi répondre pour ne pas mettre la vie de Phoebe en danger.

– C'est l'évêque qui vous a demandé de m'espionner? Cherche-t-il à me prendre en défaut pour se débarrasser de moi?

– Il n'a rien à voir avec ma présence ici! éclata finalement le musicien. Mais si je le connaissais, je vous dénoncerais sans la moindre hésitation.

– Alors, vous ne me donnez plus le choix. Je devrai vous faire taire.

Easton se rua sur le musicien et le roua de coups de poing. N'étant pas un guerrier dans l'âme, comme le souhaitait Thorfrid, tout en reculant, Samuel les encaissa sur ses avant-bras pour éviter qu'il le frappe au visage. Le pasteur était enragé comme un taureau d'arène. «Il va me tuer», paniqua le jeune homme. C'est alors qu'un violent coup de vent sépara les adversaires. Une grosse branche vola jusque dans les mains de Samuel. «Il était temps que tu interviennes, mon petit génie», se dit-il intérieurement.

– *Tu sais quoi faire...*

Il n'était pas violent de nature, mais il ne voulait pas non plus mourir dans le passé. Lorsque la bourrasque cessa, Easton revint à la charge. Cette fois, il fut reçu par la branche que Samuel utilisa à la manière d'une batte de baseball pour le frapper au milieu du corps, puis sous la mâchoire. Le pasteur tituba vers l'arrière et culbuta par-dessus une petite haie. Le musicien attendit quelques secondes pour s'assurer qu'il ne se relèverait pas. Il aperçut alors Phoebe, qui s'était rhabillée et qui le fixait avec effroi.

– Vous ne méritiez pas ça, lâcha Samuel.

Il laissa tomber la branche et quitta le monastère en courant. Le rectangle de lumière n'apparaîtrait pas avant quelques heures encore, mais il ne pouvait pas se planter devant la boutique du barbier pour l'attendre, surtout qu'il était persuadé qu'Easton lui donnerait la chasse. Samuel fit de gros efforts pour ralentir sa respiration et ainsi penser plus clairement. «Le marché public!» Il se rappela les directives du pasteur et remonta la rue jusqu'à ce qu'il arrive sur la grande place où les marchands avaient commencé à construire leurs étals. Il se cacha sous une table et se mit en boule. «Pourvu que les rats me laissent tranquille», pria-t-il. Il parvint à se calmer, mais pas à dormir.

Il s'efforça de garder l'esprit ouvert. Il essaya même d'imaginer ce que deviendrait Emily lorsqu'elle serait grande. Elle était dotée d'une intelligence supérieure à la moyenne et toutes les professions s'ouvraient à elle. Elle possédait également un fort caractère et elle savait ce qu'elle voulait. Elle ne s'était jamais intéressée à la musique, alors elle ne marcherait pas dans ses pas. «Elle ferait un bon juge», se surprit-il à penser, car elle possédait un grand sens de la justice. Il songea ensuite à l'âme de sa future fille qui le suivait dans toutes ses aventures derrière les portes. «J'ai tellement hâte de la tenir dans mes bras...» Samuel fit ensuite le tour de tous les fantômes qu'il avait rencontrés jusqu'à présent et ce qu'ils lui avaient apporté.

Aux premières lueurs de l'aube, lorsque les gens commencèrent à se réveiller, le musicien sortit de sa cachette et se rendit au seul puits en plein centre de la ville. Il but de l'eau et s'aspergea le visage. Ce cauchemar allait bientôt se terminer. Il se dirigea vers la boutique du barbier et croisa la boulangère qui transportait un gros panier de pâtisseries. Elle lui en tendit une avec un large sourire.

– Pour vous.

– Merci, c'est gentil.

– En échange de votre bénédiction, mon père.

«Pourquoi pas?» se dit Samuel. Heureusement, il avait appris comment procéder au monastère. Il fit le signe de la croix devant la croyante, la remercia de croire en Dieu et poursuivit sa route en mangeant le petit gâteau. Il retrouva enfin son point de départ. Le vortex allait bientôt s'ouvrir. Il s'efforça de conserver son calme pour ne pas alarmer les passants. Quelques minutes plus tard, le rectangle lumineux apparut au milieu de la rue. Les passants poussèrent des cris d'effroi et prirent la fuite dans toutes les directions. Samuel vit alors Easton arriver au bout de la rue, une pelle dans les mains. Le musicien fonça aussitôt vers sa porte de sortie. Mais avant d'y pénétrer, il se tourna vers le pasteur. Celui-ci s'était immobilisé, frappé de stupeur.

– Tu n'es pas un espion! Tu es un suppôt de Satan! hurla-t-il en s'élançant sur lui.

Samuel plongea dans le rectangle étincelant, qui disparut sur-le-champ.

CHAPITRE 28

Samuel marcha dans le noir jusqu'à ce qu'il soit aspiré vers le haut, mais la porte ne s'ouvrit pas devant lui. Il avança de quelques pas et heurta un obstacle qu'il ne pouvait pas distinguer dans le noir. «Quelque chose ne va pas», s'inquiéta-t-il. Il tendit les mains pour tâter ce qui l'empêchait d'avancer et reconnut la forme de plusieurs planches alignées les unes contre les autres à la verticale. «C'est la porte!» Habituellement, quand il revenait du passé, celle-ci s'ouvrait d'elle-même. Il poussa donc sur le bois, mais il résista à toutes ses tentatives. «Je ne peux pas rester coincé ici et je ne vais certainement pas retourner à l'époque de Phoebe.»

– Eh oh! cria-t-il.

Au château, dès que l'eau avait recommencé à couler dans la fontaine, Rose avait cherché à localiser l'énergie de Samuel afin de poursuivre son travail de protection. À sa grande surprise, elle ne la trouva pas. Alors, elle se transporta dans le couloir de l'étage, où Samuel était censé arriver, mais il n'y était pas. C'est alors qu'elle aperçut la lance qui bloquait l'une des portes. Elle entendit la voix de Samuel qui hurlait.

– Sortez-moi de là!

La petite s'élança et tenta d'utiliser son esprit pour dégager l'arme démesurément longue, mais puisqu'elle n'avait jamais vraiment utilisé ce pouvoir, elle n'arriva qu'à la faire trembler dans les poignées en fer.

– La porte est coincée, Samuel! cria Rose. Ne panique pas. Je vais te sortir de là.

Elle n'appela qu'Ulrik et Esther à l'aide, pour éviter que tous les fantômes envahissent le corridor. Le Viking et la bonne apparurent en même temps.

– Qu'y a-t-il? s'enquit Esther.

La fillette leur pointa la porte.

– Samuel est de l'autre côté et il ne peut pas sortir à cause de la lance.

– Mais qui a l'a placée là? se fâcha Ulrik.

D'un geste de la main, il fit voler l'arme à l'autre bout du couloir. La porte s'ouvrit brusquement et Samuel tomba en pleine face sur le plancher.

– Est-ce que ça va? demanda la bonne, en s'accroupissant devant lui.

– Maintenant, oui... mais que me serait-il arrivé si j'étais resté enfermé à l'intérieur?

– Nous n'en savons rien.

La porte se referma sèchement en faisait sursauter le musicien.

– Je n'ai rien pour graver le nom de Phoebe! s'exclama-t-il.

Esther fit apparaître son canif sur le sol près de lui. Samuel s'en empara, se retourna et se mit rapidement au travail. Puis il s'assit sur le plancher en cherchant son souffle.

– Quelqu'un a délibérément bloqué la porte, lâcha Ulrik, mécontent.

– La sorcière? osa demander le musicien.

– Non, déclara Rose, qui était allée se planter devant la lance. Ce ne sont pas ses vibrations.

– Un des descendants? s'horrifia Esther.

– Ils n'ont pas tous envie de partir d'ici, vous savez.

– Je veux savoir qui a fait ça! tonna Ulrik.

– Moi aussi, avoua Samuel, effrayé.

– À partir de maintenant, je monterai la garde dans le couloir tandis que tu seras dans le passé.

– Merci, ça me rassure un peu.

La belle sérénité qu'il avait trouvée au château avait définitivement pris fin. Désormais, Samuel vivrait dans la crainte jusqu'au jour où il franchirait enfin la porte d'Ulrik.

– C'est quoi, cet accoutrement? lui demanda enfin le Viking.

– Sachez d'abord que je ne choisis jamais les vêtements que je porte à chaque expédition dans le passé. Ils apparaissent brusquement sur mon corps dès que j'arrive dans une autre époque.

– Ça ne me dit pas à quoi correspond celui-ci.

– C'est ainsi qu'étaient vêtus les représentants du culte à l'époque de Phoebe.

– Une sorte de sorcier, quoi?

– Un pasteur. Merci d'être venus à mon secours.

– Je m'occupe de lui, annonça Esther aux deux autres fantômes.

Elle transporta magiquement Samuel dans sa chambre pour qu'il se repose et le quitta. Il retira sa soutane, la rangea avec tous ses autres costumes d'époque, puis prit une douche bien méritée. Il s'allongea ensuite sur son lit en réfléchissant à sa curieuse aventure. «Pauvre Phoebe... En plus d'avoir été la victime de la sorcière, elle a aussi été celle d'Easton... qui a également tenté de me tuer...» Il se rappela alors qu'un des fantômes avait tenté de l'empêcher de revenir dans son propre siècle. «Je n'ai pourtant fait de tort à personne depuis que je suis arrivé ici», se désola-t-il. Il dormit jusqu'au début de l'après-midi, puis s'habilla et traversa dans la salle à manger.

– Bien dormi? lui demanda Esther.

– Comme une souche et je ne me souviens même pas d'avoir rêvé.

Il prit place à la table.

– En fait, je n'ai pas fermé l'œil pendant les vingt-quatre heures de cette éprouvante expédition. Phoebe est la grand-mère d'Isabel, n'est-ce pas?

– C'est exact.

– La pauvre femme... Je l'ai rencontrée dans un monastère quelque part en Angleterre. Je n'ai même pas demandé dans quelle ville je me trouvais. Une chose me tracasse profondément. Je ne sais pas comment c'est possible, mais c'est moi qu'Easton attendait alors que je n'appartenais même pas à son époque. Il connaissait déjà mon nom.

– Peut-être s'agissait-il d'une coïncidence?

– Un pasteur qui s'appelait Andersen? C'est possible, car maintenant que j'y pense, il n'a jamais utilisé mon prénom. Mais si cet homme existait vraiment et qu'il est arrivé là-bas après mon départ, il a dû en voir de toutes les couleurs. Non seulement Easton était méprisable, mais plus personne n'a pu faire confiance à celui qui devait lui succéder. Les habitants de la ville ont vu mon vortex et ils ont cru que c'était une intervention du diable.

– Il est vrai que tout phénomène incroyable s'expliquait par la religion, autrefois. Ou c'était un signe de Dieu ou c'était un mauvais tour de Satan.

– Et maintenant, nous expliquons tout par la science.

Elle fit apparaître une assiette de brochettes de poulet accompagnées de riz et de légumes asiatiques devant son protégé.

– Merci, Esther.

– Je n'ai pas encore de nouveaux dessins pour vous, mais cela ne saurait tarder.

Affamé, Samuel dévora son repas. La bonne en profita pour se brancher à ses souvenirs de la journée précédente. Elle comprit rapidement sa consternation, mais s'amusa de le voir essayer de dire la messe devant les religieuses. Dès qu'elle eut tout absorbé, Esther disparut pour se remettre au travail. Le quatrième tome n'était pas encore terminé, mais elle venait d'avoir une idée pour l'introduction du cinquième. «Samuel, tu ne seras plus jamais dans le besoin lorsque viendra le temps pour toi de partir», se dit-elle.

Une fois rassasié, Samuel passa au salon. Il avait besoin de jouer du piano pour stabiliser ses émotions. Il y resta un peu plus de deux heures, puis décida de se risquer sur la terrasse pour prendre l'air et admirer les roses. La présence d'un gros coffre contre la balustrade le rassura. Il se posta juste à côté et contempla le paysage. Il était encore trop tôt pour le coucher de soleil, alors il se contenta du parfum enivrant des fleurs. En promenant son regard sur le domaine, il aperçut des coffres absolument partout. «Comment la sorcière pourrait-elle ne pas les remarquer?» s'inquiéta-t-il. Il sentit alors une présence derrière lui et fit volte-face.

– Sœur Phoebe?

Elle ne portait plus sa guimpe et ses longs cheveux blond vénitien, aussi ondulés que ceux de Thorfrid, coulaient dans son dos. Toutefois, elle était vêtue de son surcot gris par-dessus son aube crème.

– Vous pouvez m'appeler uniquement Phoebe. Je ne mérite plus de porter ce titre après ce que j'ai fait.

– Ce n'était pas votre faute.

– Avant ce matin, je n'avais aucun souvenir de vous. Comment pouvez-vous être le fils de Stuart et avoir vécu à mon époque si vous êtes encore vivant?

– Vous devez bien être la seule ici à ignorer que j'explore ce qui se trouve derrière les portes de l'étage.

– Je ne sais pas ce qui se trouve là-haut et je ne me mêle jamais aux autres.

– Elles contiennent le passé de chaque descendant. Je vous ai connue au monastère parce que j'ai franchi votre porte par hasard. Voyez-vous, je suis forcé de choisir mes destinations à l'aveuglette, car personne ne peut lire ce qui est écrit sur les petits panneaux. En réalité, je cherche celle d'Ulrik, que je n'ai pas encore trouvée.

– Je ne suis pas vraiment au courant de ce qui se passe au château, puisque je reste dans mon coin pour prier Dieu sans arrêt afin qu'il me pardonne mon péché.

– Depuis quand le père Easton s'imposait-il à vous?

La jeune femme baissa honteusement la tête.

– Il m'a attirée dans la maison de jardin quelques mois avant votre arrivée. J'ai aimé ce qu'il m'a fait et j'en ai redemandé. C'est ainsi que j'ai trahi le Seigneur...

– Vous n'êtes pas la première à qui c'est arrivé, vous savez.

Phoebe triturait son chapelet en bois entre ses doigts. Elle était si malheureuse que Samuel craignit qu'elle disparaisse.

– Accepteriez-vous de me raconter votre vie? la pria-t-il aussitôt.

– Elle est si banale...

– Je vous en prie. Je vous le demande en tant que descendant de la famille qui veut tout savoir de ses ancêtres.

Elle fit quelques pas d'un côté puis de l'autre, hésitante.

– Vous avez certainement le droit de savoir ce qui nous est arrivé, décida-t-elle finalement. Comme vous le saviez déjà, je suis la fille unique d'Ambrose Bradley, un jardinier. J'ai été choyée par mes parents, pour qui j'étais le plus grand trésor. Ma mère ne m'imposait aucune corvée et mon père m'offrait des fleurs au lieu de me montrer comment en prendre soin. Alors, quand ils sont morts, à deux ans d'intervalle, je n'étais pas du tout préparée à affronter la vie. Non seulement je n'avais pas de mari, mais je ne savais rien faire dans une maison. J'ai donc vendu tout ce qu'ils m'ont laissé et je suis entrée au couvent. Je vous épargnerai le récit de tout ce que j'ai dû endurer pendant mon noviciat, mais je vous dirai que j'ai durement gagné ma place parmi mes sœurs. Étant donné que j'étais la plus innocente du lot, je n'ai jamais remarqué que le père Easton passait énormément de temps dans le bureau de l'abbesse. Maintenant, je sais pourquoi...

– Mère Régina? s'étonna Samuel.

– Et toutes les autres abbesses avant elle. Sans doute isolait-il d'autres victimes dans la maison de jardin.

Elle baissa la tête et se signa.

274

– Êtes-vous la seule qui ait eu un enfant de lui?

– Peut-être pas, mais personne ne parlait ouvertement de la conduite scandaleuse du pasteur et, personnellement, je n'ai jamais remarqué si certaines d'entre nous avaient disparu pendant quelques mois.

– Êtes-vous allée vivre chez la sœur du père Easton?

– Je n'ai pas eu d'autre choix. J'y suis restée jusqu'à la naissance de mon fils Paul, puis je suis revenue au monastère. Le pasteur avait quitté la région, mais pas sans dire à l'abbesse qu'il partait parce que je l'avais séduit et obligé à me faire un enfant. Elle m'a dès lors imposé les pires corvées. Je les ai toutes acceptées sans me plaindre afin d'expier ma faute... jusqu'à ce que je sombre dans le désespoir le plus profond. Toutes les nuits, une voix me harcelait, me traitait de tous les noms et me répétait que j'irais en enfer, peu importe ce que je ferais pour me faire pardonner.

– La sorcière, nul doute.

– J'en suis venue à la même conclusion quand j'ai enfin entendu parler de la malédiction après ma mort.

– Comment avez-vous perdu la vie, Phoebe?

– Je me suis pendue dans la maison de jardin...

– Parce que personne n'a su vous écouter et vous venir en aide, déplora Samuel, ému.

– J'étais une pécheresse, alors on ne me parlait plus.

– Mais vous avez été trahie par un homme malhonnête et opportuniste.

Des larmes se mirent à couler sur le beau visage de Phoebe. Elle les essuya du bout des doigts en tremblant et prit une profonde inspiration pour se redonner du courage.

– Maintenant, je comprends pourquoi vous étiez si paniqué à l'idée de dire la messe, laissa-t-elle tomber avec un faible sourire.

– Chaque fois que j'ouvre une porte, je me retrouve dans la vie d'un des descendants sans la moindre préparation. Je ne sais jamais quel rôle je serai appelé à jouer ni même qui j'y rencontrerai. Mes vêtements se transforment sur mon corps et je suis alors obligé d'improviser.

– Vous n'étiez pas très convaincant.

– Ouais, je sais. Mes parents n'ont pas inclus la religion dans mon éducation. Mais dites-moi, avez-vous revu votre fils avant de vous suicider?

– Non, jamais, et je n'ai pas cherché à lui rendre visite.

– Et au château?

– Non plus. Si je vous parle, en ce moment, c'est que votre présence dans le passé et dans le présent en même temps me déconcerte. J'évite tout le monde qui pourrait me faire retomber dans le péché.

– Mais moi, cependant, je vous observe en silence depuis votre arrivée, fit une voix masculine.

Un jeune homme élancé, aux cheveux blonds attachés sur sa nuque et aux yeux bleus éclatants, qui portait un pourpoint marron, des hauts-de-chausses gris, des bas blancs et de hautes chaussures noires, apparut devant Phoebe et Samuel, qui le fixèrent sans savoir qui il pouvait bien être.

– Mère, c'est moi, Paul.

La religieuse n'eut pas le temps de fuir. Son fils la saisit par le bras, l'empêchant de disparaître.

– Je vous en prie, ne partez pas. Laissez-moi au moins vous dire que je ne vous en veux pas de m'avoir laissé aux soins de la sœur du pasteur. Je comprends que vous ne pouviez pas faire autrement.

Phoebe était trop pétrifiée pour répliquer.

– Quand ma mère adoptive m'a révélé la vérité, je suis parti à votre recherche et j'ai été anéanti en apprenant que vous vous étiez donné la mort quand je n'étais qu'un bambin.

– Je suis si désolée... finit par articuler la religieuse.

Elle parvint à libérer son bras et se dématérialisa. Paul se tourna donc vers Samuel.

– J'imagine que vous voudrez aussi connaître mon histoire, lui dit-il.

– Seulement si vous acceptez de me la raconter.

– Je pense comme vous qu'il est important que vous sachiez d'où vous venez. Alors, voilà. Je suis le descendant numéro vingt-six. J'ai grandi en pensant que Mary Easton était ma mère. Quand elle est tombée gravement malade, alors que j'avais seize ans, elle m'a avoué mes véritables origines. Après ses funérailles, je me suis rendu à l'abbaye pour rencontrer sœur Phoebe. On m'a appris qu'elle s'était suicidée. J'ai compris que j'étais désormais seul dans la vie, car je n'avais aucune envie de faire la connaissance de mon père. J'ai donc pris mon destin en main.

– À seize ans?

– J'étais un jeune homme sérieux et débrouillard. Mary m'avait laissé une petite somme en héritage, mais je n'avais pas encore appris de métier. Je me suis donc enrôlé dans l'armée. Une fois que j'ai eu mis suffisamment d'argent de côté, je me suis mis à la recherche d'une épouse. Je l'ai finalement trouvée dans l'atelier de poterie de la petite ville où je venais de m'établir. Elle s'appelait Leah. C'était une femme remarquable qui possédait un talent incroyable.

«Il l'aime encore passionnément», s'émut Samuel.

– Nous avons eu une fille aussi belle qu'elle et nous l'avons appelée Isabel.

– Vous êtes le père de celle qui prend si bien soin de ma santé depuis que je suis arrivé au château?

– C'est exact. Je suis si heureux de l'avoir retrouvée ici. Nous entretenons une bonne relation.

– Mais Phoebe, elle, vous a évité, n'est-ce pas?

– Je ne le prends pas personnellement, puisqu'elle fuit tout le monde. Mais maintenant que j'ai cassé la glace, peut-être acceptera-t-elle de me revoir?

– Certaines personnes sont plus difficiles à apprivoiser que d'autres, Paul.

– Je suis patient.

– Mais dites-moi, comment êtes-vous mort?

– Lors d'un exercice militaire, quelqu'un m'a planté une pique dans le dos. Je suis tombé sur les genoux et, avant de rendre mon dernier souffle, j'ai réussi à me retourner pour voir le visage de mon assassin. C'était une vieille femme. Elle a jeté la baïonnette par terre et elle m'a souri avec une grande méchanceté. C'est la dernière chose que j'ai vue avant de me réveiller sur ce domaine. J'ai appris depuis que c'était la sorcière. Vous devez déjà savoir qu'elle a commencé à rôder par ici, ces derniers jours, et que c'est vous qu'elle cherche.

– Oui, je le sais et je redouble d'efforts pour accomplir ma mission de tous vous libérer.

– Je vous en remercie, mais demeurez prudent.

– Ne vous inquiétez pas, Paul. Je ferai en sorte de lui échapper.

– Au plaisir de vous revoir, Samuel.

Il le salua d'un mouvement de la tête et disparut. Le musicien se rendit alors compte qu'il avait baissé sa garde pendant qu'il discutait avec la mère et le fils. Sur-le-champ, il fit un tour d'horizon et aperçut Rose, à l'autre extrémité de l'étang. Elle leva le pouce vers le ciel pour lui faire comprendre qu'il n'avait rien à craindre.

CHAPITRE 29

Rassuré, Samuel décida de descendre dans le jardin. Il marcha entre les massifs de roses de toutes les couleurs et prit le temps de les humer avec beaucoup d'émotion.

Ambrose lui apparut au bout de l'allée et sonda son âme.

– Quel est ce désarroi que je capte en vous? déplora-t-il. Avez-vous appris une mauvaise nouvelle?

– Je suis toujours comme ça quand je regarde un film triste.

– Un film?

– L'histoire d'une personne qui s'est mal terminée.

– Ah...

– Je reviens de la porte de Phoebe et l'injustice qu'elle a subie me démoralise.

– Souvent, dans la vie, nous sommes victimes de circonstances sur lesquelles nous n'avons aucun contrôle. Dans le cas de Phoebe, tout a commencé dès qu'elle est née. Sa mère et moi l'avons trop couvée, si bien que lorsque nous sommes morts, elle ne savait pas comment tenir une maison et faire les comptes. Elle ignorait même comment se nourrir. En fait, le couvent était sa seule option.

– Où elle est devenue une proie facile pour un vieux vicieux, grommela Samuel.

– Nous aurions dû prendre le temps de lui trouver un bon mari, mais nous n'en avons malheureusement rien fait. Samuel, je vous en conjure, ne laissez pas le passé de vos ancêtres définir qui vous êtes dans le présent. Ces expériences,

ces erreurs et ces iniquités font partie de notre vie à nous, pas de la vôtre. Concentrez-vous plutôt sur ce dont vous avez besoin personnellement pour trouver le bonheur.

– C'est un sage conseil. Merci, Ambrose.

– Me donnerez-vous un coup de main avec les fleurs, aujourd'hui?

– Demain, sans doute. Aujourd'hui, j'ai trop la tête ailleurs.

– Elles sauront vous attendre. Surtout, ne vous en faites pas avec la sorcière. Nous nous assurerons qu'elle ne vous trouve pas.

Samuel décida de ne pas lui parler de la tentative dont il venait d'être victime de la part d'un des descendants. Il était persuadé, par contre, qu'Ambrose ne pouvait pas en être l'auteur.

– À plus tard, lui dit-il.

Il décida de poursuivre sa route jusqu'à l'étang et en fit lentement le tour en localisant chaque coffre. Rose apparut près de lui.

– Puis-je marcher avec toi? demanda-t-elle en serrant sa poupée contre elle.

– Rien ne me plairait autant. Dis-moi, comment s'appelle ta poupée?

– Phoebe.

Samuel s'arrêta pour examiner la petite personne en chiffon qui portait une tunique blanche et dorée et dont les longs cheveux blonds retombaient en cascades dans son dos.

– C'est vrai qu'elle lui ressemble... avoua-t-il.

– Je ne l'ai vue qu'une seule fois et, moi aussi, j'ai remarqué qu'elle avait la même chevelure.

Le musicien se détendit davantage, car il savait que même si Rose n'était qu'une enfant, elle possédait d'excellents réflexes de défense.

– Sortiarie ne va-t-elle pas finir par se demander pourquoi il y a une surpopulation de coffres sur son domaine tout à coup? demanda-t-il.

– Elle n'a jamais empêché les descendants de décorer le château et le jardin à leur goût.

– Pourrait-elle vous obliger à me dénoncer?

– Je ne vois pas comment. Nous subissons en ce moment le pire des châtiments.

– Savez-vous qui a tenté de m'emprisonner dans le passé?

– Pas encore, mais je sais qu'Ulrik s'en occupe avec ardeur. Nous découvrirons le coupable.

– Et comment l'empêcherez-vous de recommencer?

– Je n'en sais rien, Samuel. Je veux bien continuer de rester à l'affût et empêcher la sorcière de tomber sur toi, mais tu dois trouver la bonne porte.

– J'ai tout essayé, crois-moi, mais aucune de mes méthodes n'a fonctionné jusqu'à présent. Au pire, par élimination, je finirai bien par tomber sur la bonne.

– Ce serait catastrophique, par contre, que tu ouvres la tienne.

– La mienne? s'étonna-t-il.

– Tous les descendants qu'elle a tués en ont une.

– Mais je ne suis pas mort.

– Dans son esprit, quand elle t'a envoyé te jeter dans le fleuve, elle était sûre que tu te noierais, alors elle a créé ta porte.

– Qu'arriverait-il si je mettais le pied derrière celle-là?

– Sortiarie aura alors mille fois plus de chances de t'achever.

– Mais je pourrais aussi changer ma vie et prendre de meilleures décisions...

– Je ne vous le conseille pas, intervint Andrew en apparaissant de l'autre côté de Samuel. Vous pourriez aussi faire un geste qui permettrait à la sorcière de vous tuer des années avant celle où elle vous a poussé à vous noyer. Ainsi, vous ne seriez jamais venu jusqu'ici pour nous aider.

– Si je comprends bien, si ça devait m'arriver, le mieux serait que je me terre dans un bar jusqu'au retour du vortex?

– Ce serait préférable, à condition que vous ne choisissiez pas un établissement où vous aviez l'habitude d'aller boire. Êtes-vous enfin sorti du château pour bien repérer tous les coffres?

– Entre autres. J'avais aussi besoin d'air frais.

– C'est quelque chose qui nous manque cruellement, soupira Rose.

– J'ai peur que la sorcière finisse par comprendre que ce sont des cachettes magiques, avoua Samuel.

– Elle ne se préoccupe pas de ce que nous faisons dans ces lieux, tenta de le rassurer Andrew.

– C'est ce que je lui ai dit aussi, mentionna Rose.

Une fois qu'ils eurent fait le tour de l'étang, Samuel les remercia de lui avoir tenu compagnie et rentra au château.

Dans la soirée, après un repas de paninis à la mortadelle et au provolone et une bonne bière froide, Samuel alla s'asseoir devant le feu. S'il avait été réel, il aurait bien aimé le taquiner avec un tisonnier à l'instar d'Ulrik, mais il faisait partie de ces choses qu'il ne pouvait pas toucher.

Pendant que le musicien se relaxait, de son côté, le Viking poursuivait son enquête.

Même s'il faisait semblant de ne pas se préoccuper de ses descendants, il les avait étroitement étudiés au fil des ans. Il connaissait leur numéro, les liens entre eux, leur métier, leurs craintes et leurs espoirs. La grande majorité en avaient assez de leur captivité qui, pour certains, durait depuis des centaines d'années. Mais il y avait également parmi eux de mauvais sujets qui étaient persuadés de se retrouver en enfer si Samuel réussissait à briser la malédiction. Toutefois, avant de leur demander de s'expliquer, Ulrik voulait mettre tout le monde au courant de ce qui se passait afin de s'assurer que les bons fantômes les gardent à l'œil et les dénoncent.

Il ordonna donc à Andrew et à Esther de le rejoindre dans le vestibule. Au premier, il demanda de convoquer tous les spectres, comme Sortiarie l'avait fait, et à la seconde, d'utiliser sa magie pour que le musicien ne les entende pas dans le salon.

– Est-ce la meilleure façon de trouver celui qui a attenté à la vie de Samuel? s'enquit la bonne.

– Probablement pas, répondit Ulrik. Mais il est important que tous sachent ce qui se passe pour pouvoir le sauver si nous ne sommes pas dans les parages.

– Je suis d'accord, l'appuya Andrew. Avez-vous déjà des soupçons?

– Oh que oui. Peut-être l'ignorez-vous, car vous n'entretenez pas tous des relations entre vous, mais certains des descendants ne veulent absolument pas quitter le domaine. Ce seront mes premiers suspects. Alors, si vous voulez bien, ne perdons plus de temps et rassemblez-moi tout le troupeau.

Andrew, qui possédait le pouvoir d'obliger les fantômes à se réunir, ne l'avait utilisé que deux fois, mais il savait exactement ce qu'il avait à faire. Les descendants se matérialisèrent devant Ulrik, qui se tenait au milieu des marches. Croyant avoir été dérangés encore une fois par la sorcière, ils ne cachèrent pas leur appréhension.

– Où est Sortiarie? demanda Simon, le tailleur de pierres.

– Elle n'est pas là, répondit Ulrik. C'est moi qui ai besoin de vous parler.

– J'espère que c'est important, grommela Thorfrid.

– Quelqu'un a tenté de se débarrasser de Samuel.

La nouvelle sembla tous les foudroyer. La Valkyrie dégaina immédiatement son épée.

– Qui a osé s'en prendre à lui? tonna-t-elle.

«Comme si elle pouvait les châtier ainsi...» soupira intérieurement le Viking.

– Du calme, Thorfrid. J'ai demandé à Andrew de vous réunir afin de demander à celui ou celle qui a bloqué la porte par laquelle il devait rentrer au château de venir me rencontrer pour m'expliquer pourquoi.

Les spectres gardèrent le silence.

— Le coupable n'a pas besoin de se dénoncer maintenant, mais je m'attends à ce qu'il ait le courage de s'identifier. Merci, c'est tout.

Ils se dématérialisèrent rapidement les uns après les autres, jusqu'à ce qu'il ne reste plus que Thorfrid.

— Tu sais déjà qui c'est, n'est-ce pas? fit-elle en marchant vers son père.

Elle s'arrêta entre Andrew et Esther.

— Il y en a cinq parmi le lot qui n'ont pas envie de faire face à la justice du ciel, estima Ulrik.

— Dis-moi quoi en faire.

— Il faut d'abord identifier lequel est responsable de cet acte ignoble.

— Au lieu de jouer aux devinettes, chassons-les tous.

— Les choses sont toujours si simples pour toi, ma fille. Donne-moi quelques jours pour poursuivre ma petite enquête.

— Pour qu'ils aient le temps de tuer Samuel?

— Un peu de patience, Thorfrid.

— Pfft!

Elle disparut d'un seul coup. Ulrik se doutait bien qu'elle allait harceler tous les descendants pour trouver elle-même le coupable, mais il ne pouvait rien faire pour l'en empêcher.

Ce soir-là, après avoir avalé deux verres de whisky dans le salon, Samuel se mit au lit plus tôt que d'habitude. Il rêva enfin à sa vie en Atlantide. Il se vit entrer dans les vergers en pleine nuit, alors qu'ils n'étaient éclairés que par la lune. Il trouva Stincilla assise sur une couverture, en tunique légère, les yeux levés vers le ciel.

— Je savais que je te trouverais ici, chuchota-t-il en prenant place près d'elle.

Elle se tourna vers Pharos et il l'embrassa tendrement.

– Pourquoi es-tu si triste?

– Demain, d'autres princesses te seront présentées.

– Qui ne m'intéresseront pas.

– Est-ce que tu m'aimeras toujours, Pharos?

– Jusqu'à la fin des temps.

Stincilla se dévêtit, alors qu'elle avait toujours refusé de coucher avec lui pour éviter qu'il subisse les foudres de son père, qui finissait toujours par tout savoir. Le jeune prince était étonné, mais il ne se posa pas de question et l'imita. Les amants unirent leurs corps et leurs âmes pour la première fois sous les étoiles qu'ils adoraient tous les deux, puis, après l'amour, ils s'allongèrent l'un près de l'autre.

– Je t'ai apporté un présent, mais tu ne pourras l'ouvrir qu'une fois chez toi.

– Pourquoi? s'étonna-t-elle.

– Pour que tu ne me le rendes pas sur-le-champ. Jure-moi que tu n'essaieras pas de savoir ce que c'est avant au moins une heure.

– Je te le jure.

Ils s'embrassèrent encore un long moment, puis Stincilla enfila son chiton.

– Retourne au palais avant que ton père s'aperçoive que tu as disparu.

– Je t'aime.

Elle courut entre les arbres sans lui répondre.

Pharos revint dans sa chambre par le balcon et s'allongea sur son lit en songeant au merveilleux moment qu'il venait de passer, puis sombra dans le sommeil.

Au matin, les serviteurs eurent beaucoup de difficulté à le réveiller. Les yeux à demi fermés, il se laissa emmener dans la salle des bains, où il fut lavé, massé et huilé pour l'important repas du midi. On lui passa un chiton blanc bordé de galons dorés, une ceinture en pierres précieuses et des sandales en cuir souple. Lorsqu'on lui présenta finalement la mince couronne en orichalque ornée d'une pectolite bleu ciel veinée de blanc, symbole de l'Atlantide, il fit la grimace.

– Votre père y tient, lui rappela le serviteur.

Mécontent, Pharos laissa l'homme la lui déposer sur la tête.

– Vous avez fière allure.

Les hommes escortèrent le jeune prince jusqu'à l'antichambre de la salle du trône et se postèrent devant la porte pour qu'il ne prenne pas la clé des champs, ce qu'il avait l'habitude de faire pour échapper à ses obligations royales.

Quelques minutes plus tard, le haut-roi et la reine l'y rejoignirent. Alios était imposant dans sa tenue dorée et Lucciola était ravissante dans sa robe immaculée.

– Tu vas faire fureur, mon fils, lui dit-elle en caressant sa joue.

– Ne me fais pas honte, ajouta le père.

Pharos les accompagna jusqu'à l'estrade qui dominait la grande salle.

Pendant qu'Alios attendait patiemment que cessent les applaudissements, Pharos promena le regard sur l'assemblée. Ses yeux s'arrêtèrent sur la table vide de la famille de Stincilla. «Pourquoi ne sont-ils pas là?» paniqua-t-il. Ce n'était pas le moment de questionner son père, car il n'hésiterait pas à le sermonner devant tout le monde. Il se concentra donc sur les familles royales de quatre îles satellites, qui étaient venues tenter leur chance avec leurs filles.

Après le discours du haut-roi, les serviteurs déposèrent les mets sur toutes les tables. Pharos mangea en silence et fit semblant d'étudier les courbes des jeunes demoiselles qu'on allait bientôt lui présenter. Lorsque vint le temps de passer à la salle de bal, il se fit un devoir de danser avec chacune des princesses, mais son cœur n'y était pas. Il les écouta poliment lui parler de leur région, puis rencontra leur père séparément, en compagnie de ses parents.

Pharos savait bien que ce n'était pas lui qui choisirait sa femme, alors il se contenta de se montrer galant. Lorsque les festivités se terminèrent, dans la soirée, il regagna sa chambre, épuisé.

Les serviteurs le débarrassèrent de ses vêtements d'apparat et lui firent enfiler une chemise de nuit douce comme de la soie. Dès qu'ils furent partis, il quitta une fois de plus ses appartements en sautant de son balcon et courut jusqu'à la maison de Stincilla. La porte principale était ouverte...

Pharos se risqua prudemment à l'intérieur et ne vit aucun meubles nulle part. De plus en plus paniqué, il fit le tour de toutes les pièces. Il n'y avait plus rien ni personne! Il pivota pour retourner à l'entrée et trouva son père devant lui.

— Je savais que tu viendrais ici, soupira Alios.

— Où sont-ils? hurla le fils.

— Cette femme représentait une trop grande distraction pour toi.

— Qu'en as-tu fait?

— Tu ne le sauras jamais.

— Vous n'aviez pas le droit de me faire ça!

— J'ai tous les droits, mon fils, surtout en ce qui concerne ton avenir et celui de notre peuple. Tu oublieras cet amour de jeunesse et tu deviendras un formidable roi, un jour. Et quand tu auras toi-même des enfants, tu comprendras pourquoi j'ai dû agir comme je l'ai fait.

— Non...

— Ta mère et moi avons choisi ta future épouse. Dans trois jours, j'annoncerai son nom au peuple et dans sept jours, nous procéderons à la cérémonie du mariage.

Pharos s'élança. Il contourna son père et retourna au palais en courant. Il passa devant les gardiens des portes, qui n'osèrent pas l'arrêter en le voyant dans un état aussi lamentable.

Le prince fila à sa chambre et se jeta sur son lit pour pleurer.

Sa mère le rejoignit lorsque les servantes l'avertirent de son retour. Elle s'assit sur le bord de son lit et lui caressa doucement les cheveux.

- Je suis certaine que tu l'aimeras... chuchota-t-elle.
- Jamais...

CHAPITRE 30

S amuel se réveilla en sursaut dans son lit du château, le visage baigné de larmes. Pour la première fois depuis qu'il avait commencé à rêver à l'Atlantide, il venait enfin de comprendre la raison pour laquelle son âme cherchait celle de Stincilla depuis toutes ces vies: elles avaient été séparées par le haut-roi! Il s'assit dans son lit et ramena ses jambes contre sa poitrine en essayant de ralentir les battements affolés de son cœur.

– Je n'ai jamais partagé la vie de Stincilla... sanglota-t-il. Et je ne l'ai sans doute jamais retrouvée en Atlantide... Mon père l'a-t-il fait tuer avec toute sa famille?

Il se réfugia sous la douche, où il continua de pleurer amère-ment. Une partie de son cœur avait recommencé à souffrir comme lorsqu'il avait été Pharos. Lorsqu'il entra finalement dans la salle à manger, Esther n'eut pas besoin de voir ses yeux rougis pour comprendre qu'il était démoli. Elle l'avait déjà senti dans son cœur. Samuel passa à côté de son bagel sans même s'arrêter. Il sortit du château et alla s'asseoir en boule sur le banc près du drakkar échoué dans l'étang. Esther et Isabel apparurent devant lui en même temps.

– Mais quelle est la cause de ce profond chagrin? s'alarma la bonne.

– J'étais maudit dix mille ans avant que la malédiction frappe notre famille, réussit-il à articuler, la gorge serrée. Mon père l'a exilée...

– Exilée qui? demanda Isabel, étonnée.

– Stincilla... la femme sur le portrait de Henry... Elle faisait partie d'une famille noble, mais elle n'était pas de sang royal... Mon père m'a forcé à épouser une princesse et il l'a fait disparaître...

Isabel décocha un regard insistant à Esther.

– Mais c'est sans doute la malédiction qui vous a empêchés de vous retrouver dans cette vie-ci, tenta la bonne.

Samuel essuya ses larmes avec la manche de sa veste.

– Pardonnez-moi de vous embêter avec ces émotions qui remontent à la nuit des temps...

– Nous pouvons vous donner presque tout ce que vous voulez, ici, Samuel, intervint Isabel, mais en ce qui concerne votre cœur, ce sera à vous de le contenter une fois que vous aurez quitté le domaine.

– Je vous en conjure, ne restez pas dans cet état de vulnérabilité, le pria Esther. Les émotions négatives attirent les sorcières comme les flammes attirent les papillons de nuit. Nous allons vous ramener à l'intérieur, où il est plus facile pour nous de vous protéger.

Samuel fut aussitôt transporté dans la salle à manger et se retrouva assis sur sa chaise habituelle. Esther passa doucement la main derrière sa nuque afin de lui redonner magiquement un peu de courage. Il se mit à manger sans beaucoup d'appétit, mais c'était un bon début.

– Ne pourriez-vous pas me dire ce qui est arrivée à Stincilla? demanda le musicien à tout hasard.

– Nous ne possédons malheureusement pas ce pouvoir, Samuel, déplora Isabel.

– Je ne peux voir que ce que vous avez vécu vous-même, ajouta Esther. Je ne peux pas aller chercher dans votre esprit une information dont vous ignorez tout.

– Je comprends...

Il avala une gorgée de café.

– Est-il possible que Stuart ait été Alios à cette époque reculée? s'enquit-il.

– Nous ne sommes pas des voyantes, soupira Isabel. Et il n'y en a pas non plus parmi les descendants. Je suis vraiment désolée.

Après son repas, qui était tombé dans son estomac comme une pierre, Samuel alla s'installer au piano et joua tout l'avant-midi, jusqu'à ce que ses doigts le fassent souffrir.

Rose s'était plantée dans l'entrée du salon pour surveiller ses arrières et les autres fantômes, car elle savait désormais qu'il y avait un traître dans leurs rangs. Elle étudia les visages de ceux qui étaient apparus pour écouter le concert, mais ne trouva personne qui lui sembla vouloir du mal au musicien. «Si je le trouve, c'est sûr que je vais aller chercher l'objet qui lui appartient et qui est en possession de la sorcière... et je vais le détruire!» De cette façon, elle saurait une fois pour toutes si c'était ainsi que Sortiarie les retenait prisonniers et, en même temps, ce qui arrivait quand on lui en ravissait un.

Pour le repas du midi, Esther lui trouva un fish and chips comme il les aimait, mais il n'en mangea que la moitié.

– Samuel, je comprends votre peine, lui dit la bonne, mais il est important pour la santé du corps d'évacuer rapidement la tristesse, se ressaisir et faire tout ce qui est en notre pouvoir pour rétablir la situation.

– Mais cette injustice s'est produite il y a plus de dix mille ans!

– C'est vrai, mais vous avez aussi rencontré la réincarnation de cette femme dans la vie d'Anwen et dans celle de Jacob, donc il y a une solution de ce côté.

– Vous êtes décidément plus logique que moi, Esther.

– Je suis là pour vous aider.

– C'est donc vers l'avenir que je dois me tourner et non vers le passé... à moins que plus tard dans la vie de Pharos, quelqu'un lui ait appris quelque chose...

– Peut-être que vos rêves vous en informeront. En attendant, ouvrez l'œil derrière chaque porte.

– Vous avez raison.

Ayant réussi à l'apaiser, Esther acheva de lui changer les idées en lui offrant les derniers dessins réalisés par Henry. En se voyant en soutane, marchant dans la rue avec Norma, Samuel ne put s'empêcher de sourire.

– Ces portes me font vraiment vivre des expériences uniques, avoua-t-il.

Elle le laissa examiner l'illustration aussi longtemps qu'il le voulut avant de lui en présenter une autre. La deuxième représentait Samuel en train de dire la messe devant toutes les religieuses. Il éclata de rire en voyant son air atterré.

– Celle-là, je ne l'oublierai jamais.

Sur la dernière, il était assis sur un banc dans le jardin du monastère et Phoebe se tenait un peu plus loin, deux seaux à la main. «Heureusement qu'il n'a pas choisi la scène dans la maison de jardin», pensa Samuel, soulagé.

– Ce sont de beaux souvenirs.

Esther réchauffa discrètement ce qui restait de son repas, car elle avait senti son appétit revenir. Samuel termina son assiette en regardant encore une fois les dessins. Il alla les ranger dans les enveloppes en plastique de son album, puis sortit sur la terrasse. Au lieu de s'aventurer sur le domaine, il choisit plutôt de s'asseoir sur une des chaises en bois pour réfléchir. «Comment pourrais-je m'assurer de retrouver Stincilla dans cette vie-ci? Car je ne veux certainement pas rester coincé dans le passé juste pour être avec elle. Il faut que je pense aussi à Emily.» Tout ce qu'il voulait, c'était de vivre avec sa bien-aimée le bonheur qui leur avait été refusé en Atlantide. Dans ces temps modernes, comment retrouvait-on son âme sœur? En mettant une petite annonce dans les journaux? En lançant un appel sur Internet? Et si des centaines de femmes y répondaient, comment saurait-il laquelle est la bonne? Stuart apparut alors devant lui, mettant fin à ses réflexions. Il semblait soucieux, tout à coup.

– Qui est Alios? demanda-t-il.

– C'est un homme intransigeant et autoritaire qui a été mon père il y a dix mille ans en Atlantide.

– Mais comment est-ce possible?

– Je n'en sais franchement rien. Certaines personnes prétendent que notre âme revient constamment sur la Terre dans des corps différents au fil du temps pour réparer des torts qu'elle a causés dans ses premières incarnations jusqu'à ce que toutes ses dettes soient effacées.

– Pourquoi crois-tu que j'ai été cet homme?

Samuel baissa la tête, penaud.

– T'ai-je traité aussi durement que lui?

– Parfois, surtout quand tu n'étais pas d'accord avec mes décisions.

– En réalité, je ne les ai jamais comprises, parce que tu étais si différent de moi.

– Je ne l'ai jamais fait exprès de ressembler davantage à maman. Je suis juste fait ainsi.

– Malheureusement, je ne l'ai compris qu'après ma mort et je m'en excuse.

– Et moi, je suis désolé de t'avoir comparé à Alios.

– Je te souhaite sincèrement de retrouver cette femme qui te manque tant, même si je ne vois pas comment c'est possible d'avoir vécu autant de fois. Je suis certain qu'elle te conviendra mieux que Kathryn.

– Ma femme ne te plaisait pas?

– C'était ton choix, Sam. Pas le mien. Qu'est-ce que je pouvais y faire?

– Ça alors...

– Reste sur tes gardes, mon fils. Tu as apparemment plus d'ennemis que nous le pensions.

– Je serai très prudent.

Stuart disparut avant qu'il lui demande ce qu'il n'avait pas aimé chez Kathryn. Samuel passa tout l'après-midi à paresser sur la terrasse, prêt à bondir vers le coffre en cas d'urgence. Il y resta même jusqu'au coucher du soleil qu'il admira, l'âme plus en paix. Lorsqu'il revint dans la salle à manger, il avait bien meilleure mine et avait même pris des couleurs sous les rayons du soleil. Esther lui servit des tranches de dinde rôtie, des pommes de terre en purée et des canneberges.

— On dirait que c'est Noël, plaisanta-t-il.

Il mangea sans se presser et se perdit une fois de plus dans ses pensées. Esther décida donc de le laisser tranquille et de retourner à la rédaction des derniers chapitres du tome quatre. Samuel venait à peine d'avaler la dernière bouchée de volaille lorsque Daisy, Charlotte, Elizabeth et Edward apparurent sur le côté de la table, avec Rose en tête.

— Rien à signaler, Samuel, annonça la fillette. Mais nous continuons à monter la garde.

— Vous n'êtes que des enfants, protesta le musicien.

— Petite correction: nous sommes des fantômes, répliqua Elizabeth.

— Avec les mêmes pouvoirs que la plupart de ceux qui habitent le château, ajouta Edward.

— Sauf que nous ne savons pas encore comment nous asseoir, précisa Charlotte.

— Mais nous continuons à nous y entraîner, affirma Daisy.

— La sorcière ne se méfiera pas de nous.

— Surtout quand nous jouons autour de la fontaine ou de l'étang, souligna Elizabeth.

— Je ne veux pas que vous mettiez vos âmes en danger, les avertit Samuel.

— Notre rôle, c'est uniquement de venir t'avertir si Sortiarie met le pied sur le domaine, pas de l'affronter, le rassura Rose.

— Dans ce cas, merci, les enfants.

— Notre prochain rapport aura lieu avant que tu te couches.

Ils disparurent avant qu'il puisse leur dire qu'ils n'avaient pas besoin de revenir s'il ne se passait rien. Il alla ensuite jouer du piano, puis se retira pour la nuit lorsque l'obscurité enveloppa le château. Il se dévêtit et s'assit sur son lit pour lire un peu.

– Tout va bien, Samuel, fit alors la voix de Rose au travers de la porte. Dors en paix.

– Merci.

Il lut encore quelques pages, puis déposa le livre sur la table de chevet, à côté de son écureuil et de sa souris en pierre. Il éteignit la lampe, qui ne fonctionnait pas à l'électricité, puisqu'il n'y en avait pas dans la résidence, puis il ferma les yeux et trouva rapidement le sommeil.

Encore une fois, il se retrouva en Atlantide, dans la salle du trône du palais de son père. Vêtu entièrement de bleu, il se tenait devant une jeune femme aux longs cheveux châtains et aux yeux mordorés, qui lui souriait. Elle portait une longue robe de la même couleur que sa tunique. Alios se positionna alors entre la princesse et lui. Samuel comprit aussitôt qu'il était en train de se marier. Toutefois, il ne ressentait aucune allégresse.

Pharos capta alors le regard inquiet de sa mère. Comprenait-elle ce qu'il éprouvait? Il avait été trahi par son père et il était désormais en son pouvoir. Son cœur était brisé à jamais... Il tourna la tête vers la salle pleine à craquer. L'atmosphère était à la fête: le prince était devenu un homme.

– En raison des pouvoirs que me confère mon titre de haut-roi de l'Atlantide, j'ai le bonheur d'unir la vie de mon fils, le Prince Pharos de Poséidia, à celle de la Princesse Jocalia de Claros. Désormais, seule la mort pourra les séparer.

Les convives se réjouirent bruyamment. Jocalia prit la main de Pharos et l'entraîna vers le grand balcon, à l'extérieur du palais. En apercevant le couple, le peuple éclata de joie. La princesse était heureuse et souriante, mais le prince ne tentait même pas de dissimuler son chagrin. Ils furent ensuite escortés à la table d'honneur dans la vaste salle de banquet.

Pharos toucha à peine à son repas. Son regard était fixé sur la table de la famille de Stincilla, désormais occupée par une autre. Il faisait tout ce qu'on lui demandait comme un automate, sans aucun plaisir.

Le festin lui sembla durer une éternité. Sa jeune épouse l'incita à se lever. Il vit alors que le dessert avait été servi sans qu'il s'en aperçoive. C'était pourtant la tradition de le partager avec sa femme. Pour l'aider à sauver la face, Jocalia plongea l'index dans la mousse au citron et le porta aux lèvres de Pharos, qui y goûta. Son geste contenta l'assemblée. Les époux suivirent ensuite Alios et Lucciola dans la salle de bal. Pharos dansa avec la princesse, puis sa mère vint prendre sa place dans ses bras.

– Je t'en prie, essaie de sourire un peu, chuchota-t-elle.

– Je suis désolé, mère, je n'y arrive pas.

– Notre peuple aura besoin d'un haut-roi qui sera fort et sage à la mort de ton père.

– Je saurai bien gouverner, mais ce ne sera malheureusement pas au bras de la femme que j'aime.

Il reconduisit Lucciola jusqu'au groupe au milieu duquel son père faisait la conversation, puis se dirigea vers la rangée de gros barils en cuivre. Un serviteur lui tendit une coupe de vin. Pharos jeta un œil aux festivités. Jocalia était en train de danser avec les membres de sa famille de Claros. Il alla donc s'asseoir entre deux longues fenêtres et but l'alcool pour se consoler.

À la fin de la soirée, les représentants de la cour conduisirent le jeune couple aux appartements du prince. Le regard noir qu'Alios adressa à son fils l'avertit de bien se comporter. En retenant sa colère de son mieux, Pharos lui claqua la porte au nez. Jocalia posa doucement la main sur l'épaule de son nouveau mari.

– Je ne suis pas celle que vous auriez choisie, mais je vous promets de faire tout en mon pouvoir pour vous rendre heureux.

Des larmes se mirent à couler sur les joues du prince. Jocalia l'obligea à pivoter vers elle et se faufila dans ses bras pour le serrer avec amour.

CHAPITRE 31

D ans la bibliothèque du château, Esther se tenait debout devant le bureau sur lequel reposaient plusieurs piles de feuilles, certaines vierges, d'autres recouvertes de sa belle écriture. À gauche se trouvait le tome quatre et, à droite, le tome cinq. Elle savait déjà qu'il était impossible de réunir le récit de ces deux dernières portes en un seul et même roman. Le premier s'intitulerait donc *Héros du ciel* et traiterait de la vie des pilotes d'avion de chasse durant la guerre, dont Lionel faisait partie, tandis que le second parlerait de la vie cachée dans les monastères au dix-septième siècle.

– Quel titre devrais-je lui donner? *Le prix du péché*?

L'histoire de Phoebe était si tragique, comme celle d'Anwen. Alors pour éviter que les deux ouvrages soient trop semblables, la bonne crut nécessaire d'y intégrer les souvenirs de l'Atlantide que Samuel avait recueillis dans ses rêves.

– Ils ne sont guère plus réjouissants, mais je pense bien que les lecteurs aimeront savoir que la vie sur cette planète a commencé bien avant ce qu'on leur enseigne à l'école.

Puisqu'elle avait réussi à terminer le tome quatre, elle écrivit la lettre de présentation et enveloppa le manuscrit dans du papier brun qu'elle attacha avec une solide ficelle. L'éditeur n'avait sans doute pas encore fini de lire le tome trois, alors elle attendrait quelques jours avant de le lui livrer. Elle put alors poursuivre la rédaction de l'aventure à l'abbaye.

– Je vais en profiter pour dénoncer tous ces abus... grommela-t-elle.

Pendant ce temps, Ulrik était toujours à la recherche de celui ou celle qui avait tenté d'emprisonner Samuel dans le passé.

Il avait été incapable de déceler la moindre trace de culpabilité sur les visages de ses descendants lorsqu'ils avaient été convoqués dans le vestibule par Andrew. Il se tournait donc maintenant sur leur parcours. Presque tous avaient eu des vies exemplaires qui leur permettraient d'accéder à un monde meilleur lorsqu'ils quitteraient le château... tous sauf cinq. Jonas, le numéro trente-cinq, avait assassiné un grand nombre d'innocents durant sa vie. Il avait été bien sûr poussé à le faire par la sorcière, mais cela n'effaçait pas ses crimes aux yeux du Créateur. Ce tueur en série allait vraisemblablement se retrouver en enfer. Il n'avait donc pas intérêt à ce que Samuel les débarrasse de la malédiction.

Son deuxième suspect était Stephen, le numéro trente-trois, qui était devenu politicien et avait utilisé son influence pour obtenir tout ce qu'il désirait, que ce soit des femmes, des fonds ou des faveurs. Certaines de ses victimes s'étaient enlevé la vie par désespoir à la suite de ses manigances malhonnêtes, alors tout comme Jonas, il ne serait pas admis au ciel. Il y avait aussi Jacob, le descendant numéro vingt-huit, qui, à bord de son bateau de pirate, avait également passé de nombreux hommes au fil de son épée afin de s'approprier leurs richesses. «Un voleur et un meurtrier», avait tranché Ulrik. Phoebe, la descendante vingt-cinq, faisait partie des deux derniers spectres qu'il soupçonnait. Elle n'avait tué personne, mais elle avait brisé ses vœux de chasteté, ce qui équivalait pour elle à un billet sans possibilité de retour en enfer. Le Viking savait bien qu'il était tout naturel de succomber au désir, mais ce qui comptait ici, c'était la perception que Phoebe entretenait de son péché.

Il y avait enfin Anthony, le vampire. Ulrik avait toujours eu de la difficulté à comprendre comment un être pourtant sain d'esprit en était arrivé à mordre ses semblables et à boire leur sang. Il hésitait entre le qualifier d'assassin ou d'esprit profondément dérangé. Mais au bout du compte, comme les quatre autres, le numéro trente-deux était persuadé que le Créateur ne lui pardonnerait jamais le grand nombre de cadavres qu'il avait laissés derrière lui.

«Lequel a osé attenter à la vie de Samuel?» continua de se demander le Scandinave. Il doutait que Phoebe ait pensé à bloquer la porte en utilisant une lance. D'une part, elle ne quittait jamais sa petite chapelle et ne se promenait pas dans le château, et d'autre part, elle n'aurait jamais pensé à cette stratégie. Dans l'esprit d'Ulrik, il ne pouvait s'agir que d'un homme: Jonas, Stephen, Jacob ou Anthony? Même si à partir de maintenant, il allait monter la garde à l'étage pendant les expéditions de Samuel dans le passé, il tenait à trouver le coupable pour lui dire sa façon de penser.

Afin de réfléchir à cette vilaine affaire en paix, le Viking s'isola dans la clairière qu'il avait défrichée à une bonne distance du château et où il faisait pousser du blé, de l'avoine, de l'orge, du seigle, de la laitue, des carottes, des pommes de terre, des oignons, des tomates et même des fraises. Contrairement à ce que croyaient les fantômes, il n'était pas arrivé sur le domaine de la sorcière uniquement avec un tisonnier et un drakkar. Il avait transporté avec lui ses instruments les plus précieux: sa faucille, sa pelle, sa pioche, sa faux, sa bêche et sa charrue. Le bœuf qui la tirait n'avait pas suivi, mais il pouvait manipuler la charrue avec sa magie pour labourer la terre.

Ce champ était son endroit favori, où il pouvait échapper aux incessantes complaintes des fantômes qui en avaient assez de leur captivité.

Ulrik était incapable de respirer l'air frais de la campagne, mais il se rappelait celui de son village natal. Et surtout, il avait l'impression d'être libre. Il avait travaillé très fort pour nourrir sa fille unique, mais celle-ci n'en avait plus aucun souvenir. Elle ne se rappelait que ses années de servitude et son mariage forcé. Ce n'était pas ce qu'il avait voulu pour elle, mais jamais il n'arriverait à la convaincre qu'il avait été un bon père... sauf si Samuel arrivait à l'empêcher de faire flamber la maison de la sorcière. Alors là, sans doute, il serait revenu avec suffisamment de richesses pour lui procurer une belle vie. Il l'aurait sans doute laissée devenir une guerrière, comme elle l'avait toujours souhaité, ce qui aurait fini par apaiser son sang de Valkyrie. Toutefois, il n'aurait jamais pu persuader sa mère de venir vivre avec eux...

Ulrik était en train d'inspecter ses légumes quand il vit arriver Samuel. Le Viking s'alarma de le voir aussi loin du château et de ses cachettes magiques, car personne n'avait pensé à placer un coffre sur sa terre cultivée.

– Mais que viens-tu faire ici? lui reprocha-t-il.

– Je voulais savoir si c'était vrai que vous aviez aussi votre petit coin privé.

– En terrain découvert?

– Rose surveille la sorcière et je me suis dit que vous pourriez me ramener d'un seul coup au château si jamais elle faisait irruption sur le domaine.

– Tu dois faire attention de ne pas devenir trop confiant, Samuel.

Le musicien se mit à marcher le long des cultures.

– Que faites-vous de tout ceci, puisque vous ne pouvez rien manger? demanda-t-il.

– Lorsque vient le temps des récoltes, Esther voit à ce que mes produits se retrouvent dans des établissements qui nourrissent les pauvres.

– Vraiment?

– Cette femme admirable fait la même chose avec la récolte de fruits d'Ambrose.

– Elle ne m'en a jamais parlé...

– Parce qu'elle est d'une modestie dont elle n'a certainement pas hérité de moi.

Ulrik s'esclaffa, ce qui fit finalement sourire Samuel.

– Tu t'es remis de tes émotions? lui demanda le Viking.

– Seulement en surface. Je crois que ça prendra un certain temps avant que j'accepte ce qui m'est arrivé jadis. En fait, je commence à comprendre pourquoi le ciel fait en sorte que nous ne nous souvenions pas de nos autres vies. Ce serait pénible de vivre avec tout ce bagage de vieux souvenirs éprouvants.

– Penses-tu que j'ai pu vivre moi aussi dans ce très vieux pays?

– C'est possible.

– Tu ne m'y as pas vu?

– Nous avons la même âme, mais pas le même corps, alors c'est difficile à dire.

Samuel s'arrêta devant le champ de fraises.

– Elles sont énormes! s'exclama-t-il, étonné.

– J'ai l'agriculture dans le sang, mon garçon! lui dit fièrement le Viking.

– Elles sont comestibles?

– Évidemment! Allez, goûte.

Samuel ne se fit pas prier.

– Ce qu'elles sont juteuses! Et sucrées, en plus!

– Esther me dit qu'elles sont très prisées dans les refuges. J'en produis de si grandes quantités que personne n'en manque.

– Et il n'y a pas d'insectes sur le domaine pour les gâter.

– Très juste. J'aurais vraiment aimé jouir des mêmes conditions sur mes terres de jadis. Alors, monsieur le musicien, étant donné que Rose surveille tes arrières, je vais en profiter pour t'enseigner à inspecter les légumes. Je parie que tu n'as jamais fait ça de ta vie.

– Juste au supermarché.

– Peut-être auras-tu envie de posséder une ferme quand tu nous quitteras.

– J'en doute, mais sait-on jamais.

Pendant que Samuel apprenait les rudiments de la culture des légumes et des céréales, à la maison d'édition, Oliver Jarsdel venait de terminer la lecture des *New-Yorkais* et il était encore plus emballé qu'après celle des deux premiers romans. Il n'arrêtait pas de répéter à Abigail qu'il visiterait cette ville mythique dès qu'il en aurait l'occasion, ce à quoi elle répondait que si Samuel poursuivait la série, il resterait plutôt cloué dans son fauteuil pendant les prochaines années. Il venait de lui remettre les dernières pages manuscrites lorsque son téléphone sonna. Quand il vit, sur l'afficheur, que c'était son associé Lambert Raynott qui l'appelait, il ne cacha pas sa surprise.

— Lambert? fit-il en décrochant. Comment vas-tu, mon vieil ami?

— Je me porte très bien, Oliver, même si tu ne me le demandes pas très souvent.

— Pardonne-moi. Je suis obnubilé par le dernier auteur que nous avons découvert.

— Et moi, je suis préoccupé par le dernier rapport que m'a fait parvenir Abigail et par tes plus récents comptes, aussi. Comment se fait-il qu'au cours du mois dernier, tu n'aies dépensé de l'argent que sur un seul titre?

— Je n'ai pas eu le temps de traiter les autres, tout simplement. Samuel Andersen est tout à fait exceptionnel, une véritable perle! Abigail t'a-t-elle aussi remis son premier roman?

— Je l'ai devant moi, en effet. Je peux comprendre ton emballement, Oliver, mais la maison d'édition ne peut pas subsister sur les ventes d'un seul ouvrage.

— Oui, je le sais bien. En ce moment même, des évaluatrices sont en train de lire les autres manuscrits que nous avons reçus. Ainsi, tu recevras des notes d'honoraires très bientôt.

— Et les autres auteurs que nous avons déjà publiés, tu t'en occupes aussi?

— Ils sont sur ma liste de choses à faire. Tu t'inquiètes pour rien.

– Ne m'oblige pas à revenir travailler au bureau.

– Tu sais encore marcher? le taquina Jarsdel.

– Je suis très sérieux.

– Alors, détends-toi. Tout va très bien.

Lorsqu'il raccrocha, il jeta un œil à la pile de messages téléphoniques auxquels il n'avait pas encore répondu depuis qu'il s'occupait d'Andersen. Abigail s'arrêta à la porte de son bureau.

– Je commence à recevoir des appels de plusieurs de nos auteurs qui se sentent négligés, monsieur.

– Je vais les rappeler, sinon Lambert va me pendre haut et court.

Elle déposa une dizaine de petits papiers roses supplémentaires devant lui.

– Tout comme monsieur Raynott, je pense que nous devrions leur accorder un peu de temps en attendant le tome quatre.

– Vous avez tout à fait raison, comme toujours, chère Abigail. Dépêchez-vous tout de même de mettre le troisième à l'ordinateur.

Il décrocha le combiné, alors elle retourna à son bureau. Mais avant de poursuivre la transcription des *New-Yorkais*, elle donna un coup de fil à Ann-Emma pour savoir si la révision du deuxième tome avançait bon train, puis à Samantha, Daphnie et Julia. Aucune des trois n'avait encore eu de coup de foudre. Elle voulut connaître les titres des manuscrits qu'elles avaient déjà lus, car le sien en faisait partie sous un pseudonyme. Avant d'avouer à son patron qu'elle avait commencé à écrire, elle aussi, Abigail avait besoin de savoir ce qu'elle valait.

Elle en était presque à la fin du dernier chapitre lorsque son patron se présenta à son bureau, sa veste sur le dos.

– C'est bien la première fois que vous partez avant moi depuis que nous avons commencé les aventures de Samuel Andersen, s'étonna-t-elle.

– J'ai reçu un ultimatum de la part de madame Jarsdel. Nous avons des invités à souper. Maintenant, c'est à mon tour de vous recommander de ne pas rentrer trop tard.

– Ne vous inquiétez pas pour moi. Mes chats ne me le pardonneraient pas si je n'arrivais pas à l'heure pour les nourrir. Allez vous amuser, monsieur Jarsdel. Vous le méritez bien.

Son patron quitta l'immeuble. Abigail termina son travail, puis alla déposer le manuscrit ainsi que la copie de sa version dactylographiée sur une clé USB dans le coffre-fort. Elle prit ensuite le temps d'écrire une courte lettre à Samuel pour lui expliquer la position difficile de sa fille, qui ne voulait pas aller vivre aux Bermudes, mais qui serait obligée de suivre sa mère s'il ne donnait pas signe de vie bientôt.

– Peut-être que cela suffira à le faire sortir de son exil, espéra-t-elle.

En post-scriptum, elle ajouta qu'elle faisait continuellement jouer ses deux albums chez elle et qu'elle était éblouie par son talent. Elle plia la feuille, la glissa dans une enveloppe et alla vérifier que toutes les portes et toutes les fenêtres étaient verrouillées avant de mettre sa veste, d'enclencher le système d'alarme et d'aller déposer sa missive dans la boîte aux lettres.

– Et si je devenais l'intermédiaire entre la petite et son père... murmura-t-elle, excitée.

Elle s'éloigna de la maison d'édition en souriant.

CHAPITRE 32

Après avoir ramené Samuel au château, Ulrik alla se prélasser dans son drakkar en imaginant encore une fois ce qu'aurait été sa vie s'il n'avait pas été lapidé à mort par la sorcière. «Je serais enfin rentré à la maison les bras chargés d'objets de grande valeur et je serais sûrement devenu un parti plus intéressant pour une femme», se dit-il. Aussi, Thorfrid méritait d'avoir une mère. Le Viking aurait élargi ses terres, fait de meilleures récoltes et sûrement eu d'autres enfants. Il se leva et marcha jusqu'à la proue du bateau. En regardant au loin, comme il l'aurait fait sur la mer, il aperçut Sortiarie sur le sentier autour de l'étang. Cette fois, elle avait conservé son apparence de vieille femme aux cheveux gris. Ulrik chassa aussitôt toute référence à Samuel de ses pensées et se concentra plutôt sur les belles années de son passé. À son grand étonnement, la sorcière ne se dirigea pas vers le château, mais vers lui! Il s'efforça de ne pas paniquer. «De toute façon, elle ne peut pas me tuer deux fois», se dit-il.

Elle s'arrêta près du drakkar et lui servit un air de défi. Ulrik décida donc de mettre pied à terre pour l'affronter comme un véritable guerrier.

— Dis-moi la vérité, Viking, cracha-t-elle. Je sais que vous cachez quelqu'un. Livre-le-moi et je ferai tomber la malédiction pour les prochaines générations.

— Vous connaissez déjà tous ceux qui se trouvent avec moi, puisque vous les avez tous fait mourir les uns après les autres. Je n'ai donc personne à vous livrer.

– Et je sais aussi que ton quarante-sixième descendant est bel et bien vivant et qu'il ne se trouve plus nulle part sur cette planète. Le seul endroit où il peut être, c'est ici.

– J'ai arrêté de les compter et, contrairement à ce que vous pensez, je ne les connais pas tous.

Le visage de Sortiarie devint carrément diabolique. Elle tendit brusquement le bras de côté. Aussitôt, un adolescent apparut au bout de sa main, la gorge serrée entre ses doigts. La sorcière le laissa brutalement tomber sur le sol, où il se retrouva assis.

– C'est le numéro quarante-six? demanda Ulrik en retenant son sarcasme.

– Tu sais fort bien que non, Viking. Regarde-le bien. Celui-là, c'est ton fils Amalrik, ou plutôt ce à quoi il aurait ressemblé s'il n'était pas mort alors qu'il n'était qu'un bébé.

– Une image que vous avez choisi d'animer, donc.

– Tu sous-estimes ma magie, encore une fois. Je suis allée le chercher dans les limbes et je l'ai fait grandir. C'est désormais un fantôme comme toi. Si tu ne me crois pas, viens le toucher.

Ulrik commença par hésiter, craignant un piège, puis alla s'accroupir près de l'adolescent aux cheveux blonds et aux yeux aussi bleus que les siens. Il posa la main sur son épaule et constata qu'il ne passait pas au travers. Seuls les fantômes pouvaient en toucher un autre.

– C'est impossible... il n'avait que quelques mois à peine...

– Quand comprendras-tu que rien ne me résiste, Viking?

– Mais pourquoi?

– Pour te forcer la main, bien sûr. Si tu ne me rends pas bientôt celui que je cherche, je ferai souffrir notre petit chéri que voilà.

– Vous n'avez pas le droit de lui faire ça! tonna Ulrik, mécontent. Ce petit est mort avant que vous ne prononciez la malédiction.

– Tu t'es bien donné le droit de détruire ma maison et de tuer mes enfants.

– Vous n'en aviez tout de même pas quarante-six.

– Lorsque je reviendrai, si celui que je veux n'est pas avec toi, je commencerai à martyriser notre bel Amalrik jusqu'à ce que tu te décides à me donner ce que je demande.

Elle disparut en laissant le jeune Viking derrière elle. Ulrik examina attentivement ce fils qu'il n'avait jamais connu.

– Je n'arrive pas à croire qu'on puisse accomplir un tel miracle, s'étrangla-t-il.

– Qui es-tu? demanda Amalrik.

Sa voix n'était pas encore celle d'un homme, mais ce n'était plus celle d'un enfant.

– Je sais que ça va te paraître difficile à croire, mais je suis ton père. Tu es tombé gravement malade quand tu étais bébé et personne n'a pu te sauver, alors tu es allé rejoindre mes ancêtres dans le grand hall des dieux.

– C'est ici?

– Non, mon petit. Si tu es sur ce domaine, à un âge que tu n'as jamais eu, c'est parce qu'une méchante femme t'a arraché à ton repos éternel.

– Pourquoi?

– Pour nous faire souffrir, tous les deux. C'est son passe-temps préféré. Tu vois, elle est très fâchée contre moi, mais au lieu de se contenter de ne punir que moi, elle a décidé de s'en prendre à tous mes descendants.

– Mais je ne lui ai rien fait.

– C'est bien ça, le malheur. Tu ne mérites pas du tout les douleurs qu'elle projette de t'infliger et je ne sais pas encore comment t'en protéger.

– Tu t'appelles comment?

– Ulrik.

– Et moi, c'est quoi mon nom?

– Amalrik Dragensblöt.

– Où est ma mère?

– Dans le hall d'Odin à se demander pourquoi nous ne sommes pas avec elle.

– Quand irons-nous la rejoindre?

Ulrik décida de ne pas lui parler de Samuel ni de ses efforts pour les libérer, car il était si pur et si innocent que la sorcière aurait pu lui arracher cette information sans aucune difficulté.

– Bientôt, mon enfant... bientôt.

Ayant capté une nouvelle énergie sur le domaine, Thorfrid apparut près d'eux et examina l'intrus de la tête aux pieds.

– Mais c'est qui, celui-là? lâcha-t-elle.

– Je te présente ton frère, Amalrik.

– Très drôle. Maintenant que tu vois bien que ta petite farce ne fonctionne pas, fais-le disparaître.

L'adolescent dévisagea à son tour la Valkyrie avec beaucoup de curiosité.

– Crois-le ou non, je n'ai rien à voir avec son arrivée au château. La sorcière est allée le chercher dans l'au-delà pour me faire souffrir davantage.

– Cet enfant va t'imposer des souffrances avec ses petits bras maigrelets? s'amusa-t-elle.

– Je parlais de douleur morale.

– Il va te traiter lui aussi de tous les noms?

– Heureusement, il ne semble pas aussi belliqueux que toi. En fait, Sortiarie a l'intention de le torturer pour me forcer à lui livrer tu sais qui. Et ne prononce surtout pas son nom devant lui. Il le lui répéterait sans réfléchir aux conséquences.

Thorfrid perdit son sourire moqueur.

– En d'autres mots, c'est son espion, avança-t-elle.

– Je dirais plutôt que c'est son levier pour nous faire craquer.

Elle se pencha sur Amalrik et lui ouvrit la bouche pour voir ses dents, puis lui agrippa une mèche de cheveux pour les flairer.

– Mais qu'est-ce que tu fais là? lui reprocha Ulrik. Ce n'est pas un cheval.

– C'est quoi, un cheval? demanda le gamin.

– Il sent le Dragensblöt, même si je ne comprends pas comment ça se peut. Qu'est-ce qu'on va en faire?

– Je ne peux certainement pas le laisser errer sur le domaine sans risquer qu'il tombe sur tu sais qui.

– C'est qui, tu sais qui?

– Il n'a pas l'air très intelligent, remarqua Thorfrid.

– Parce que c'est un bébé dans un corps d'adolescent. Je vais donc le garder avec moi et l'éduquer de mon mieux.

– J'ai bien hâte de voir ce que ça donnera, ricana-t-elle.

Elle disparut.

– Qui c'était? demanda Amalrik.

– Ta sœur, Thorfrid. Tu t'habitueras à ses manières plutôt brutales. Allez, debout. Nous allons commencer par voir si tu sais marcher.

Accroché au bras de son père, l'adolescent commença par faire quelques pas incertains. Ils firent lentement le tour de l'étang. Les muscles des jambes d'Amalrik devinrent de plus en plus forts et bientôt, il arriva à avancer sans son aide.

– Merveilleux.

Les dragons firent alors quelques sauts au milieu de l'étang.

– Qu'est-ce que c'est? fit-il en s'avançant vers l'eau.

Ulrik le retint par sa tunique pour qu'il n'y entre pas.

– Ce sont des dragons. Ils sont gentils quand on les laisse tranquilles.

– D'accord.

– Je sens que tu vas mettre ma patience à rude épreuve, toi.

– C'est une bonne chose?

– Ta sœur dirait que oui.

Ils contournèrent l'étendue d'eau et traversèrent le jardin.

– C'est beau.

– N'est-ce pas?

Debout devant la fontaine, Rose tourna la tête et ne cacha pas son étonnement.

– Bonjour, lui dit Amalrik.

Au lieu de lui répondre, elle dirigea un regard inquisiteur du côté d'Ulrik.

– Je vais tout vous expliquer dans un petit instant, lui dit-il.

Lorsqu'il arriva devant l'escalier qui menait à la terrasse, l'adolescent s'immobilisa.

– Ça non plus, tu n'as jamais fait ça.

Il dut lui apprendre à poser un pied à la fois sur les marches et insista pour qu'il s'agrippe à la rampe.

– C'est amusant.

– Ouais, mes souffrances ont déjà commencé, soupira Ulrik.

Une fois en haut, Amalrik leva les yeux sur l'immeuble imposant.

– C'est quoi?

– Notre nouvelle maison. Et je suis plutôt certain que tu ne te souviens plus de celle où tu es né.

– Il n'y a rien avant maintenant.

– C'est bien ce que je vois.

Il s'assura avec son esprit que Samuel n'était pas dans les parages et le localisa dans sa chambre. Il était en train de lire. Il fit donc visiter toutes les pièces à Amalrik sauf la salle à manger, au cas où la porte qui donnait sur la chambre soit ouverte. Il l'arrêta finalement dans le vestibule et lui fit grimper quelques marches.

– Qu'y a-t-il en haut?

– Des portes qui ne s'ouvrent pas. Il ne faut jamais y aller.

– D'accord.

– Jusqu'à présent, tu te souviens de tout ce que je t'ai dit depuis que tu es arrivé?

– Oui... Thorfrid, les dragons, le jardin, l'escalier, la terrasse, le château, tu sais qui...

Ulrik l'arrêta avant qu'il ne lui énumère toutes les pièces qu'il avait vues.

– Maintenant, tu vas rencontrer ceux qui habitent au château avec nous.

– D'accord.

– Andrew, j'ai vraiment besoin de toi.

L'avocat apparut de l'autre côté du Viking en faisant sursauter l'adolescent.

– Waouh! s'exclama-t-il.

Andrew était si surpris qu'il ne trouva rien à dire.

– Convoque tout le monde, s'il te plaît, mais pas celui que nous protégeons. Je vais tout vous expliquer.

Les quarante-trois fantômes se matérialisèrent d'un seul coup. Amalrik bondit derrière son père pour se cacher.

– Tout un guerrier, laissa tomber Thorfrid dans la première rangée.

– Depuis que je me suis réveillé ici, jamais on ne nous a convoqués, leur fit remarquer Sidney. Et maintenant, ça doit faire au moins quatre fois en quelques semaines.

– C'est plus rapide que de vous rencontrer séparément, répliqua Ulrik. Maintenant, écoutez-moi bien.

– Tu vas nous dire qui est cet enfant? demanda Gulbran.

– Laisse-le parler, l'avertit Thorfrid, sa mère.

– La sorcière a bien compris, à sa dernière visite, que le chat ne sortirait pas du sac.

– C'est quoi, un chat?

Thorfrid se mit la main sur les yeux pour montrer son découragement.

– Retiens tous les mots que tu ne comprends pas et je te les expliquerai tout à l'heure, dit Ulrik à l'adolescent.

– D'accord.

– Alors pour nous tordre davantage les bras, elle a conçu un nouveau stratagème. Je vous présente Amalrik, le fils que j'ai eu de mon seul mariage.

– Bonjour! fit-il, souriant.

– Avant ou après Thorfrid? demanda Simon.

– Avant, répondit la Valkyrie en abaissant sa main.

– N'est-il pas mort avant que la sorcière prononce la malédiction? s'étonna William.

– Des années avant que je tombe sur elle, confirma Ulrik.

– Alors, pourquoi est-il ici? demanda Andrew.

– Allez-vous le laisser parler, à la fin? soupira Isabel.

– Qu'il s'explique! lança Clara.

– Merci, fit le Viking. La sorcière est allée le chercher dans la mort afin de m'obliger à lui livrer vous savez qui. Chaque fois qu'elle reviendra, si je ne l'ai pas fait, elle fera souffrir Amalrik.

– Comme c'est cruel, se révolta Edith.

– Ça prendra combien de temps avant qu'elle le tue? demanda plutôt Thorfrid. Encore mieux, as-tu eu d'autres enfants dont elle pourrait se servir ensuite?

– Je pense que la question que nous devons nous poser, en ce moment, c'est: voulons-nous le faire souffrir? rétorqua Lionel.

– Ou allons-nous remettre le chat à Sortiarie? demanda Henry.

– Je ne sais pas encore ce que je dois faire, avoua Ulrik. Nous avons certainement besoin de lui pour sortir d'ici. Mais ce que je réclame de vous, aujourd'hui, c'est de ne pas parler de l'animal devant mon fils, qui n'a aucune notion de ce qu'il peut ou ne peut pas dire.

Un sourire maléfique se dessina sur les lèvres d'Anthony, qui n'avait pas réussi à enfermer Samuel dans le passé.

– Bien compris, affirma Sidney.

– Celui ou celle qui faillira aura affaire à moi, les avertit Rose.

– Et qu'est-ce que tu pourrais bien nous faire? la taquina Edward.

– Ne me provoquez pas.

– Je garderai Amalrik à mes côtés en tout temps, mais s'il devait m'échapper, je vous prierais de faire attention à ce que vous lui direz et de me le ramener prestement, termina Ulrik. Vous pouvez partir, maintenant.

L'adolescent poussa des cris de joie en les voyant se dématérialiser les uns après les autres.

– Bonne chance, lui souhaita Clara en disparaissant la dernière.

– Où ils vont? demanda Amalrik.

– Ils ont des trucs à faire.

– Et le chat?

– Il est caché au fond du sac. Si jamais il en sort, je te le montrerai.

– D'accord. C'est quoi, un stratagème?

– Une façon déloyale d'obtenir quelque chose.

– Et une sorcière?

– Une femme qui n'a pas notre bien à cœur.

– Et une malédiction?

– Des paroles par lesquelles on souhaite du mal à quelqu'un.

– Vous savez qui, est-ce le frère de tu sais qui?

Ulrik éclata de rire et Amalrik en fit autant. Il mit la main sur son bras pour le transporter directement à l'autre bout de l'étang afin de l'emmener dans son champ cultivé, où il ne risquait pas de faire un malheur. Pendant qu'il lui enseignerait l'agriculture, il en profiterait pour penser à la façon de les sauver tous les deux, Samuel et lui.

Sur la terrasse, Thorfrid les regarda s'éloigner en caressant les oreilles de son loup.

– Nous avons un sérieux problème, Brynjulf.

En février 2020, le tome 4...
75e ROMAN PUBLIÉ PAR ANNE ROBILLARD!

Surveillez notre site Web et nos pages
Facebook et Twitter pour les détails!

MARQUIS

Imprimé au Québec, Canada
Novembre 2019